큐브수학 실력 무료 스마트러닝

첫째 QR코드 스캔하여 1초 만에 바로 강의 시청

둘째 최적화된 강의 커리큘럼으로 학습 효과 UP!

서술형 문제 풀이 강의
서술형 풀이를 쓰기 어려울 때 문제 해결 전략 강의를 통해 서술형 풀이를 체계적으로 완성합니다.

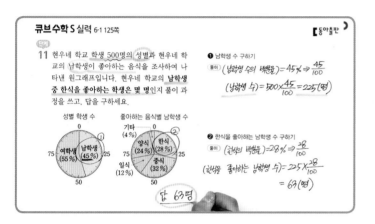

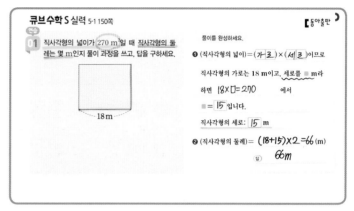

#큐브수학 #초등수학 #무료

큐브수학 실력 초등수학 5학년 강의 목록

큐브수학 초등수학 5학년 **학습 계획표**

학습 계획표를 따라 차근차근 수학 공부를 시작해 보세요.
큐브수학과 함께라면 수학 공부, 어렵지 않습니다.

단원	회차	진도북	매칭북	공부한 날	
1단원	1회	006~011쪽	01쪽	월	일
	2회	012~017쪽	02~04쪽	월	일
	3회	018~021쪽	05쪽	월	일
	4회	022~027쪽	06~08쪽	월	일
	5회	028~031쪽	09~10쪽	월	일
	6회	032~034쪽		월	일
	7회		47~49쪽	월	일
2단원	8회	036~041쪽	11쪽	월	일
	9회	042~045쪽	12~13쪽	월	일
	10회	046~049쪽	14쪽	월	일
	11회	050~055쪽	15~17쪽	월	일
	12회	056~059쪽	18~19쪽	월	일
	13회	060~062쪽		월	일
	14회		50~52쪽	월	일
3단원	15회	064~071쪽	20쪽	월	일
	16회	072~075쪽		월	일
	17회	076~077쪽	21~23쪽	월	일
	18회	078~081쪽	24~25쪽	월	일
	19회	082~084쪽		월	일
	20회		53~55쪽	월	일

단원	회차	진도북	매칭북	공부한 날	
4단원	21회	088~093쪽	26쪽	월	일
	22회	094~097쪽	27~28쪽	월	일
	23회	098~101쪽	29쪽	월	일
	24회	102~107쪽	30~32쪽	월	일
	25회	108~111쪽	33~34쪽	월	일
	26회	112~114쪽		월	일
	27회		56~58쪽	월	일
5단원	28회	116~123쪽	35쪽	월	일
	29회	124~127쪽		월	일
	30회	128~129쪽	36~38쪽	월	일
	31회	130~133쪽	39~40쪽	월	일
	32회	134~136쪽		월	일
	33회		59~61쪽	월	일
6단원	34회	140~145쪽		월	일
	35회	146~147쪽	41~42쪽	월	일
	36회	148~151쪽		월	일
	37회	152~153쪽	43~45쪽	월	일
	38회	154~155쪽	46쪽	월	일
	39회	156~158쪽		월	일
	40회		62~64쪽	월	일

큐브수학 실력

|진도북|

5·2

구성과 특징

진도북 `3단계 학습법`

STEP ① 개념 완성하기

알차게 구성한 개념 정리와 개념 확인 문제로 개념을 완벽하게 익힙니다.
기본 유형 문제로 다양한 유형 학습을 준비합니다.

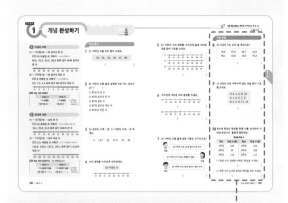

STEP ② 실력 다지기

학교 시험에 잘 나오는 문제와 다양한 유형의 문제를 `유형` `확인` `강화` 의 3단계로 학습하여 실력을 키웁니다.

`약점 체크` 틀리기 쉬운 문제를 집중적으로 학습합니다.

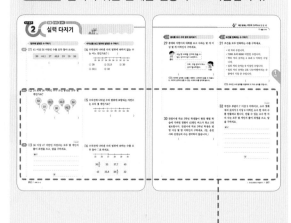

매칭북 `1:1 매칭 학습`

STEP1 `한 번 더` 개념 완성하기

STEP1의 기본 유형 문제를 **한 번 더** 공부하여 개념을 완성합니다.

STEP2 `한 번 더` 실력 다지기

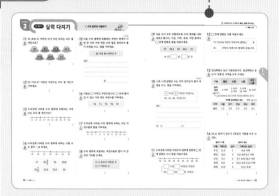

STEP2의 확인, 강화 문제를 **한 번 더** 공부하여 실력을 다집니다.

큐브수학
실력의 특징

❶ 유형 학습 하나의 주제에 대한 필수 문제의 **3단계 입체적 유형 학습**
❷ 매칭 학습 진도북의 각 코너를 1:1 매칭시킨 매칭북을 통해 **한 번 더 복습**
❸ 서술형 강화 수학 핵심 역량의 접목/풀이 과정을 자연스럽게 익히면서 쓸 수 있는 **3단계 서술형 학습법**

STEP ❸ 서술형 해결하기

풀이 과정을 자연스럽게 익히면서 쓸 수 있는 체계
적인 연습 단계 실전 의 3단계 학습으로 서술형을
완벽하게 대비합니다.

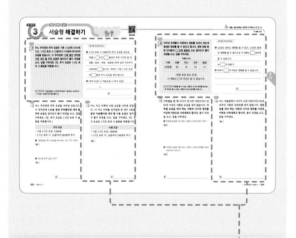

단원 마무리

한 단원을 마무리하는 단계로 해당 단원을 잘 공부
했는지 확인하여 실력을 점검합니다.

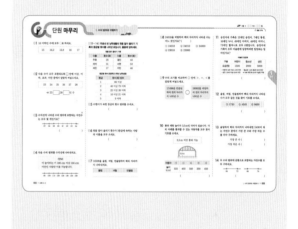

STEP3 한번더 서술형 해결하기

STEP3의 연습, 실전 문제를 **한 번 더** 공부하여
서술형을 해결합니다.

단원 평가

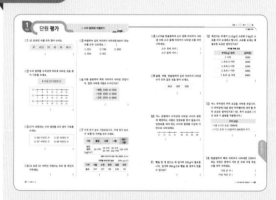

단원별로 실력을 최종 점검합니다.

차례

1 수의 범위와 어림하기

대표 유형

- 이번 단원에서 꼭 공부해야 할 〈대표 유형〉입니다.
- 학습한 후에 이해가 부족 한 유형은 ☐ 안에 ○표 한 후 반복하여 학습하세요.

☐ 범위에 알맞은 수 구하기

☐ 수직선을 보고 범위에 알맞은 수 구하기

☐ 범위에 알맞은 가장 큰(작은) 수 구하기

☐ 범위에 포함되는 수들의 합 구하기

☐ ▨를 포함하는 수의 범위 구하기

☐ 수의 범위를 여러 가지 방법으로 나타내기

☐ 이상, 이하의 활용

☐ 초과, 미만의 활용

☐ 약점 체크 공통으로 포함되는 수 구하기

☐ 약점 체크 수의 범위를 나타내는 수 구하기

☐ 약점 체크 결과를 보고 수의 범위 알아보기

☐ 약점 체크 조건을 만족하는 수 구하기

☐ 올림하기

☐ 올림하여 ▲가 되는 수

☐ 버림하기

☐ 버림하여 ▨가 되는 수

☐ 반올림하기

☐ 반올림하여 ●가 되는 수

☐ 수를 여러 가지 방법으로 어림하기

☐ 올림의 활용

☐ 버림의 활용

☐ 반올림의 활용

☐ 약점 체크 어림한 방법 구하기

☐ 약점 체크 어림을 이용하여 금액 비교하기

이름	마루	에리	스피치
키	145 cm	140 cm	120 cm

대장 키는 145 cm인데.

웃…

그럼, 대장은 못 타?

다 방법이 있지!

이렇게 하면……

끼 끼

엄지 척!

역시 대장은 달라!

대장, 앞은 볼 수 있어?

1 이상과 이하

(1) ■ **이상인 수**: ■와 같거나 큰 수

[예제] **60 이상인 수 구하기** → 60이 포함됩니다.

60.0, 61.5, 64.2, 66.9 등과 같이 60과 같거나 큰 수

```
+++++++++++++++●+++++++++++++++++++++++++++
58  59  60  61  62  63  64  65  66  67
```

(2) ■ **이하인 수**: ■와 같거나 작은 수

[예제] **9 이하인 수 구하기** → 9가 포함됩니다.

9.0, 7.2, 4.4 등과 같이 9와 같거나 작은 수

```
+++++++++++++++++++++++++●+++++++++++++++++
4   5   6   7   8   9   10  11  12  13
```

[중요] **이상, 이하 비교하기**

■ 이상인 수	■ 이하인 수
■가 포함됨	■가 포함됨
가장 작은 수: ■	가장 큰 수: ■

→ 수직선에 점 ●으로 나타냅니다.

2 초과와 미만

(1) ■ **초과인 수**: ■보다 큰 수

[예제] **18 초과인 수 구하기** → 18이 포함되지 않습니다.

18.1, 22.8, 24.0 등과 같이 18보다 큰 수

```
+++++++++++++++○+++++++++++++++++++++++++++
16  17  18  19  20  21  22  23  24  25
```

(2) ■ **미만인 수**: ■보다 작은 수

[예제] **141 미만인 수 구하기** → 141이 포함되지 않습니다.

140.8, 139.0, 137.5, 135.1 등과 같이 141보다 작은 수

```
+++++++++++++++++++++++++○+++++++++++++++++
135  136  137  138  139  140  141  142  143  144
```

[중요] **초과, 미만 비교하기(단, ■는 자연수입니다.)**

■ 초과인 수	■ 미만인 수
■가 포함되지 않음	■가 포함되지 않음
가장 작은 수: ■+1	가장 큰 수: ■−1

→ 수직선에 점 ○으로 나타냅니다.

개념 확인

1 31 이하인 수를 모두 찾아 쓰세요.

18, 31, 34, 46, 47, 58

(   )

2 87 미만인 수를 옳게 설명한 것은 어느 것인가요? (   )

① 87보다 큰 수

② 87과 같거나 큰 수

③ 87과 같은 수

④ 87과 같거나 작은 수

⑤ 87보다 작은 수

3 24 초과인 수에 ○표, 11 미만인 수에 △표 하세요.

9   13.7   25   27.6   10   38

4 수의 범위를 수직선에 나타내세요.

22 이상인 수

```
+++++++++++++++++++++++++++++++++++++++++++
19  20  21  22  23  24  25  26
```

기본 유형

5 63 이하인 수의 범위를 수직선에 옳게 나타낸 것을 찾아 기호를 쓰세요.

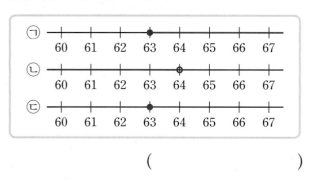

(   )

6 수직선에 나타낸 수의 범위를 쓰세요.

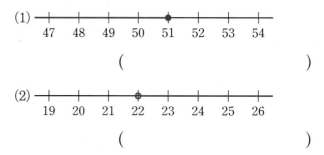

(1)

(   )

(2)

(   )

7 45 이하인 수를 옳게 말한 사람은 누구인가요?

재성: 45 이하인 수는 45와 같거나 큰 수야.

신영: 45 이하인 수에 45는 포함되지 않아.

태진: 45 이하인 수는 45와 같거나 작은 수야.

(   )

8 43 이상인 수는 모두 몇 개인가요?

| 25.8 | 57.6 | 64.7 | 42.9 |
| 38.1 | 43.0 | 19.5 | 76.3 |

(   )

9 10 미만인 수로 이루어져 있는 것을 찾아 기호를 쓰세요.

㉠ 2, 4, 6, 8, 10
㉡ 1, 3, 5, 7, 9
㉢ 2, 5, 8, 11, 14

(   )

10 경수네 학교의 학년별 학생 수를 조사하여 나타낸 표입니다. 물음에 답하세요.

학년별 학생 수

학년	학생 수(명)	학년	학생 수(명)
1학년	104	4학년	124
2학년	97	5학년	109
3학년	113	6학년	117

(1) 학생 수가 100명 이하인 학년을 쓰세요.

(   )

(2) 학생 수가 113명 초과인 학년을 모두 쓰세요.

(   )

개념 완성하기

3 수의 범위를 활용하여 문제 해결하기

(1) 수의 범위를 수직선에 나타내기

[예제] 27과 33 사이 수의 범위를 수직선에 나타내기

① 27 이상 33 이하인 수 →• 27과 33이 포함됩니다.

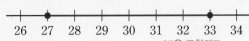

② 27 이상 33 미만인 수 →• 27은 포함되고 33은 포함되지 않습니다.

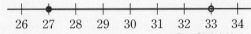

③ 27 초과 33 이하인 수 →• 27은 포함되지 않고, 33은 포함됩니다.

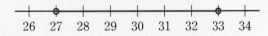

④ 27 초과 33 미만인 수 →• 27과 33이 포함되지 않습니다.

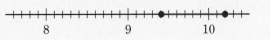

[중요] • 이상, 이하: 기준이 되는 수를 포함합니다.
• 초과, 미만: 기준이 되는 수를 포함하지 않습니다.

		이상	이하	초과	미만
점	방향	● →	● ←	○ →	○ ←

(2) 수의 범위 활용하기

[예제] 시우의 50m 달리기 기록이 9.7초일 때 시우의 달리기 등급 구하기

등급별 기록(초등학교 5학년 남학생용)

등급	기록(초) 범위
아주 높음(1등급)	8.30 이상 8.50 이하
높음(2등급)	8.51 이상 9.40 이하
보통(3등급)	9.41 이상 10.20 이하
낮음(4등급)	10.21 이상 13.20 이하

(출처: 경기도교육청, 2015.)

① 시우의 기록이 속한 50 m 달리기 기록의 범위:
9.41초 이상 10.20초 이하

② 시우의 등급: 보통(3등급)

③ 시우가 속한 등급의 범위를 수직선에 나타내기

(수직선)
8   9   10

개념 확인

1 32 이상 35 미만인 수에 모두 ○표 하세요.

31 32 33 34 35 36 37

2 수의 범위를 수직선에 나타내세요.

49 초과 51 이하인 수

(수직선)
47 48 49 50 51 52 53 54

3 [보기]에서 수의 범위를 수직선에 알맞게 나타낸 것을 찾아 □ 안에 기호를 써넣으세요.

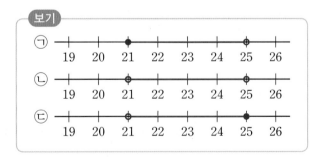

[보기]

ㄱ 19 20 21 22 23 24 25 26

ㄴ 19 20 21 22 23 24 25 26

ㄷ 19 20 21 22 23 24 25 26

(1) 21 초과 25 미만인 수 — □

(2) 21 이상 25 미만인 수 — □

기본 유형

4 수직선에 나타낸 수의 범위를 보고 □ 안에 이상, 이하, 초과, 미만 중에서 알맞게 써넣으세요.

(1)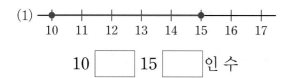

10 □ 15 □ 인 수

(2)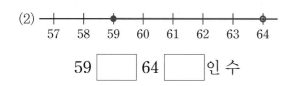

59 □ 64 □ 인 수

(3)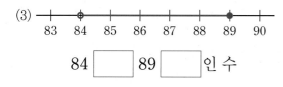

84 □ 89 □ 인 수

7 91이 포함되지 않는 수의 범위를 찾아 기호를 쓰세요.

> ㉠ 87 이상 91 이하인 수
> ㉡ 87 초과 92 미만인 수
> ㉢ 91 초과 93 이하인 수

(   )

[8~9] 태권도 선수들의 체급별 몸무게를 나타낸 표입니다. 물음에 답하세요.

체급별 몸무게(초등학생 남자부)

체급	몸무게(kg) 범위
핀급	32 이하
플라이급	32 초과 34 이하
밴텀급	34 초과 36 이하
페더급	36 초과 39 이하
라이트급	39 초과

(출처: 초등부 고학년부(5, 6학년) 남자, 대한 태권도 협회, 2019.)

8 서진이의 몸무게는 38.1 kg입니다. 서진이가 속한 체급은 어느 체급인가요?

(   )

5 37 초과 42 미만인 수가 아닌 것을 모두 고르세요. (   )

① 40   ② 37   ③ 38

④ 42   ⑤ 39

9 서진이가 속한 체급의 몸무게 범위를 수직선에 나타내세요.

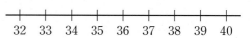

6 ◯ 안에 옳게 설명한 것은 ◯표, 잘못 설명한 것은 ×표 하세요.

> 11은 11 미만인 수에 포함됩니다.   ◦─◯

> 5, 6, 7 중에서 6 초과인 수는 7입니다.   ◦─◯

실력 다지기

범위에 알맞은 수 구하기

유형 **01** 41 이상 56 미만인 수를 모두 찾아 쓰세요.

| 30 | 44.1 | 27 | 40.9 | 53 | 19 | 56 |

(   )

확인 **02** 24 초과 30 이하인 수가 쓰인 풍선은 모두 몇 개인가요?

(   )

강화 **03** 36 이상 47 미만인 자연수는 모두 몇 개인지 풀이 과정을 쓰고, 답을 구하세요. 〔서술형〕

〔풀이〕

_____

_____

_____

〔답〕

수직선을 보고 범위에 알맞은 수 구하기

04 수직선에 나타낸 수의 범위에 속하지 <u>않는</u> 수는 어느 것인가요? (   )

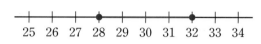

① 28   ② 31.9   ③ 30

④ 32.1   ⑤ 32

05 수직선에 나타낸 수의 범위에 포함되는 자연수는 모두 몇 개인가요?

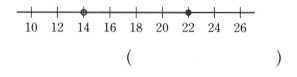

(   )

06 수직선에 나타낸 수의 범위에 속하는 수를 모두 찾아 ○표 하세요.

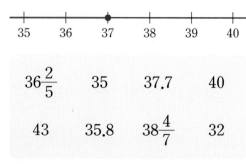

| $36\frac{2}{5}$ | 35 | 37.7 | 40 |
| 43 | 35.8 | $38\frac{4}{7}$ | 32 |

범위에 알맞은 가장 큰(작은) 수 구하기

07 84 초과인 수 중에서 가장 작은 자연수를 쓰세요.

( )

08 다음 수의 범위에 포함되는 자연수 중에서 가장 큰 수와 가장 작은 수의 합은 얼마인지 풀이 과정을 쓰고, 답을 구하세요. [서술형]

13 이상 87 이하인 수

풀이

답

09 다음은 □ 이하인 자연수입니다. □ 안에 들어갈 수 있는 가장 작은 자연수를 구하세요.

64   65   62   67   63

( )

범위에 포함되는 수들의 합 구하기

10 지은이가 설명하는 수의 범위에 포함되는 모든 자연수들의 합을 구하세요.

19 초과 22 이하인 수야.

지은

( )

11 수직선에 나타낸 수의 범위에 속하는 모든 자연수들의 합을 구하세요.

9 10 11 12 13 14 15 16 17

( )

12 수의 범위에 포함되는 자연수들의 합이 더 큰 것의 기호를 쓰세요.

㉠ 8 초과 14 미만인 수
㉡ 9 이하인 수

( )

1 단원

■ 를 포함하는 수의 범위 구하기

유형 **13** 64를 포함하는 수의 범위를 모두 찾아 기호를 쓰세요.

> ㉠ 64 이상 65 미만인 수
> ㉡ 64 초과 65 이하인 수
> ㉢ 63 초과 66 미만인 수
> ㉣ 60 이상 63 이하인 수

( )

확인 **14** 다음 수가 모두 포함되도록 수의 범위를 나타내려고 합니다. 이상, 이하, 초과, 미만 중에서 □ 안에 알맞은 말을 써넣으세요.

> 46   47.3   48   49.5   50

➜ 46 □ 50 □ 인 수

강화 **15** ㉠과 ㉡에 알맞은 자연수는 각각 얼마인지 풀이 과정을 쓰고, 답을 구하세요.

[서술형]

> ㉠ 이상 ㉡ 미만인 자연수는
> 20, 21, 22, 23입니다.

풀이

_____

_____

_____

_____

답 ㉠: _____ , ㉡: _____

수의 범위를 여러 가지 방법으로 나타내기

16 수의 범위를 두 가지 방법으로 나타내려고 합니다. □ 안에 알맞은 말을 써넣으세요.

> 37   38   39   40   41

┌ 37 □ 41 □ 인 자연수
└ 36 □ 42 □ 인 자연수

17 수직선에 나타낸 자연수의 범위에 알맞게 □ 안에 알맞은 수나 말을 써넣으세요.

┌ □ 이상 □ 미만인 자연수
└ 64 □ 74 □ 인 자연수

18 □ 안에 알맞은 자연수를 써넣으세요.

> 40 이상 54 미만인 자연수의 범위는 □
> 초과 □ 이하인 자연수의 범위와 같습니다.

이상, 이하의 활용

19 12세 이상인 사람만 처방 받을 수 있는 감기약 성분이 있습니다. 이 성분이 포함된 감기약을 처방 받을 수 없는 사람을 쓰세요.

이름	승호	보아	희주	연진
나이(세)	11	14	12	15

(   )

20 미세 먼지 농도 기준표입니다. 미세 먼지 농도가 '나쁨'인 지역을 모두 쓰세요.

구분	좋음	보통	나쁨	매우 나쁨
농도 (μg/m³)	30 이하	30 초과 80 이하	80 초과 150 이하	150 초과

μg은 미세 먼지 농도의 단위로 마이크로그램이라고 합니다. (출처: 미세 먼지 환경 기준, 환경부, 2018.)

지역별 미세 먼지 농도　(단위: μg/m³)

지역	서울	부산	광주	대전	강원
농도	86	26	75	92	13

(   )

21 줄넘기 급수가 3등급인 사람을 모두 쓰세요.

줄넘기 횟수

이름	횟수(회)
주경	150
민준	39
해인	95
준호	142
효서	66

줄넘기 급수별 횟수

급수	횟수(회) 범위
1	150 이상
2	100 이상 149 이하
3	50 이상 99 이하
4	20 이상 49 이하
5	19 이하

(   )

초과, 미만의 활용

22 어느 아파트의 지하 주차장은 높이가 2.3 m 초과인 자동차는 통과할 수 없습니다. 지하 주차장을 통과할 수 없는 자동차의 기호를 쓰세요.

자동차	가	나	다	라	마
높이(cm)	147	165	261	199	204

(   )

23 2016년 리우 올림픽에서 우리나라가 딴 종목별 메달 수를 나타낸 표입니다. 메달 수가 3개 초과인 종목을 모두 쓰세요.

종목별 메달 수

종목	메달 수	종목	메달 수	종목	메달 수
양궁	5	펜싱	2	사격	2
골프	1	레슬링	1	배드민턴	1
태권도	5	유도	3	역도	1

(   )

24 우체국의 무게별 택배 요금을 나타낸 표입니다. 3.1 kg인 물건을 0.6 kg인 상자에 넣어 택배를 보내려고 합니다. 얼마를 내야 하나요? (단, 크기는 생각하지 않습니다.)

무게별 택배 요금

무게(kg) 범위	요금(원)
2 이하	5000
2 초과 5 이하	6000
5 초과 10 이하	7500
10 초과 20 이하	9500

(출처: 우체국 택배(창구 접수 기준), 2019.)

(   )

1 단원

유형 **25** 두 수의 범위에 공통으로 포함되는 자연수를 모두 쓰세요.

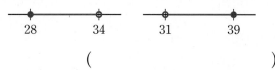

( )

해결 수의 범위를 수직선에 나타낼 때 기준이 되는 수를 포함하는 이상과 이하는 점 ●으로, 기준이 되는 수를 포함하지 않는 초과와 미만은 점 ○으로 나타냅니다.

확인 **26** 두 조건을 모두 만족하는 수의 범위를 자연수를 사용하여 이상과 미만으로 나타내려고 합니다. 풀이 과정을 쓰고, 답을 구하세요. [서술형]

> • 27 초과 35 이하인 자연수
> • 30 이상 38 미만인 자연수

풀이

답

27 24 초과 ■ 이하인 수의 범위에 포함되는 자연수 중에서 가장 큰 수와 가장 작은 수를 더했더니 63이었습니다. ■에 알맞은 자연수를 구하세요.

( )

해결 수의 범위에 해당하는 가장 큰 수와 가장 작은 수를 먼저 알아봅니다.

28 수직선에 나타낸 수의 범위에 포함되는 자연수는 15개입니다. ㉮에 알맞은 자연수를 구하세요.

```
●──────────────────○
㉮                  52
```

( )

약점
체크 **결과를 보고 수의 범위 알아보기**

29 종대와 지현이의 대화를 보고 사과는 몇 개 이상 몇 개 이하인지 구하세요.

종대
> 오늘 딴 사과를 12개씩 담을 수 있는 상자에 넣어 보관하자.

> 그래. 그럼 상자가 최소 10개 필요하겠네.
지현

(   )

해결 마지막 상자에 사과를 1개부터 12개까지 담을 수 있습니다. 마지막 상자에 담을 수 있는 사과의 수를 생각해 봅니다.

30 찬열이네 학교 5학년 학생들이 현장 체험 학습에 가려면 정원이 45명인 버스가 최소 5대 필요합니다. 찬열이네 학교 5학년 학생은 몇 명 이상 몇 명 이하인지 구하세요. (단, 운전사와 선생님의 수는 생각하지 않습니다.)

(   )

약점
체크 **조건을 만족하는 수 구하기**

31 조건을 모두 만족하는 수를 구하세요.

- 네 자리 수입니다.
- 7000 초과 8000 미만인 수입니다.
- 백의 자리 숫자는 4 초과 5 이하인 수입니다.
- 십의 자리 숫자는 9 이상인 수입니다.
- 일의 자리 숫자는 2로 나누어떨어지는 수 중에서 가장 큰 수입니다.

(   )

해결 주어진 수의 범위를 이용하여 각 자리 숫자를 구합니다.

1
단원

서술형

32 자연수 부분이 7 이상 9 이하이고, 소수 첫째 자리 숫자가 5 이상 6 이하인 소수 한 자리 수를 만들려고 합니다. 만들 수 있는 소수 한 자리 수는 모두 몇 개인지 풀이 과정을 쓰고, 답을 구하세요.

풀이

답

개념 완성하기

4 올림

(1) 올림: 구하려는 자리의 아래 수를 올려서 나타내는 방법

(2) **올림하여 ■의 자리까지 나타내기**

■의 자리 숫자에 1을 더하고, ■의 아래 자리에 모두 0을 씁니다. 단, 올림하려는 자리 아래의 숫자가 모두 0이면 수의 변화가 없습니다.

예제 1 5304를 올림하여 나타내기

• 십의 자리까지 나타내기: 5304 ➡ 5310
    → 십의 자리 아래 수인 4를 10으로 봅니다.

• 백의 자리까지 나타내기: 5304 ➡ 5400
    → 백의 자리 아래 수인 4를 100으로 봅니다.

• 천의 자리까지 나타내기: 5304 ➡ 6000
    → 천의 자리 아래 수인 304를 1000으로 봅니다.

예제 2 1.269를 올림하여 나타내기

• 소수 첫째 자리까지 나타내기: 1.269 ➡ 1.3
    → 소수 첫째 자리 아래 수인 0.069를 0.1로 봅니다.

• 소수 둘째 자리까지 나타내기: 1.269 ➡ 1.27
    → 소수 둘째 자리 아래 수인 0.009를 0.01로 봅니다.

5 버림

(1) 버림: 구하려는 자리의 아래 수를 버려서 나타내는 방법

(2) **버림하여 ■의 자리까지 나타내기**

■의 아래 자리에 모두 0을 씁니다.

예제 1 4987을 버림하여 나타내기

• 십의 자리까지 나타내기: 4987 ➡ 4980
    → 십의 자리 아래 수인 7을 0으로 봅니다.

• 백의 자리까지 나타내기: 4987 ➡ 4900
    → 백의 자리 아래 수인 87을 0으로 봅니다.

• 천의 자리까지 나타내기: 4987 ➡ 4000
    → 천의 자리 아래 수인 987을 0으로 봅니다.

예제 2 3.026을 버림하여 나타내기

• 소수 첫째 자리까지 나타내기: 3.026 ➡ 3
    → 소수 첫째 자리 아래 수인 0.026을 0으로 봅니다.

• 소수 둘째 자리까지 나타내기: 3.026 ➡ 3.02
    → 소수 둘째 자리 아래 수인 0.006을 0으로 봅니다.

개념 확인

1 수를 올림하여 백의 자리까지 나타내세요.

(1) 311 ➡ (   )

(2) 824 ➡ (   )

(3) 1699 ➡ (   )

(4) 2078 ➡ (   )

2 수를 버림하여 십의 자리까지 나타내세요.

(1) 173 ➡ (   )

(2) 722 ➡ (   )

(3) 6203 ➡ (   )

(4) 5190 ➡ (   )

3 올림하여 주어진 자리까지 나타내세요.

수	십의 자리	백의 자리
6245		
21561		
72339		

4 버림하여 주어진 자리까지 나타내세요.

수	백의 자리	천의 자리
2944		
49237		
58715		

5 보기 와 같이 소수를 올림하세요.

> 보기
>
> 2.609를 올림하여 소수 첫째 자리까지 나타내면 2.7입니다.

(1) 0.537을 올림하여 소수 둘째 자리까지 나타내면 얼마인가요?

( )

(2) 4.896을 올림하여 소수 첫째 자리까지 나타내면 얼마인가요?

( )

6 보기 와 같이 소수를 버림하세요.

> 보기
>
> 5.152를 버림하여 소수 둘째 자리까지 나타내면 5.15입니다.

(1) 2.46을 버림하여 소수 첫째 자리까지 나타내면 얼마인가요?

( )

(2) 6.479를 버림하여 소수 둘째 자리까지 나타내면 얼마인가요?

( )

7 수를 올림하여 백의 자리까지 나타내려고 합니다. 제윤이와 은성이 중 잘못 나타낸 사람의 이름을 쓰세요.

제윤

은성

| 1545 ➡ 1600 | 4709 ➡ 4710 |

( )

[8~9] ㉠과 ㉡을 어림한 후, 어림한 수의 크기를 비교하여 ○ 안에 >, =, <를 알맞게 써넣으세요.

8
> ㉠ 1254를 올림하여 십의 자리까지
> 나타낸 수 ➡ ☐
>
> ㉡ 1245를 올림하여 백의 자리까지
> 나타낸 수 ➡ ☐

㉠ ○ ㉡

9
> ㉠ 2692를 버림하여 백의 자리까지
> 나타낸 수 ➡ ☐
>
> ㉡ 2801을 버림하여 천의 자리까지
> 나타낸 수 ➡ ☐

㉠ ○ ㉡

6 반올림

(1) 반올림: 구하려는 자리 바로 아래 자리의 숫자가 0, 1, 2, 3, 4이면 버리고, 5, 6, 7, 8, 9이면 올려서 나타내는 방법

(2) **반올림하여 ■의 자리까지 나타내기**

■의 바로 아래 자리의 숫자가

5 미만인 수 ➡ 버림, 5 이상인 수 ➡ 올림

[예제] 6281을 반올림하여 나타내기

• 십의 자리까지 나타내기: 6281 ➡ 6280
  → 일의 자리 숫자가 1이므로 버림합니다.
• 백의 자리까지 나타내기: 6281 ➡ 6300
  → 십의 자리 숫자가 8이므로 올림합니다.
• 천의 자리까지 나타내기: 6281 ➡ 6000
  → 백의 자리 숫자가 2이므로 버림합니다.

[중요] 올림, 버림, 반올림 비교하기
• 올림과 버림은 구하려는 자리 아래 수를 모두 확인합니다.
• 반올림은 구하려는 자리 바로 아래 한 자리 숫자만 확인합니다.
[예] 6281을 올림, 버림, 반올림하여 백의 자리까지 나타내기

올림	버림	반올림
6281 ➡ 6300	6281 ➡ 6200	6281 ➡ 6300

7 올림, 버림, 반올림을 활용하여 문제 해결하기

[예제] 은행에서 10원짜리 동전 3289개를 지폐로 바꾸려고 합니다. 최대로 바꿀 수 있는 돈은 얼마인지 구하세요.

① 바꿀 수 있는 돈을 알아보려면 올림, 버림, 반올림 중에서 **버림**해야 합니다.
② 10원짜리 3289개 ➡ 32890원
③ 만 원짜리 지폐로 바꿀 수 있는 돈: 30000원
  32890 ➡ 30000
  └ 2890원은 바꿀 수 없으므로 버림합니다.
④ 천 원짜리 지폐로 바꿀 수 있는 돈: 32000원
  32890 ➡ 32000
  └ 890원은 바꿀 수 없으므로 버림합니다.

---

1 반올림하여 백의 자리까지 나타내세요.

(1) 458 ➡ (   )

(2) 214 ➡ (   )

(3) 8045 ➡ (   )

(4) 6769 ➡ (   )

2 반올림하여 주어진 자리까지 나타내세요.

수	십의 자리	백의 자리
5583		
34919		
74502		

3 클립의 길이는 몇 cm인지 반올림하여 일의 자리까지 나타내세요.

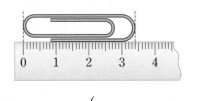

(   )

4 [보기]와 같이 소수를 반올림하세요.

> [보기]
> 5.294를 반올림하여 소수 둘째 자리까지 나타내면 5.29입니다.

(1) 2.107을 반올림하여 소수 첫째 자리까지 나타내면 얼마인가요?

( )

(2) 4.506을 반올림하여 소수 둘째 자리까지 나타내면 얼마인가요?

( )

5 34578을 올림, 버림, 반올림하여 백의 자리까지 나타내세요.

올림	버림	반올림

6
네팔과 티베트 사이에 있는 세계에서 가장 높은 산입니다.

에베레스트산의 높이는 8848 m입니다. 에베레스트산의 높이를 반올림하여 천의 자리까지 나타내면 몇 m인가요?

( )

기본 유형

7 찬영이네 모둠 학생들의 키를 나타낸 표입니다. 키를 반올림하여 일의 자리까지 나타내세요.

이름	키(cm)	반올림한 키(cm)
찬영	145.3	
종인	150.7	
성운	146.5	

8 선주는 문구점에서 5200원인 물감을 1000원짜리 지폐로 사려고 합니다. 최소 얼마를 내야 하는지 물음에 답하세요.

(1) 올림, 버림, 반올림 중에서 어떤 방법으로 어림해야 하나요?

( )

(2) 최소 얼마를 내야 하나요?

( )

9 선물 상자를 한 개 포장하는 데 리본 100 cm가 필요합니다. 리본 832 cm로 선물 상자를 몇 개까지 포장할 수 있는지 물음에 답하세요.

(1) 올림, 버림, 반올림 중에서 어떤 방법으로 어림해야 하나요?

( )

(2) 선물 상자를 몇 개까지 포장할 수 있나요?

( )

실력 다지기

▶ 올림하기

유형 **01** 수를 올림하여 십의 자리까지 나타낸 것입니다. 옳게 나타낸 사람은 누구인가요?

> • 수호: 67821 ➡ 67820
> • 세훈: 12579 ➡ 12580
> • 정연: 26888 ➡ 26800

( )

확인 **02** 2.256을 올림하여 소수 둘째 자리까지 나타낸 수는 어느 것인가요? ( )

① 2.256 ② 2.25 ③ 2.26

④ 2.3 ⑤ 3

강화 **03** 73860을 올림하여 만의 자리까지 나타낸 수와 올림하여 백의 자리까지 나타낸 수의 차는 얼마인지 풀이 과정을 쓰고, 답을 구하세요.

[서술형]

풀이

_____

_____

_____

_____

답

▶ 올림하여 ▲가 되는 수

04 올림하여 백의 자리까지 나타내면 7400이 되는 수를 모두 쓰세요.

> 7301 7449 7399 7402 7257

( )

05 올림하여 백의 자리까지 나타내면 6100이 되는 자연수 중에서 가장 큰 수와 가장 작은 수를 각각 구하세요.

가장 큰 수 ( )

가장 작은 수 ( )

06 다음 네 자리 수를 올림하여 백의 자리까지 나타내면 4400입니다. □ 안에 들어갈 수 있는 수는 모두 몇 개인가요?

> 43□0

( )

확인, 강화 문제는 매칭북 06쪽에서 한 번 더!

▶ 정답 03쪽

버림하기

07 9.183을 버림하여 나타낸 수가 아닌 것을 찾아 기호를 쓰세요.

> ㉠ 9 ㉡ 9.1
> ㉢ 9.2 ㉣ 9.18

(   )

08 버림하여 천의 자리까지 나타낸 수가 다른 수를 말한 사람은 누구인가요?

| 21657 | 21004 | 20997 |

정민   준면   나연

(   )

09 버림하여 백의 자리까지 나타냈을 때 가장 큰 수가 되는 것은 어느 것인가요? (   )

① 6450   ② 6495   ③ 6500
④ 6540   ⑤ 6688

버림하여 ▇가 되는 수

10 다음 중 버림하여 소수 첫째 자리까지 나타냈을 때 7.2가 되는 수를 모두 고르세요.

(   )

① 7.002   ② 7.198   ③ 7.201
④ 7.211   ⑤ 7.425

11 [서술형] 버림하여 백의 자리까지 나타내면 1200이 되는 자연수 중에서 가장 큰 수는 얼마인지 풀이 과정을 쓰고, 답을 구하세요.

풀이 _____

_____

_____

답 _____

12 백현이가 처음에 생각한 자연수를 구하세요.

> 유진: 백현아, 네가 생각한 자연수에 8을 곱해서 나온 수를 버림하여 십의 자리까지 나타내면 얼마야?
> 백현: 60이야.

(   )

반올림하기

유형 **13** 반올림하여 몇천으로 나타낸 수가 다른 하나를 찾아 ×표 하세요.

38940	38387	39476
( )	( )	( )

확인 **14** 우리나라 축구장별 관람석 수를 나타낸 표입니다. 축구장별 관람석 수를 반올림하여 만의 자리까지 나타내세요.
교과역량

축구장별 관람석 수

지역	관람석(석)	반올림한 수
상암	66704	
전주	42256	
대전	40535	
울산	43554	

(출처: 각 축구장별 누리집, 관람석 기준, 2018.)

강화 **15** 주어진 수를 반올림하여 해당 자리까지 나타낼 때 가장 큰 수가 되는 것은 어느 것인가요?
( )

630482

① 십의 자리　　② 백의 자리
③ 천의 자리　　④ 만의 자리
⑤ 십만의 자리

반올림하여 ●가 되는 수

16 반올림하여 천의 자리까지 나타내면 24000이 되는 수를 모두 찾아 기호를 쓰세요.

　㉠ 23581　　㉡ 24500
　㉢ 23399　　㉣ 24197

( )

서술형
17 다섯 자리 수 34□18을 반올림하여 천의 자리까지 나타내면 35000입니다. □ 안에 들어갈 수 있는 수를 모두 구하려고 합니다. 풀이 과정을 쓰고, 답을 구하세요.

풀이

답

18 어떤 수를 반올림하여 십의 자리까지 나타냈더니 450이 되었습니다. 어떤 수가 될 수 있는 수의 범위를 수직선에 나타내고, □ 안에 알맞은 수를 써넣으세요.

+++++++++++++++++++++++++++++
　440　　　450　　　460

□ 이상 □ 미만

수를 여러 가지 방법으로 어림하기

19 ㉠－㉡＋㉢의 값을 구하세요.

> ㉠ 15894를 올림하여 백의 자리까지 나타낸 수
>
> ㉡ 15894를 버림하여 천의 자리까지 나타낸 수
>
> ㉢ 15894를 반올림하여 천의 자리까지 나타낸 수

(   )

20 올림하여 백의 자리까지 나타낸 수와 반올림하여 백의 자리까지 나타낸 수가 같은 것을 모두 고르세요. (   )

① 35528   ② 36054

③ 34175   ④ 30009

⑤ 32041

21 어떤 수를 올림하여 십의 자리까지 나타내면 380이고, 반올림하여 십의 자리까지 나타내면 370입니다. 어떤 수가 될 수 있는 자연수를 모두 구하세요.

(   )

올림의 활용

22 한 개에 10명씩 앉을 수 있는 긴 의자가 있습니다. 384명이 모두 앉으려면 의자는 최소 몇 개가 필요한가요?

(   )

23 해미는 9800원짜리 동화책 한 권과 14500원짜리 수학 문제집 한 권을 사려고 합니다. 책값을 1000원짜리 지폐로만 낸다면 최소 얼마를 내야 하나요?

(   )

[서술형]

24 선물을 포장하는 데 리본 266 cm가 필요합니다. 마트에서 리본을 50 cm 묶음으로만 팔고, 50 cm에 300원입니다. 마트에서 리본을 사려면 최소 얼마가 필요한지 풀이 과정을 쓰고, 답을 구하세요.

풀이

_____

_____

_____

답

버림의 활용

유형 **25** 사과 315개를 한 상자에 10개씩 담아 포장하려고 합니다. 포장할 수 있는 사과는 최대 몇 개인가요?

( )

확인 **26** 저금통에 100원짜리 동전이 432개, 50원짜리 동전이 90개, 10원짜리 동전이 63개 들어 있습니다. 이 돈을 1000원짜리 지폐로 바꾼다면 최대 몇 장까지 바꿀 수 있나요?

( )

강화 **27** 고구마 477 kg을 캤습니다. 이 고구마를 한 상자에 10 kg씩 담아서 한 상자에 15000원씩 받고 팔았습니다. 고구마를 판 돈은 최대 얼마인가요?

( )

반올림의 활용

28 윤수네 반에서 이웃 돕기 성금을 모았습니다. 모금액이 172420원일 때 모금액을 반올림하여 나타내면 몇만 원인가요?

( )

서술형

29 어느 섬에 등록된 인구는 남자가 335519명, 여자가 331167명입니다. 이 섬의 인구를 반올림하여 만의 자리까지 나타내려고 합니다. 풀이 과정을 쓰고, 답을 구하세요.

남자   여자
335519명   331167명

풀이

답

30 집에서 도서관까지의 거리는 8.9 km이고, 도서관에서 체육관까지의 거리는 12.7 km입니다. 집에서 도서관을 지나 체육관까지의 거리를 반올림하여 십의 자리까지 나타내면 몇 km인가요?

( )

**약점
체크** 어림한 방법 구하기

31 어림하는 방법이 다른 하나를 찾아 기호를 쓰세요.

> ㉠ 동전 65480원을 10000원짜리 지폐로 바꾸는 경우
>
> ㉡ 38.4 kg인 몸무게를 1 kg 단위로 가까운 쪽의 눈금을 읽는 경우
>
> ㉢ 감 3257개를 10개씩 꿰는 경우

(   )

해결 각각의 상황에서 올림, 버림, 반올림 중 어떤 방법으로 어림해야 하는지 먼저 알아봅니다.

32 서우, 재혁, 석원이는 다음 물건값을 보고 세 가지 물건을 사는 데 필요한 금액을 어림했습니다. 세 사람이 어림한 방법을 각각 쓰세요. (단, 한 사람은 1가지 방법으로만 어림합니다.)

드론	보드게임	필통
17200원	15300원	5600원

17000, 15000, 5000으로 어림해서 모두 37000원이야.
서우

18000, 16000, 6000으로 어림해서 모두 40000원이야.
재혁

17000, 15000, 6000으로 어림해서 모두 38000원이야.
석원

이름	서우	재혁	석원
어림 방법			

**약점
체크** 어림을 이용하여 금액 비교하기

33 452명에게 공책을 2권씩 나누어 주려고 합니다. 마트와 공장에서 다음과 같이 공책을 팔 때 어디에서 사는 것이 얼마나 더 싼지 차례로 구하세요.

판매 장소	마트	공장
판매 방법	10권씩 묶음	100권씩 상자
가격	10권 5000원	100권 40000원

(   ), (   )

해결 마트와 공장에서 공책을 살 때 필요한 공책 수와 사야 하는 공책 수를 먼저 구합니다.

[서술형]

34 공장에서 지우개 9619개를 생산했습니다. 지우개를 한 상자에 10개씩 넣어 1500원에 팔거나 한 상자에 100개씩 넣어 12000원에 팔려고 합니다. 지우개를 두 가지 방법으로 각각 최대한 많이 팔았을 때 판 금액의 차는 얼마인지 풀이 과정을 쓰고, 답을 구하세요.

풀이

_____

_____

_____

_____

_____

답

**1
단원**

연습

01 어느 주차장의 주차 요금은 기본 1시간에 3000원이고, 1시간 초과 시 10분마다 700원씩 추가하여 요금을 받습니다. 이 주차장에 79분 동안 주차했다면 내야 할 주차 요금은 얼마인지 풀이 과정을 쓰고, 답을 구하세요. (단, 추가 요금은 1시간 초과 시 올림을 적용합니다.)

> **서술형 포인트** 기본요금은 1시간까지이므로 기본요금 시간과 추가 요금 시간을 먼저 알아봅니다.

풀이를 완성하세요.

❶ 1시간 초과 시 10분마다 추가 요금을 내므로

79분=◻시간◻분에서 주차 시간의 분 단위를 (올림 , 버림 , 반올림)하여 십의 자리까지

나타내면 ◻입니다. 따라서 기본 1시간 요금에 ◻분의 추가 요금을 내야 합니다.

❷ (주차 요금)=(기본요금)+(추가 요금)

=

답 ◯

단계

02 어느 주차장의 주차 요금을 나타낸 것입니다. 이 주차장에 **148분 동안 주차했다면 내야 할 주차 요금**은 얼마인지 풀이 과정을 쓰고, 답을 구하세요. (단, 추가 요금은 1시간 초과 시 올림을 적용합니다.)

주차 요금
• 기본 1시간 요금: 1500원
• 1시간 초과 시: 10분마다 500원씩 추가

❶ 기본요금과 추가 요금을 내야 하는 시간 각각 구하기

풀이

❷ 내야 할 주차 요금 구하기

풀이

답 ◯

실전

03 어느 키즈 카페의 이용 요금을 나타낸 것입니다. 이 키즈 카페를 유치원생 한 명이 **105분 동안 이용했다면 내야 할 이용 요금**은 얼마인지 풀이 과정을 쓰고, 답을 구하세요. (단, 추가 요금은 1시간 초과 시 올림을 적용합니다.)

이용 요금
• 기본 1시간 요금: 2000원
• 1시간 초과 시: 10분마다 700원씩 추가

풀이

답 ◯

연습

04 선우와 친척들이 극장에서 영화를 보려고 하는데 동생은 영화를 볼 수 없다고 합니다. 영화 관람 등급 안내문의 □ 안에 알맞은 수는 얼마인지 풀이 과정을 쓰고, 답을 구하세요.

가족의 나이

가족	오빠	언니	선우	동생
나이(세)	20	15	12	11

[영화 관람 등급 안내]
이 영화는 □세 미만은 볼 수 없습니다.

서술형 포인트 영화를 볼 수 있는 사람의 나이의 범위를 알아본 후 반대로 볼 수 없는 사람의 나이의 범위를 구합니다.

풀이를 완성하세요.

❶ 12살인 선우는 영화를 볼 수 있고, 11살인 동생은 영화를 볼 수 없으므로 이 영화는 □살부터 볼 수 있습니다.

➡ □세 관람가

❷ 따라서 □세 미만은 영화를 볼 수 없습니다.

답 _____

단계

05 지하철을 탈 때 나이가 만 6세 미만이거나 만 65세 이상인 사람은 요금을 내지 않습니다. **지하철 요금을 내야 하는 사람의 나이의 범위를 이상과 미만으로 나타내려고 합니다.** 풀이 과정을 쓰고, 답을 구하세요.

❶ 지하철 요금을 내지 않는 사람의 나이의 범위 구하기
풀이

❷ 지하철 요금을 내야 하는 사람의 나이의 범위를 이상과 미만으로 나타내기
풀이

답 _____

실전

06 어느 미술관에서 나이가 13세 미만이거나 60세 초과인 사람은 입장료를 받지 않습니다. **입장료를 내야 하는 사람의 나이의 범위를 이상과 이하로 나타내려고 합니다.** 풀이 과정을 쓰고, 답을 구하세요.

풀이

답 _____

연습

07 시사회에 온 사람 수를 반올림하여 십의 자리까지 나타내면 250명입니다. 이 사람들에게 기념품을 한 개씩 나누어 주려고 합니다. **기념품이 모자라지 않으려면 기념품을 최소 몇 개 준비해야 하는지** 풀이 과정을 쓰고, 답을 구하세요.

시사회란 영화나 광고를 일반에게 공개하기 전에 일부 사람에게 먼저 상영하는 일을 말합니다.

서술형 포인트 먼저 시사회에 온 사람 수의 범위를 알아봅니다.

풀이를 완성하세요.

❶ 반올림하여 십의 자리까지 나타내면 250이 되는

수의 범위는 ☐ 이상 ☐ 이하인 수이므로

사람 수는 ☐ 명부터 ☐ 명까지입니다.

❷ 기념품이 모자라지 않으려면 사람 수가 가장 많을

때를 생각해야 하므로 기념품을 최소 ☐ 개

준비해야 합니다.

답

단계

08 호진이네 반 학생 수를 올림하여 십의 자리까지 나타내면 40명입니다. 이 학생들에게 사탕을 3개씩 나누어 주려고 합니다. **사탕이 모자라지 않으려면 사탕을 최소 몇 개** 준비해야 하는지 풀이 과정을 쓰고, 답을 구하세요.

❶ 호진이네 반 학생 수의 범위 구하기

풀이

❷ 준비해야 하는 사탕의 수 구하기

풀이

답

실전

09 세아네 학교 학생 수를 버림하여 백의 자리까지 나타내면 1500명입니다. 이 학생들에게 연필을 2자루씩 나누어 주려고 합니다. **연필이 모자라지 않으려면 연필을 최소 몇 자루** 준비해야 하는지 풀이 과정을 쓰고, 답을 구하세요.

풀이

답

연습

10 수 카드 4장을 한 번씩 모두 사용하여 가장 큰 네 자리 수를 만들었습니다. 만든 수를 <u>반올림하여 백의 자리까지 나타낸 수와 버림하여 백의 자리까지 나타낸 수의 차</u>는 얼마인지 풀이 과정을 쓰고, 답을 구하세요.

| 5 | 2 | 7 | 6 |

서술형 포인트 가장 큰 네 자리 수를 만들어야 하므로 높은 자리부터 큰 수를 차례로 놓습니다.

풀이를 완성하세요.

❶ 수의 크기를 비교하면 ☐ > ☐ > ☐ > ☐ 이므로 만들 수 있는 가장 큰 네 자리 수는 ☐ 입니다.

❷ 만든 수를 반올림하여 백의 자리까지 나타내면 ☐ 이고, 버림하여 백의 자리까지 나타내면 ☐ 입니다. 따라서 어림한 두 수의 차는 ☐ − ☐ = ☐ 입니다.

답 ☐

단계

11 주머니에서 수가 쓰인 구슬을 5개 꺼냈습니다. 꺼낸 구슬의 수를 한 번씩 모두 사용하여 가장 작은 다섯 자리 수를 만들었습니다. 만든 수를 **올림하여 백의 자리까지 나타낸 수와 버림하여 십의 자리까지 나타낸 수의 차**는 얼마인지 풀이 과정을 쓰고, 답을 구하세요.

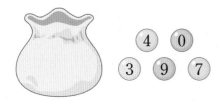

❶ 만들 수 있는 가장 작은 다섯 자리 수 구하기

풀이

❷ 올림하여 백의 자리까지 나타낸 수와 버림하여 십의 자리까지 나타낸 수의 차 구하기

풀이

답

실전

12 카드 5장을 한 번씩 모두 사용하여 가장 작은 소수 세 자리 수를 만들었습니다. 만든 수를 **버림하여 소수 둘째 자리까지 나타낸 수와 올림하여 소수 첫째 자리까지 나타낸 수의 차**는 얼마인지 풀이 과정을 쓰고, 답을 구하세요.

| 8 | 2 | 0 | 6 | . |

풀이

답

단원 마무리

01 16 이하인 수에 모두 ○표 하세요.

| 15 | 16.2 | 15.9 | 16 | 17 |

02 다음 수가 모두 포함되도록 □ 안에 이상, 이하, 초과, 미만 중에서 알맞게 써넣으세요.

| 23 | 24 | 25 | 26 | 27 | 28 |

➡ 23 □ 28 □ 인 수

03 수직선에 나타낸 수의 범위에 포함되는 자연수는 모두 몇 개인가요?

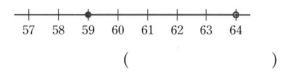

( )

04 다음 수의 범위를 수직선에 나타내세요.

〈안내〉
이 놀이터는 키 100 cm 이상 150 cm 미만인 사람만 이용 가능합니다.

```
  90  100  110  120  130  140  150  160
```

[05~06] 주호네 반 남학생들의 윗몸 말아 올리기 기록과 등급별 횟수를 나타낸 표입니다. 물음에 답하세요.

윗몸 말아 올리기 기록

이름	횟수(회)	이름	횟수(회)
주호	25	광진	42
재석	31	수현	53
세진	17	지민	46

등급별 횟수(초등학교 5학년 남학생용)

등급	횟수(회) 범위
1	80 이상
2	40 이상 79 이하
3	22 이상 39 이하
4	10 이상 21 이하
5	9 이하

05 수현이가 속한 등급의 횟수 범위를 쓰세요.

( )

06 윗몸 말아 올리기 횟수가 3등급에 속하는 사람의 이름을 모두 쓰세요.

( )

07 16508을 올림, 버림, 반올림하여 백의 자리까지 나타내세요.

올림	버림	반올림

08 24018을 버림하여 백의 자리까지 나타낸 수는 어느 것인가요? ( )

① 24018　　② 24010　　③ 24000
④ 23018　　⑤ 23000

09 수의 크기를 비교하여 ◯ 안에 >, =, <를 알맞게 써넣으세요.

| 17498을 반올림하여 천의 자리까지 나타낸 수 | ◯ | 18002를 버림하여 천의 자리까지 나타낸 수 |

10 통과 제한 높이가 3.5 m인 다리가 있습니다. 다리 아래를 통과할 수 있는 자동차를 모두 찾아 기호를 쓰세요.

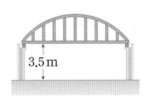

3.5 m 미만 통과 가능

3.5 m

자동차	㉠	㉡	㉢	㉣	㉤
높이 (cm)	325	403	350	200	450

( )

11 승진이네 가족은 12세인 승진이, 7세인 동생, 16세인 누나, 49세인 아버지, 48세인 어머니, 73세인 할머니로 모두 6명입니다. 승진이네 가족이 모두 미술관에 입장하려면 입장료는 얼마인가요?

미술관 입장료

구분	어린이	청소년	성인
요금(원)	1500	2000	5000

• 어린이: 8세 이상 13세 이하　• 청소년: 13세 초과 20세 미만
• 성인: 20세 이상 65세 미만　※ 8세 미만과 65세 이상은 무료

( )

12 올림, 버림, 반올림하여 백의 자리까지 나타낸 수가 모두 같은 것을 찾아 기호를 쓰세요.

㉠ 1720　　㉡ 4503　　㉢ 8600

( )

13 올림하여 백의 자리까지 나타내면 5400이 되는 자연수 중에서 가장 큰 수와 가장 작은 수를 각각 구하세요.

가장 큰 수 ( )

가장 작은 수 ( )

14 두 수의 범위에 공통으로 포함되는 자연수를 모두 구하세요.

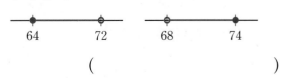

64　　72　　68　　74

( )

15 어느 양계장에서 달걀 273개를 한 판에 10개씩 담아 팔았습니다. 한 판에 4000원씩 받고 팔았다면 달걀을 판 돈은 최대 얼마인가요?

(   )

16 민영이네 과수원에서 오늘 딴 복숭아를 15개씩 담을 수 있는 상자에 넣으려고 합니다. 상자가 적어도 8개 필요하다면 오늘 딴 복숭아는 몇 개 이상 몇 개 이하인가요?

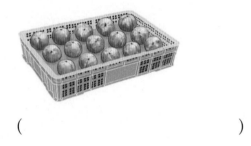

(   )

17 미술 작품을 만드는 데 철사 237 cm가 필요합니다. 철사를 가 문구점에서는 20 cm 단위로 300원에 팔고, 나 문구점에서는 50 cm 단위로 700원에 팝니다. 어느 문구점에서 사는 것이 얼마나 더 싼지 차례로 구하세요.

(   ), (   )

18 다음 수의 범위에 포함되는 자연수 중에서 가장 큰 수와 가장 작은 수의 합은 얼마인지 풀이 과정을 쓰고, 답을 구하세요.

> 24 초과 76 이하인 수

풀이

답

19 네 자리 수 6□29를 반올림하여 천의 자리까지 나타내면 7000입니다. □ 안에 들어갈 수 있는 수를 모두 구하려고 합니다. 풀이 과정을 쓰고, 답을 구하세요.

풀이

답

20 자연수 부분이 2 이상 4 이하이고, 소수 첫째 자리 숫자가 5 초과 9 미만인 소수 한 자리 수를 만들려고 합니다. 만들 수 있는 소수 한 자리 수 중에서 가장 큰 수를 반올림하여 일의 자리까지 나타내면 얼마인지 풀이 과정을 쓰고, 답을 구하세요.

풀이

답

쉬어가기

앗쌀람
알라이쿰

'앗쌀람 알라이쿰' 내 이름은 아말이야.

지구상에서 가장 아름다운 산호섬인 몰디브에서 살아.

'앗쌀람 알라이쿰'은 일상생활에서 쓰는 인사말로

"안녕하세요."라는 뜻이야.

몰디브에 대해서 소개할게.

몰디브는 약 1190개의 산호섬과 아톨이라고 불리는 26개의 환초로 이루어져 있는데

└─●고리 모양으로 배열된 산호초

그 가운데 200개 섬에서만 사람이 살고 있어.

'환상의 섬'이라는 뜻의 말레는 몰디브의 수도로 몰디브에서 가장 인구가 많은 도시야.

말레

환초

'수상비행기'는 몰디브에서 즐길 수 있는 교통수단으로
활주로가 아닌 물 위에서 이륙해요.

수상비행기

2 분수의 곱셈

STEP 1 개념 완성하기

1 (분수)×(자연수)

(1) (진분수)×(자연수)

> 분모는 그대로 두고 분자와 자연수를 곱합니다.

예제 $\dfrac{3}{4} \times 6$ 계산하기 → 약분하는 순서에 따라 여러 가지 방법으로 계산할 수 있습니다.

방법 1 곱셈을 한 후 약분하기

$$\frac{3}{4} \times 6 = \frac{3 \times 6}{4} = \frac{\overset{9}{\cancel{18}}}{\underset{2}{\cancel{4}}} = \frac{9}{2} = 4\frac{1}{2}$$

방법 2 곱하는 과정에서 약분하기

$$\frac{3}{4} \times 6 = \frac{3 \times \overset{3}{\cancel{6}}}{\underset{2}{\cancel{4}}} = \frac{9}{2} = 4\frac{1}{2}$$

방법 3 주어진 식에서 바로 약분하기

$$\frac{3}{\underset{2}{\cancel{4}}} \times \overset{3}{\cancel{6}} = \frac{9}{2} = 4\frac{1}{2}$$

(2) (대분수)×(자연수)

예제 $1\dfrac{1}{3} \times 2$ 계산하기

방법 1 대분수를 가분수로 바꾸어 계산하기

$$1\frac{1}{3} \times 2 = \underset{\text{대분수} \to \text{가분수}}{\frac{4}{3}} \times 2 = \frac{4 \times 2}{3} = \frac{8}{3} = 2\frac{2}{3}$$

방법 2 대분수를 자연수와 진분수의 합으로 보고 계산하기

$$1\frac{1}{3} \times 2 = (1 \times 2) + \left(\frac{1}{3} \times 2\right) = 2 + \frac{2}{3} = 2\frac{2}{3}$$

참고 (대분수)×(자연수)의 계산 원리

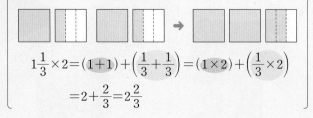

$$1\frac{1}{3} \times 2 = (1+1) + \left(\frac{1}{3} + \frac{1}{3}\right) = (1 \times 2) + \left(\frac{1}{3} \times 2\right)$$
$$= 2 + \frac{2}{3} = 2\frac{2}{3}$$

개념 확인

1 □ 안에 알맞은 수를 써넣으세요.

(1) $\dfrac{5}{8} \times \overset{1}{\cancel{4}} = \dfrac{5 \times \square}{\underset{\square}{\square}} = \dfrac{\square}{2} = \square$

(2) $2\dfrac{6}{7} \times 5 = (2 \times \square) + \left(\dfrac{6}{7} \times \square\right)$

$$= \square + \frac{\square}{7}$$

$$= \square + \square = \square$$

2 보기 와 같은 방법으로 계산하세요.

> 보기
> $$\frac{3}{4} \times 14 = \frac{3 \times \overset{7}{\cancel{14}}}{\underset{2}{\cancel{4}}} = \frac{21}{2} = 10\frac{1}{2}$$

$$\frac{7}{12} \times 16$$

3 계산하세요.

(1) $\dfrac{2}{7} \times 5$

(2) $1\dfrac{3}{8} \times 3$

(3) $3\dfrac{2}{3} \times 21$

기본 유형

4 빈 곳에 알맞은 수를 써넣으세요.

$\dfrac{7}{15}$

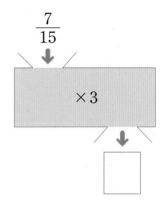

$\times 3$

[5~6] $2\dfrac{1}{4}\times 6$을 주어진 방법으로 계산하세요.

5 대분수를 가분수로 바꾸어 계산하세요.

$2\dfrac{1}{4}\times 6$

6 대분수를 자연수와 진분수의 합으로 보고 계산하세요.

$2\dfrac{1}{4}\times 6$

7 계산 결과를 찾아 선으로 이으세요.

(1) $\dfrac{3}{8}\times 10$ •

(2) $1\dfrac{1}{15}\times 3$ •

(3) $2\dfrac{7}{9}\times 6$ •

• ㉠ $3\dfrac{1}{5}$

• ㉡ $16\dfrac{2}{3}$

• ㉢ $3\dfrac{3}{4}$

8 크기를 비교하여 ○ 안에 >, =, <를 알맞게 써넣으세요.

$\dfrac{7}{9}\times 5$ ○ $3\dfrac{2}{9}$

9 우유가 $\dfrac{2}{3}$ L씩 들어 있는 컵이 7개 있습니다. 우유는 모두 몇 L인가요?

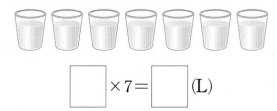

$\boxed{}\times 7=\boxed{}$ (L)

개념 완성하기

2 (자연수)×(분수)

(1) (자연수)×(진분수)

> 분모는 그대로 두고 자연수와 분자를 곱합니다.

예제 $10 \times \dfrac{3}{8}$ 계산하기 ──● 약분하는 순서에 따라 여러 가지 방법으로 계산할 수 있습니다.

방법 1 곱셈을 한 후 약분하기

$$10 \times \frac{3}{8} = \frac{10 \times 3}{8} = \frac{\overset{15}{\cancel{30}}}{\underset{4}{\cancel{8}}} = \frac{15}{4} = 3\frac{3}{4}$$

방법 2 곱하는 과정에서 약분하기

$$10 \times \frac{3}{8} = \frac{\overset{5}{10} \times 3}{\underset{4}{\cancel{8}}} = \frac{15}{4} = 3\frac{3}{4}$$

방법 3 주어진 식에서 바로 약분하기

$$\overset{5}{\cancel{10}} \times \frac{3}{\underset{4}{\cancel{8}}} = \frac{15}{4} = 3\frac{3}{4}$$

┌─● 곱하는 수가 1보다 더 작으면
중요 자연수와 진분수를 곱하면 곱한 값은 처음 수보다 작아집니다.

$$2 \, \text{>} \, 2 \times \frac{1}{3} = \frac{2}{3}$$

(2) (자연수)×(대분수)

예제 $3 \times 2\dfrac{1}{4}$ 계산하기

방법 1 대분수를 가분수로 바꾸어 계산하기

$$3 \times 2\frac{1}{4} = 3 \times \frac{9}{4} = \frac{3 \times 9}{4} = \frac{27}{4} = 6\frac{3}{4}$$

　　　　대분수 → 가분수

방법 2 대분수를 자연수와 진분수의 합으로 보고 계산하기

$$3 \times 2\frac{1}{4} = (3 \times 2) + \left(3 \times \frac{1}{4}\right) = 6 + \frac{3}{4} = 6\frac{3}{4}$$

┌─● 곱하는 수가 1보다 더 크면
중요 자연수와 대분수를 곱하면 곱한 값은 처음 수보다 커집니다.

$$3 \, \text{<} \, 3 \times 1\frac{2}{5} = 4\frac{1}{5}$$

개념 확인

1 $12 \times \dfrac{2}{9}$ 를 여러 가지 방법으로 계산한 것입니다. □ 안에 알맞은 수를 써넣으세요.

(1) $12 \times \dfrac{2}{9} = \dfrac{12 \times \square}{9} = \dfrac{\overset{\square}{\square}}{\underset{3}{9}} = \square$

(2) $12 \times \dfrac{2}{9} = \dfrac{12 \times 2}{9} = \dfrac{\overset{\square}{\square}}{\underset{\square}{}} = \square$

(3) $\overset{\square}{12} \times \dfrac{2}{9} = \dfrac{\square}{\underset{\square}{\square}} = \square$

2 $4 \times 2\dfrac{1}{2}$ 을 계산하는 과정입니다. □ 안에 알맞은 수를 써넣으세요.

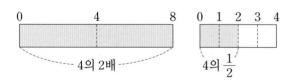

4의 2배　　　4의 $\dfrac{1}{2}$

$$4 \times 2\frac{1}{2} = \left(4 \times \square\right) + \left(4 \times \frac{\square}{2}\right) = \square$$

3 계산하세요.

(1) $9 \times \dfrac{5}{12}$

(2) $6 \times 2\dfrac{3}{4}$

기본 유형

4 빈 곳에 알맞은 수를 써넣으세요.

(1)

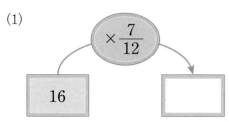

(2)

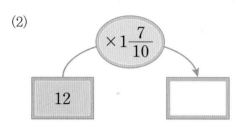

5 5에 ▨를 곱하는 식입니다. 계산 결과가 5보다 큰 식에 ○표, 5보다 작은 식에 △표 하세요.

$5 \times 2\frac{2}{3}$
(   )

5×1
(   )

$5 \times \frac{5}{7}$
(   )

$5 \times 8\frac{2}{5}$
(   )

6 두 수의 곱을 구하세요.

$$14 \qquad 1\frac{5}{21}$$

(   )

7 크기를 비교하여 ○ 안에 >, =, <를 알맞게 써넣으세요.

(1) $7 \times \frac{8}{9}$ ◯ 7

(2) $2 \times 1\frac{1}{2}$ ◯ 2

8 선희와 희정이가 계산한 것을 보고 옳게 계산한 사람의 이름을 쓰세요.

• 선희: $1\frac{2}{9} \times 3 = 3\frac{2}{3}$

• 희정: $8 \times 2\frac{3}{4} = 23$

(   )

9 지수의 몸무게는 45 kg입니다. 아버지의 몸무게는 지수의 몸무게의 $1\frac{14}{15}$배입니다. 아버지의 몸무게는 몇 kg인가요?

$$\boxed{} \times 1\frac{14}{15} = \boxed{} \text{ (kg)}$$

실력 다지기

(분수)×(자연수), (자연수)×(분수)

유형 **01** 빈 곳에 알맞은 수를 써넣으세요.

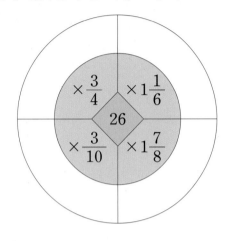

확인 **02** 가장 큰 수와 가장 작은 수의 곱을 구하세요.

$$3\frac{5}{8} \qquad 15 \qquad 2\frac{4}{9}$$

( )

강화 **03** ㉠과 ㉡의 계산 결과의 차를 구하세요.

㉠ $2\frac{3}{8} \times 12$　　　㉡ $16 \times 1\frac{3}{8}$

( )

(분수)×(자연수), (자연수)×(분수)의 계산 방법

04 $10 \times 1\frac{3}{5}$ 을 두 가지 방법으로 계산하세요.

방법 **1**

방법 **2**

05 잘못 계산한 것을 찾아 기호를 쓰세요.

$$㉠\ 1\frac{7}{12} \times \overset{1}{4} = \frac{19}{\underset{3}{12}} \times \overset{1}{4} = \frac{19}{3} = 6\frac{1}{3}$$

$$㉡\ 2\frac{1}{3} \times 5 = (2 \times 5) + \left(\frac{1}{3} \times 5\right) = 11\frac{2}{3}$$

$$㉢\ 4 \times 1\frac{1}{2} = 4 \times \frac{3}{2} = \frac{4 \times 3}{4 \times 2} = \frac{\overset{3}{12}}{\underset{2}{8}} = 1\frac{1}{2}$$

( )

서술형

06 계산에서 잘못된 부분을 찾아 이유를 쓰고, 옳게 고쳐 계산하세요.

$$2\frac{3}{16} \times \overset{1}{8} = 2\frac{3}{2} = 3\frac{1}{2}$$

이유

$$2\frac{3}{16} \times 8$$

계산 결과의 크기 비교

07 계산 결과를 비교하여 ○ 안에 >, =, <를 알맞게 써넣으세요.

(1) $\dfrac{5}{9} \times 3$ ◯ $1\dfrac{2}{3} \times 2$

(2) $8 \times \dfrac{5}{12}$ ◯ $4 \times 1\dfrac{3}{7}$

08 계산 결과가 가장 작은 식을 말한 사람은 누구인가요?

 유성

 누리

 찬우

$2\dfrac{1}{4} \times 3$ $5 \times 1\dfrac{2}{5}$ $\dfrac{5}{8} \times 10$

(   )

09 계산 결과가 큰 것부터 차례로 기호를 쓰세요.

  ⓐ $\dfrac{4}{7} \times 3$ ⓑ $1\dfrac{1}{2} \times 2$

  ⓒ $6 \times \dfrac{7}{10}$ ⓓ $5 \times 1\dfrac{2}{7}$

(   )

(분수) × (자연수)의 활용

10 선물을 한 개 포장하는 데 리본 $1\dfrac{5}{14}$ m가 필요합니다. 선물을 21개 포장하려면 리본은 적어도 몇 m 필요한가요?

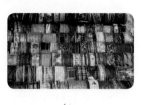

(   )

11 휘발유 1 L로 $7\dfrac{3}{8}$ km를 가는 자동차가 있습니다. 이 자동차에 휘발유가 36 L 들어 있다면 몇 km를 갈 수 있는지 식을 쓰고, 답을 구하세요.

식 _____

답 _____

12 민수가 어제는 둘레가 $1\dfrac{3}{4}$ km인 공원을 3바퀴 걸었고, 오늘은 둘레가 $\dfrac{4}{5}$ km인 산책로를 4바퀴 걸었습니다. 민수가 어제와 오늘 걸은 거리는 모두 몇 km인지 풀이 과정을 쓰고, 답을 구하세요. ^(서술형)

풀이 _____

_____

_____

답 _____

(자연수)×(분수)의 활용

유형 **13** 굵기가 일정한 철근 1 m의 무게가 15 kg입니다. 이 철근 $5\frac{4}{9}$ m는 몇 kg인가요?

(   )

확인 **14** 태극기를 정확히 그리려면 분수의 곱셈을 이용해야 합니다. 가로가 36 cm인 태극기를 그릴 때 ㉮와 ㉯를 각각 몇 cm로 해야 하는지 구하세요.
교과역량

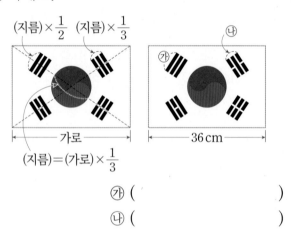

㉮ (   )
㉯ (   )

강화 **15** 선우는 집에서 5 km 떨어진 할머니 댁에 갔습니다. 전체 거리의 $\frac{2}{3}$는 버스를 타고 갔고, 나머지 거리는 걸어서 갔습니다. 걸은 거리는 몇 km인지 풀이 과정을 쓰고, 답을 구하세요.
서술형

풀이

답

도형의 둘레(넓이) 구하기

16 한 변의 길이가 $2\frac{8}{15}$ cm인 정삼각형의 둘레는 몇 cm인지 식을 쓰고, 답을 구하세요.

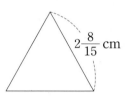

식

답

17 평행사변형의 넓이는 몇 cm²인가요?

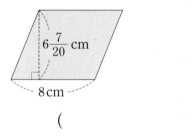

(   )

18 가 꽃밭은 가로가 $2\frac{5}{6}$ m, 세로가 2 m인 직사각형 모양이고, 나 꽃밭은 가로가 3 m, 세로가 $\frac{11}{12}$ m인 직사각형 모양입니다. 어느 꽃밭이 몇 m² 더 넓은지 차례로 구하세요.

(   ), (   )

확인, 강화 문제는 매칭북 **13**쪽에서 한 번 더!

> 정답 10쪽

약점 체크 ▶ 시간을 분수로 나타내어 구하기

19 한 시간에 70 km를 가는 자동차가 있습니다. 이 자동차가 같은 빠르기로 1시간 15분 동안 간다면 몇 km를 갈 수 있나요?

( )

해결 1시간은 60분임을 이용하여 1시간 15분을 시간 단위로 나타내어 계산합니다.

20 어느 수도꼭지에서 1시간에 93 L씩 물이 일정한 양으로 나옵니다. 이 수도꼭지에서 2시간 40분 동안 나오는 물은 모두 몇 L인가요?

( )

약점 체크 ▶ □ 안에 들어갈 수 있는 수 구하기

21 다음 □ 안에 들어갈 수 있는 자연수를 모두 구하세요.

$$\square\frac{1}{4} < \frac{5}{8} \times 12$$

( )

해결 분수의 곱셈을 계산하여 수의 범위를 구합니다. 대분수의 크기 비교는 먼저 자연수 부분을 비교한 후 분모를 같게 하여 분자를 비교합니다.

서술형

22 □ 안에 들어갈 수 있는 자연수는 모두 몇 개인지 풀이 과정을 쓰고, 답을 구하세요.

$$\frac{3}{4} \times 16 < \square < 1\frac{1}{12} \times 18$$

풀이

답

3 진분수의 곱셈

(1) (단위분수)×(단위분수)

분자는 그대로 두고 분모끼리 곱합니다.

$$\frac{1}{\blacksquare} \times \frac{1}{\blacktriangle} = \frac{1}{\blacksquare \times \blacktriangle}$$

[예제] $\frac{1}{2} \times \frac{1}{3}$ 계산하기

$$\frac{1}{2} \times \frac{1}{3} = \frac{1}{2 \times 3} = \frac{1}{6}$$

[참고] 단위분수의 곱셈 계산 원리

$\frac{1}{2} \times \frac{1}{3}$ 은 전체를 2등분하고 다시 각각을 3등분한 것 중의 하나와 같습니다.

$\frac{1}{2}$의 $\frac{1}{3}$ ➡ $\frac{1}{2} \times \frac{1}{3} = \frac{1}{2 \times 3} = \frac{1}{6}$

(2) (진분수)×(진분수)

분자는 분자끼리, 분모는 분모끼리 곱합니다.

$$\frac{\blacktriangle}{\bullet} \times \frac{\bigstar}{\blacksquare} = \frac{\blacktriangle \times \bigstar}{\bullet \times \blacksquare}$$

[예제] $\frac{4}{5} \times \frac{7}{12}$ 계산하기 — 약분하는 순서에 따라 여러 가지 방법으로 계산할 수 있습니다.

[방법 1] 곱셈을 한 후 약분하기

$$\frac{4}{5} \times \frac{7}{12} = \frac{4 \times 7}{5 \times 12} = \frac{\overset{7}{28}}{\underset{15}{60}} = \frac{7}{15}$$

[방법 2] 곱하는 과정에서 약분하기

$$\frac{4}{5} \times \frac{7}{12} = \frac{\overset{1}{4} \times 7}{5 \times \underset{3}{12}} = \frac{7}{15}$$

[방법 3] 주어진 식에서 바로 약분하기

$$\frac{\overset{1}{4}}{5} \times \frac{7}{\underset{3}{12}} = \frac{7}{15}$$

[참고] 진분수와 진분수를 곱하면 곱한 값은 처음 수보다 작아집니다.

[1~2] 그림을 보고 □ 안에 알맞은 수를 써넣으세요.

1
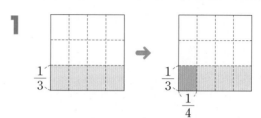

$$\frac{1}{3} \times \frac{1}{4} = \frac{1}{\square \times \square} = \frac{1}{\square}$$

2
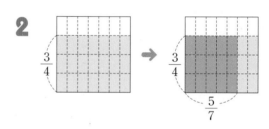

$$\frac{3}{4} \times \frac{5}{7} = \frac{\square \times 5}{4 \times \square} = \frac{15}{\square}$$

3 $\frac{7}{10} \times \frac{3}{14}$ 을 여러 가지 방법으로 계산한 것입니다. □ 안에 알맞은 수를 써넣으세요.

(1) $\dfrac{7}{10} \times \dfrac{3}{14} = \dfrac{7 \times 3}{10 \times 14} = \dfrac{\overset{\square}{21}}{140} = \square$

(2) $\dfrac{7}{10} \times \dfrac{3}{14} = \dfrac{7 \times 3}{10 \times 14} = \dfrac{\square}{\square}$

(3) $\dfrac{7}{10} \times \dfrac{3}{14} = \dfrac{\square}{\square}$

4 계산하세요.

(1) $\dfrac{1}{5} \times \dfrac{1}{8}$

(2) $\dfrac{5}{9} \times \dfrac{3}{10}$

(3) $\dfrac{4}{7} \times \dfrac{5}{6}$

5 크기를 비교하여 ○ 안에 >, =, <를 알맞게 써넣으세요.

(1) $\dfrac{1}{8}$ ◯ $\dfrac{1}{8} \times \dfrac{1}{2}$

(2) $\dfrac{1}{4}$ ◯ $\dfrac{1}{4} \times 1$

(3) $\dfrac{2}{7} \times \dfrac{1}{5}$ ◯ $\dfrac{2}{7} \times \dfrac{1}{3}$

(4) $\dfrac{5}{6} \times \dfrac{2}{11}$ ◯ $\dfrac{2}{11} \times \dfrac{5}{6}$

6 빈 곳에 알맞은 수를 써넣으세요.

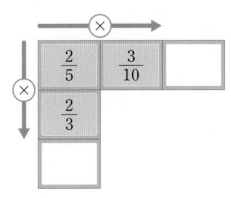

기본 유형

7 진주와 은율이가 계산한 것을 보고 옳게 계산한 사람의 이름을 쓰세요.

$$\dfrac{3}{8} \times \dfrac{6}{7} = \dfrac{9}{28}$$

진주

$$\dfrac{5}{12} \times \dfrac{2}{3} = \dfrac{5}{36}$$

은율

(   )

8 계산 결과가 큰 것부터 차례로 기호를 쓰세요.

㉠ $\dfrac{1}{3} \times \dfrac{1}{9}$　　㉡ $\dfrac{1}{8} \times \dfrac{1}{4}$　　㉢ $\dfrac{1}{5} \times \dfrac{1}{7}$

☐ > ☐ > ☐

9 다경이네 반 학생의 $\dfrac{2}{5}$ 는 남학생이고, 그중 $\dfrac{3}{4}$ 은 안경을 썼습니다. 다경이네 반에서 안경을 쓴 남학생은 전체 학생의 몇 분의 몇인가요?

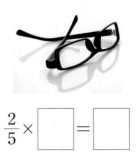

$\dfrac{2}{5} \times$ ☐ $=$ ☐

개념 완성하기

4 여러 가지 분수의 곱셈

(1) (대분수)×(대분수)

예제 $3\frac{3}{8} \times 2\frac{1}{3}$ 계산하기

방법 1 대분수를 가분수로 바꾸어 계산하기

대분수를 가분수로 바꾼 후 분자는 분자끼리, 분모는 분모끼리 곱합니다.

$$3\frac{3}{8} \times 2\frac{1}{3} = \frac{\overset{9}{27}}{8} \times \frac{7}{\underset{1}{3}} = \frac{63}{8} = 7\frac{7}{8}$$

방법 2 곱하는 대분수를 자연수 부분과 진분수 부분으로 나누어서 계산하기

$$3\frac{3}{8} \times 2\frac{1}{3} = \left(3\frac{3}{8} \times 2\right) + \left(3\frac{3}{8} \times \frac{1}{3}\right)$$
$$= \left(\frac{27}{\underset{4}{8}} \times \overset{1}{2}\right) + \left(\frac{\overset{9}{27}}{8} \times \frac{1}{\underset{1}{3}}\right)$$
$$= \frac{27}{4} + \frac{9}{8} = 7\frac{7}{8}$$

주의 대분수의 곱셈에서는 반드시 대분수를 가분수로 고친 후 계산합니다. ➡ $3\frac{\overset{1}{3}}{8} \times 2\frac{1}{\underset{1}{3}} = \frac{25}{\underset{4}{8}} \times 2 = \frac{25}{4} = 6\frac{1}{4}$ (×)

(2) 세 분수의 곱셈

대분수가 있으면 대분수를 가분수로 바꾼 후 분자는 분자끼리, 분모는 분모끼리 곱합니다.

예제 $\frac{2}{7} \times \frac{5}{6} \times \frac{7}{20}$ 계산하기

방법 1 두 분수씩 계산하기

$$\frac{2}{7} \times \frac{5}{6} \times \frac{7}{20} = \frac{\overset{1}{2}}{7} \times \frac{5}{\underset{3}{6}} \times \frac{7}{20} = \frac{5}{\underset{3}{21}}^{1} \times \frac{7}{20}^{1} = \frac{1}{12}$$

방법 2 세 분수를 한꺼번에 계산하기

$$\frac{2}{7} \times \frac{5}{6} \times \frac{7}{20} = \frac{\overset{1}{2} \times \overset{1}{5} \times \overset{1}{7}}{\underset{1}{7} \times \underset{3}{6} \times \underset{4}{20}} = \frac{1}{12}$$

개념 확인

1 그림을 보고 □ 안에 알맞은 수를 써넣으세요.

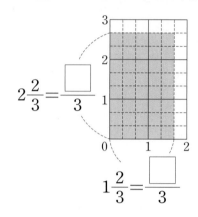

$$2\frac{2}{3} = \frac{\square}{3}$$

$$1\frac{2}{3} = \frac{\square}{3}$$

$$1\frac{2}{3} \times 2\frac{2}{3} = \frac{\square}{3} \times \frac{\square}{3} = \frac{\square}{9} = \square$$

2 □ 안에 알맞은 수를 써넣으세요.

$$1\frac{1}{4} \times \frac{3}{5} = \frac{\overset{\square}{\square}}{4} \times \frac{3}{5} = \frac{\square}{\underset{\square}{4}}$$

3 $\frac{2}{3} \times \frac{3}{5} \times \frac{2}{9}$ 를 여러 가지 방법으로 계산하려고 합니다. □ 안에 알맞은 수를 써넣으세요.

(1) $\frac{2}{\underset{1}{3}} \times \frac{\overset{1}{3}}{5} \times \frac{2}{9} = \frac{\square}{5} \times \frac{2}{9} = \frac{\square}{45}$

(2) $\frac{2}{3} \times \frac{3}{5} \times \frac{2}{9} = \frac{2 \times 3 \times 2}{3 \times 5 \times 9} = \frac{\overset{\square}{\square}}{45}$

(3) $\frac{2}{3} \times \frac{\overset{\square}{3}}{5} \times \frac{2}{9} = \frac{\square}{45}$

기본 유형

4 계산하세요.

(1) $1\dfrac{3}{5} \times 1\dfrac{1}{4}$

(2) $2\dfrac{5}{8} \times 2\dfrac{2}{3}$

(3) $\dfrac{3}{7} \times \dfrac{4}{5} \times \dfrac{1}{3}$

(4) $2\dfrac{4}{9} \times \dfrac{5}{6} \times \dfrac{2}{5}$

5 계산 결과가 같은 것끼리 선으로 이으세요.

(1) $\dfrac{8}{9} \times 5$ ·

(2) $1\dfrac{1}{6} \times 8$ ·

(3) $6 \times \dfrac{7}{10}$ ·

· ㉠ $5 \times \dfrac{8}{9}$

· ㉡ $\dfrac{7}{10} \times 6$

· ㉢ $8 \times 1\dfrac{1}{6}$

6 빈 곳에 두 수의 곱을 써넣으세요.

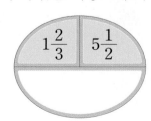

7 계산 결과를 비교하여 ○ 안에 >, =, <를 알맞게 써넣으세요.

$4\dfrac{1}{6} \times 1\dfrac{1}{5}$ ○ $2\dfrac{2}{3} \times 2\dfrac{1}{2}$

8 빈 곳에 알맞은 수를 써넣으세요.

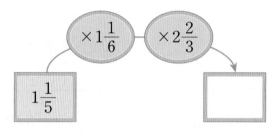

9 가로가 $2\dfrac{4}{5}$ cm이고, 세로가 $1\dfrac{3}{7}$ cm인 직사각형의 넓이는 몇 cm²인가요?

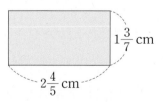

(직사각형의 넓이)=(가로)×(세로)

$2\dfrac{4}{5} \times \boxed{} = \boxed{}$ (cm²)

분수의 곱

유형 **01** 빈 곳에 알맞은 수를 써넣으세요.

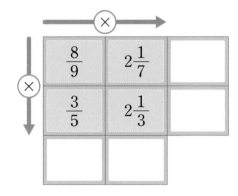

$$\times$$

	$\dfrac{8}{9}$	$2\dfrac{1}{7}$	
$\times$	$\dfrac{3}{5}$	$2\dfrac{1}{3}$	

확인 **02** 세 분수의 곱을 구하세요.

$$\dfrac{7}{12} \qquad 2\dfrac{2}{5} \qquad 1\dfrac{9}{14}$$

( )

강화 **03** ㉠과 ㉡의 계산 결과의 합을 구하세요.

㉠ $\dfrac{1}{6} \times 2\dfrac{9}{20} \times \dfrac{3}{7}$ ㉡ $1\dfrac{5}{8} \times 2\dfrac{3}{5} \times 8$

( )

잘못된 부분 찾아 옳게 계산하기

04 다음은 잘못 계산한 것입니다. 옳게 고쳐 계산하세요.

$$\dfrac{5}{\underset{3}{12}} \times \dfrac{3}{\underset{2}{8}} = \dfrac{\overset{5}{15}}{\underset{2}{6}} = \dfrac{5}{2} = 2\dfrac{1}{2}$$

$$\dfrac{5}{12} \times \dfrac{3}{8}$$

서술형

05 계산에서 잘못된 부분을 찾아 이유를 쓰고, 옳게 고쳐 계산하세요.

$$2\dfrac{2}{5} \times 1\dfrac{\overset{1}{1}}{\underset{2}{4}} = \dfrac{11}{5} \times \dfrac{3}{2} = \dfrac{33}{10} = 3\dfrac{3}{10}$$

이유

_____

$$2\dfrac{2}{5} \times 1\dfrac{1}{4}$$

06 잘못 계산한 사람의 이름을 쓰고, 옳게 계산했을 때의 값을 구하세요.

준혁

수현

$$4\dfrac{1}{2} \times 1\dfrac{1}{9} = 5$$

$$3\dfrac{3}{7} \times 2\dfrac{5}{8} = 6\dfrac{15}{56}$$

( ), ( )

분수의 곱셈에서 크기 비교

07 계산 결과가 $\dfrac{5}{7}$보다 작은 것을 모두 찾아 ○표 하세요.

$$\dfrac{5}{7}\times4 \qquad \dfrac{5}{7}\times\dfrac{3}{4} \qquad 6\times\dfrac{5}{7} \qquad \dfrac{5}{6}\times\dfrac{5}{7}$$

08 곱이 가장 큰 것은 어느 것인가요? (　　　　)

① $\dfrac{16}{25}\times\dfrac{5}{8}$ 　　　　② $52\times\dfrac{3}{26}$

③ $\dfrac{22}{39}\times13$ 　　　　④ $\dfrac{1}{9}\times\dfrac{1}{4}$

⑤ $1\dfrac{8}{11}\times3\dfrac{2}{3}$

09 계산 결과가 작은 순서대로 기호를 쓰세요.

㉠ $\dfrac{5}{6}\times3\dfrac{1}{3}$ 　　　　㉡ $2\dfrac{1}{4}\times1\dfrac{2}{3}$

㉢ $\dfrac{10}{11}\times\dfrac{7}{8}$ 　　　　㉣ $1\dfrac{3}{8}\times3\dfrac{1}{5}$

(　　　　　　　　)

두 분수의 곱셈 활용

10 미술 시간에 찰흙 $\dfrac{7}{8}$ kg의 $\dfrac{4}{5}$를 사용했습니다. 사용한 찰흙은 몇 kg인가요?

(　　　　　　　　)

11 물통에 물이 $2\dfrac{3}{4}$ L 들어 있습니다. 이 물통에 물을 $3\dfrac{2}{5}$ L 더 부어서 그중 $\dfrac{5}{6}$를 사용했습니다. 사용한 물은 몇 L인가요?

(　　　　　　　　)

서술형
12 분수의 곱셈식에 알맞은 문제를 만들고, 풀이 과정을 쓰고, 답을 구하세요.

$$3\dfrac{3}{5}\times2\dfrac{1}{2}$$

문제 _____

_____

풀이 _____

_____

답 _____

□ 안에 들어갈 수 있는 수 구하기

유형 **13** □ 안에 들어갈 수 있는 1보다 큰 자연수는 모두 몇 개인가요?

$$\frac{1}{8} \times \frac{1}{\square} > \frac{1}{48}$$

( )

확인 **14** □ 안에 들어갈 수 있는 자연수를 모두 구하려고 합니다. 풀이 과정을 쓰고, 답을 구하세요. [서술형]

$$3\frac{5}{6} \times 1\frac{5}{7} > \square\frac{3}{7}$$

풀이

답

강화 **15** □ 안에 들어갈 수 있는 자연수는 모두 몇 개인가요?

$$2\frac{3}{8} \times 1\frac{1}{3} < \square < 3\frac{1}{3} \times 2\frac{4}{5}$$

( )

분수의 곱을 이용하여 도형의 넓이 구하기

16 색종이를 접어 한 변의 길이가 $7\frac{1}{2}$ cm인 정사각형 모양의 딱지를 만들었습니다. 딱지의 넓이는 몇 cm²인가요?

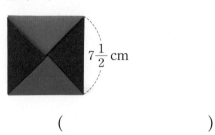

( )

17 직사각형 가와 평행사변형 나가 있습니다. 나는 가보다 몇 m² 더 넓나요?

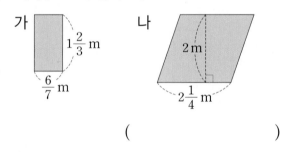

( )

18 한 변의 길이가 $2\frac{2}{7}$ cm인 정사각형의 각 변의 한가운데 점을 이어서 작은 정사각형을 만들었습니다. 같은 방법으로 정사각형을 만들어 갈 때 색칠한 부분의 넓이는 몇 cm²인가요?

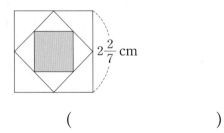

( )

확인, 강화 문제는 매칭북 16쪽에서 한 번 더!

○ 정답 12쪽

세 분수의 곱셈 활용

19 효주네 학교 5학년 학생 수는 전체 학생의 $\frac{1}{6}$ 입니다. 5학년 학생 수의 $\frac{2}{5}$ 는 남학생이고, 그 중 $\frac{5}{8}$ 는 축구를 좋아합니다. 축구를 좋아하는 5학년 남학생은 전체 학생의 몇 분의 몇인지 식을 쓰고, 답을 구하세요.

식

답

20 성진이의 몸무게는 $38\frac{3}{4}$ kg입니다. 동생은 성진이의 몸무게의 $\frac{3}{5}$ 이고, 아버지는 동생의 몸무게의 $3\frac{5}{8}$ 입니다. 아버지의 몸무게는 몇 kg인가요?

( )

21 지영이는 3일 동안 책을 읽었습니다. 첫째 날은 전체의 $\frac{1}{4}$ 을 읽었고, 둘째 날은 첫째 날 읽고 난 나머지의 $\frac{2}{3}$ 를 읽었고, 셋째 날은 둘째 날까지 읽고 남은 나머지의 $\frac{1}{2}$ 을 읽었습니다. 책이 240쪽일 때 3일 동안 읽고 난 나머지는 몇 쪽인가요?

( )

넓이를 이용한 세 분수의 곱셈 활용

22 벽에 한 변의 길이가 $6\frac{1}{4}$ cm인 정사각형 모양의 타일 16개를 겹치지 않게 붙였습니다. 타일을 붙인 부분의 넓이는 몇 cm^2인가요?

( )

23 분수의 곱셈을 이용하여 그림을 그렸습니다. 색칠하지 않은 부분의 넓이는 몇 cm^2인가요?

- 한 변의 길이가 20 cm인 정사각형 모양의 종이에 그림을 그립니다.
- 빨간색으로 색칠한 부분의 넓이는 직사각형 모양으로 전체 종이의 넓이의 $\frac{1}{4}$ 입니다.
- 노란색으로 색칠한 부분의 넓이는 직사각형 모양으로 빨간색으로 색칠하고 남은 부분의 $\frac{1}{2}$ 입니다.
- 파란색으로 색칠한 부분의 넓이는 직사각형 모양으로 빨간색과 노란색으로 색칠하고 남은 부분의 $\frac{2}{3}$ 입니다.

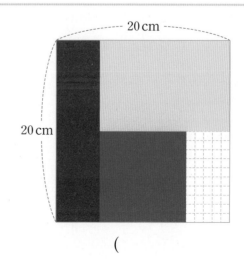

( )

유형 **24** 주머니에서 수가 적힌 공 4개를 뽑았습니다. 이 중에서 3개를 골라 한 번씩만 사용하여 대분수를 만들려고 합니다. 만들 수 있는 가장 큰 대분수와 가장 작은 대분수의 곱을 구하세요.

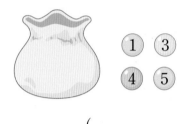

( )

해결 · 가장 큰 대분수: 자연수 부분에 가장 큰 수를 놓습니다.
· 가장 작은 대분수: 자연수 부분에 가장 작은 수를 놓습니다.

확인 **25** 수 카드를 한 번씩만 사용하여 진분수 3개를 만들어 곱하려고 합니다. 곱이 가장 작을 때의 값을 구하세요. (단, 분모와 분자에 각각 한 장의 카드만 사용합니다.)

| 1 | 2 | 3 | 5 | 6 | 7 |

( )

26 어떤 수를 $1\frac{1}{3}$ 로 나누었더니 $2\frac{2}{5}$가 되었습니다. 어떤 수를 구하세요.

( )

해결 어떤 수를 □라 하고 식을 세워 계산합니다.

서술형
27 어떤 수에 $\frac{4}{9}$를 곱해야 할 것을 잘못하여 더했더니 $1\frac{7}{18}$이 되었습니다. 바르게 계산하면 얼마인지 풀이 과정을 쓰고, 답을 구하세요.

풀이 _____

_____

_____

답 _____

확인 문제는 매칭북 **17쪽**에서 한 번 더!

▶ 정답 13쪽

약점 체크 변의 길이를 줄인 도형의 넓이 구하기

28 둘레가 60 cm인 정사각형을 가로는 $\frac{5}{6}$로 줄이고, 세로는 $\frac{4}{9}$로 줄여서 직사각형을 만들었습니다. 만든 직사각형의 넓이는 몇 cm^{2}인지 구하세요.

( )

해결 길이가 ■인 변을 $\frac{\triangle}{\bullet}$로 줄이면

(줄인 변의 길이)=■ $\times \frac{\triangle}{\bullet}$입니다.

[서술형]

29 한 변의 길이가 $10\frac{1}{2}$ cm인 정사각형이 있습니다. 이 정사각형의 가로는 $\frac{3}{7}$으로 줄이고, 둘레는 변하지 않게 하여 직사각형을 만들었습니다. 만든 직사각형의 넓이는 몇 cm^{2}인지 풀이 과정을 쓰고, 답을 구하세요.

풀이

_____

_____

_____

_____

_____

답

약점 체크 곱이 자연수가 되는 분수 구하기

30 ㉠에 알맞은 분수 중에서 가장 작은 수를 구하려고 합니다. 물음에 답하세요. (단, 분수의 분모는 1이 아닙니다.)

$$㉠ \times \frac{5}{13} = (자연수)$$ $$㉠ \times \frac{15}{26} = (자연수)$$

(1) ㉠의 분모가 될 수 있는 수를 쓰세요.

( )

(2) ㉠의 분자가 될 수 있는 수를 가장 작은 수부터 2개만 쓰세요.

( )

(3) ㉠에 알맞은 가장 작은 분수를 쓰세요.

( )

해결 ㉠에 어떤 분수를 곱했을 때 자연수가 되려면 곱셈 과정에서 약분하여 ㉠의 분모와 곱하는 수의 분모가 각각 1이 되어야 합니다.

$\frac{\triangle}{■} \times \frac{\bullet}{\star} = (자연수)$가 되려면 $\frac{\triangle}{■} = \frac{(\star의 배수)}{(\bullet의 약수)}$이어야 합니다.

31 곱셈식이 쓰여 있는 종이가 찢어져서 분수 한 개가 보이지 않습니다. 찢어진 부분에 알맞은 기약분수를 구하세요.

$$\square \times \frac{7}{8} \times 2\frac{1}{6} = 1$$

( )

연습

01 경복궁의 성인 1명의 입장료는 3000원인데 10명 이상 단체인 경우 할인하여 전체 입장료의 $\frac{4}{5}$ 만큼만 내면 됩니다. 성인 12명이 단체로 입장하는 데 내야 하는 입장료는 얼마인지 풀이 과정을 쓰고, 답을 구하세요.

서술형 포인트 성인 12명의 할인하기 전 전체 입장료를 먼저 구합니다.

풀이를 완성하세요.

❶ (성인 12명의 할인하기 전 전체 입장료)

= (성인 1명의 입장료) × (사람 수)

= ☐ × 12 = ☐ (원)

❷ (성인 12명이 단체로 입장하는 데 내야 하는 입장료) =

따라서 성인 12명이 단체로 입장하려면

☐ 원을 내야 합니다.

답

단계

02 어느 항공사의 김포-제주 노선 금액이 대인은 22500원이고, 소인은 대인의 $\frac{9}{10}$ 만큼입니다. **대인 2명과 소인 1명인 한 가족이 비행기로 김포에서 제주에 가려면 얼마를 내야 하는지 풀이 과정을 쓰고, 답을 구하세요.** (단, 유류 할증료 및 제세공과금은 생각하지 않습니다.)

❶ 대인 2명의 금액 구하기

풀이

❷ 소인 1명의 금액 구하기

풀이

❸ 대인 2명과 소인 1명의 금액의 합 구하기

풀이

답

실전

03 어느 스키장의 리프트 오전 이용료가 소인은 48000원이고 대인은 소인의 $1\frac{3}{4}$ 만큼입니다. **대인 2명과 소인 2명인 한 가족이 오전에 모두 리프트를 이용하려면 얼마를 내야 하는지 풀이 과정을 쓰고, 답을 구하세요.**

풀이

답

연습

04 하루에 $\dfrac{2}{15}$ 분씩 느려지는 시계가 있습니다. 이 시계를 오늘 오후 1시에 정확하게 맞추어 놓았다면 <u>30일 후 오후 1시에 이 시계가 가리키는 시각은 오후 몇 시 몇 분</u>인지 풀이 과정을 쓰고, 답을 구하세요.

서술형 포인트 30일 동안 느려지는 시간을 먼저 구합니다.

풀이를 완성하세요.

❶ (30일 동안 느려지는 시간)

＝(하루에 느려지는 시간)×(날수)

＝

❷ 따라서 30일 후 오후 1시에 이 시계가 가리키는

시각은 오후 ☐ 시 ☐ 분입니다.

답

단계

05 하루에 $1\dfrac{1}{6}$ 분씩 빨라지는 시계가 있습니다. 이 시계를 오늘 오후 6시에 정확하게 맞추어 놓았다면 **8일 후 오후 6시에 이 시계가 가리키는 시각**은 오후 몇 시 몇 분 몇 초인지 풀이 과정을 쓰고, 답을 구하세요.

 8일 후

❶ 8일 동안 빨라지는 시간 구하기

풀이

❷ 8일 후 오후 6시에 시계가 가리키는 시각 구하기

풀이

답

실전

06 하루에 $1\dfrac{1}{4}$ 분씩 빨라지는 시계가 있습니다. 이 시계를 오늘 오전 8시에 정확하게 맞추어 놓았다면 **5일 후 오전 8시에 이 시계가 가리키는 시각**은 오전 몇 시 몇 분 몇 초인지 풀이 과정을 쓰고, 답을 구하세요.

풀이

답

2 단원

연습

07 색칠한 부분의 넓이는 몇 cm² 인지 풀이 과정을 쓰고, 답을 구하세요.

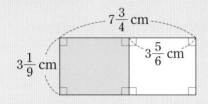

서술형 포인트 길이가 주어진 선분을 기준으로 도형을 나누어 넓이를 구합니다.

풀이를 완성하세요.

❶ (색칠한 부분의 가로)

＝

❷ (색칠한 부분의 넓이)

＝(가로)×(세로)

＝

답

단계

08 색칠한 부분의 넓이는 몇 cm² 인지 풀이 과정을 쓰고, 답을 구하세요.

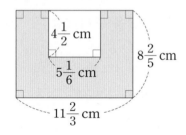

❶ 큰 직사각형의 넓이 구하기
풀이

❷ 작은 직사각형의 넓이 구하기
풀이

❸ 색칠한 부분의 넓이 구하기
풀이

답

실전

09 도형의 넓이는 몇 cm² 인지 풀이 과정을 쓰고, 답을 구하세요.

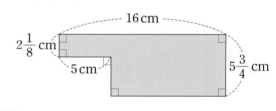

풀이

답

연습

10 수조의 바닥에 구멍이 뚫려 물이 1분에 $1\frac{5}{11}$ L씩 일정하게 빠져나가고 있습니다. 이 수조에 들어 있던 물이 2분 45초 동안 모두 빠져나갔다면 처음 수조에 들어 있던 물은 몇 L인지 풀이 과정을 쓰고, 답을 구하세요.

> **서술형 포인트** 1분은 60초이므로 45초를 분모를 60으로 하여 분 단위로 나타냅니다.

풀이를 완성하세요.

❶ 2분 45초를 분 단위로 나타내면

$2분\ 45초 = 2\frac{45}{60}분 = \boxed{}분$입니다.

❷ (2분 45초 동안 빠져나간 물의 양)

$=$ _____

따라서 처음 수조에 들어 있던 물은 $\boxed{}$ L

입니다.

답 _____

단계

11 소라는 1분에 $\frac{3}{8}$ km를 달리고, 용준이는 1분에 $\frac{4}{9}$ km를 달립니다. 두 사람이 이와 같은 빠르기로 한 곳에서 같은 방향으로 동시에 출발하여 3분 30초 동안 달렸다면 **두 사람 사이의 거리**는 몇 km인지 풀이 과정을 쓰고, 답을 구하세요.

❶ 3분 30초를 분 단위로 나타내기

풀이

❷ 3분 30초 동안 두 사람이 달린 거리 각각 구하기

풀이

❸ 3분 30초 후 두 사람 사이의 거리 구하기

풀이

답 _____

실전

12 자전거를 타고 준기는 1분에 $\frac{6}{7}$ km를 가고, 소진이는 1분에 $\frac{9}{11}$ km를 갑니다. 두 사람이 이와 같은 빠르기로 한 곳에서 반대 방향으로 동시에 출발하여 5분 40초 동안 갔다면 **두 사람 사이의 거리**는 몇 km인지 풀이 과정을 쓰고, 답을 구하세요. (단, 두 사람은 일직선 방향으로 갑니다.)

풀이

답 _____

01 보기 와 같은 방법으로 계산하세요.

보기

$$5 \times 1\frac{1}{4} = (5 \times 1) + \left(5 \times \frac{1}{4}\right) = 5 + \frac{5}{4}$$
$$= 5 + 1\frac{1}{4} = 6\frac{1}{4}$$

$$7 \times 2\frac{2}{3}$$

02 계산하세요.

$$\frac{12}{35} \times 7$$

03 계산 결과가 작은 순서대로 기호를 쓰세요.

ㄱ $\frac{1}{9} \times \frac{1}{2}$ ㄴ $\frac{1}{3} \times \frac{1}{8}$

ㄷ $\frac{1}{7} \times \frac{1}{7}$ ㄹ $\frac{1}{6} \times \frac{1}{5}$

(   )

04 계산 결과를 비교하여 ○ 안에 >, =, <를 알맞게 써넣으세요.

$2\frac{1}{4} \times 1\frac{2}{3}$ ○ $1\frac{3}{8} \times 3\frac{1}{5}$

05 빈 곳에 알맞은 수를 써넣으세요.

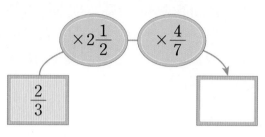

06 옳게 말한 사람은 누구인가요?

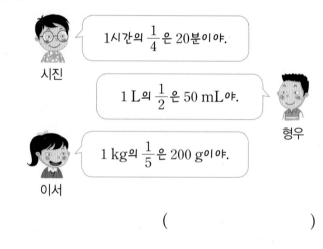

시진: 1시간의 $\frac{1}{4}$은 20분이야.

형우: 1 L의 $\frac{1}{2}$은 50 mL야.

이서: 1 kg의 $\frac{1}{5}$은 200 g이야.

(   )

07 직사각형의 넓이는 몇 cm^2인가요?

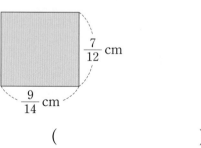

$\frac{7}{12}$ cm

$\frac{9}{14}$ cm

(   )

08 땅에 닿으면 떨어진 높이의 $\frac{6}{7}$ 만큼 튀어 오르는 공이 있습니다. 이 공을 91 cm 높이에서 떨어뜨렸습니다. 공이 땅에 한 번 닿았다가 튀어 올랐을 때의 높이는 몇 cm인가요?

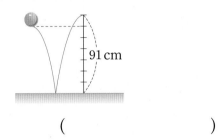

91 cm

(   )

09 곱이 가장 큰 것은 어느 것인가요? (   )

① $\frac{1}{5} \times \frac{1}{8}$

② $2\frac{3}{7} \times \frac{1}{2}$

③ $\frac{5}{6} \times \frac{4}{5}$

④ $1\frac{5}{6} \times 2\frac{1}{4}$

⑤ $\frac{3}{8} \times 6\frac{2}{5} \times \frac{1}{5}$

10 ㉠과 ㉡의 계산 결과의 합을 구하세요.

㉠ $2\frac{1}{4} \times 1\frac{2}{3} \times \frac{4}{5}$ ㉡ $\frac{3}{4} \times \frac{4}{7} \times 3\frac{1}{2}$

(   )

11 자루에 쌀이 $2\frac{5}{8}$ kg 들어 있고, 보리는 쌀의 $3\frac{5}{6}$ 배만큼 들어 있습니다. 자루에 들어 있는 보리는 몇 kg인가요?

(   )

12 현관 바닥에 한 변의 길이가 $5\frac{1}{2}$ cm인 정사각형 모양의 타일 36개를 겹치지 않게 붙였습니다. 타일을 붙인 부분의 넓이는 몇 cm²인가요?

(   )

13 세훈이네 반 여학생 수는 전체 학생의 $\frac{4}{7}$ 입니다. 여학생 중에서 $\frac{3}{5}$ 은 피아노를 연주할 수 있고, 그중에서 $\frac{1}{4}$ 은 바이올린을 연주할 수 있습니다. 세훈이네 반 학생 수가 35명일 때 피아노와 바이올린을 모두 연주할 수 있는 여학생은 몇 명인지 식을 쓰고, 답을 구하세요.

식

답

14 ⬜ 안에 들어갈 수 있는 자연수는 모두 몇 개인가요?

$1\frac{4}{5} \times 2\frac{2}{3} < ⬜ < 5\frac{5}{8} \times 2\frac{2}{27}$

(   )

15 길이가 $2\frac{2}{9}$ cm인 색 테이프 3장을 $\frac{7}{8}$ cm씩 겹치게 한 줄로 이어 붙였습니다. 이어 붙인 색 테이프의 전체 길이는 몇 cm인가요?

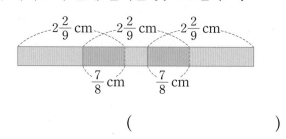

(   )

16 하루에 $2\frac{5}{6}$ 분씩 빨라지는 시계가 있습니다. 이 시계를 오늘 오전 9시에 정확하게 맞추어 놓았다면 20일 후 오전 9시에 이 시계가 가리키는 시각은 오전 몇 시 몇 분 몇 초인가요?

(   )

17 도형의 넓이는 몇 cm^2인가요?

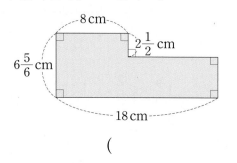

(   )

서술형 문제

18 계산에서 잘못된 부분을 찾아 이유를 쓰고, 옳게 고쳐 계산하세요.

$$\overset{5}{20} \times 2\underset{2}{\frac{1}{8}} = 5 \times \frac{5}{2} = \frac{25}{2} = 12\frac{1}{2}$$

이유 _____

_____

$$20 \times 2\frac{1}{8}$$

19 어느 수도꼭지에서 1시간에 100 L씩 물이 일정한 양으로 나옵니다. 이 수도꼭지에서 2시간 24분 동안 나오는 물은 모두 몇 L인지 풀이 과정을 쓰고, 답을 구하세요.

풀이 _____

_____

_____

답 _____

20 4장의 수 카드 중에서 3장을 골라 한 번씩만 사용하여 대분수를 만들려고 합니다. 만들 수 있는 가장 큰 대분수와 가장 작은 대분수의 곱은 얼마인지 풀이 과정을 쓰고, 답을 구하세요.

| 1 | 5 | 8 | 9 |

풀이 _____

_____

_____

_____

답 _____

쉬어가기

봉지아
(Bom dia)

'봉지아' 내 이름은 하파엘라야.

나는 축구와 삼바의 나라로 유명한 브라질에서 살아.

'봉지아'는 일상생활에서 쓰는 인사말로

"안녕하세요."라는 뜻이야.

브라질은 매우 빠르고 정렬적인 춤인 삼바와 세계 3대

축제 중 하나인 리우 카니발이 유명해.

거대한 예수상이 있는 리우데자네이루, 세계 3대 폭포인 이구아수 폭포, 지구의 허파로

불리는 세계에서 가장 넓고, 가장 다양한 생물이 사는 아마존 등 볼거리와 즐길 거리가 아

주 많아.

리우데자네이루

이구아수 폭포

'카니발'은 가톨릭의 전통 명절로 일정 기간 동안 음식을 먹지
않아야 하는 기간 전 사흘 동안 고기를 먹고 즐겁게 노는 행사예요.

3 합동과 대칭

개념 완성하기

1 도형의 합동

모양과 크기가 같아서 포개었을 때 완전히 겹치는 두 도형을 서로 합동이라고 합니다.

[예제] **서로 합동인 도형 찾기** → 도형을 뒤집거나 돌려서 모양과 크기가 같은 도형을 찾습니다.

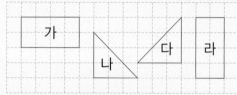

서로 합동인 도형: <u>가와 라, 나와 다</u>
└ 모양과 크기가 같아서 포개었을 때 완전히 겹칩니다.

2 합동인 도형의 성질

서로 합동인 삼각형 ㄱㄴㄷ과 삼각형 ㄹㅂㅁ을 완전히 겹치도록 포개었을 때

(1) **대응점, 대응변, 대응각**
  • 대응점(겹치는 점): 점 ㄱ과 점 ㄹ, 점 ㄴ과 점 ㅂ, 점 ㄷ과 점 ㅁ
  • 대응변(겹치는 변): 변 ㄱㄴ과 변 ㄹㅂ, 변 ㄴㄷ과 변 ㅂㅁ, 변 ㄷㄱ과 변 ㅁㄹ
  • 대응각(겹치는 각): 각 ㄱㄴㄷ과 각 ㄹㅂㅁ, 각 ㄴㄷㄱ과 각 ㅂㅁㄹ, 각 ㄷㄱㄴ과 각 ㅁㄹㅂ

(2) **합동인 도형의 성질**
  ① <u>각각의 대응변의 길이가 서로 같습니다.</u>
    └ (변 ㄱㄴ)=(변 ㄹㅂ), (변 ㄴㄷ)=(변 ㅂㅁ), (변 ㄷㄱ)=(변 ㅁㄹ)
  ② <u>각각의 대응각의 크기가 서로 같습니다.</u>
    └ (각 ㄱㄴㄷ)=(각 ㄹㅂㅁ), (각 ㄴㄷㄱ)=(각 ㅂㅁㄹ), (각 ㄷㄱㄴ)=(각 ㅁㄹㅂ)

개념 확인

1 오른쪽 도형과 서로 합동인 도형을 찾아 ○표 하세요.

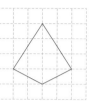

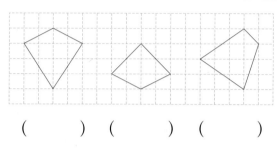

(   ) (   ) (   )

2 서로 합동인 도형을 모두 찾아 쓰세요.

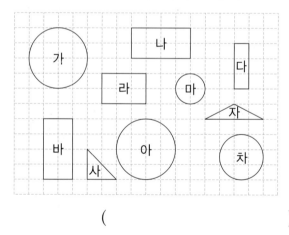

(   )

3 주어진 도형과 서로 합동인 도형을 그리세요.

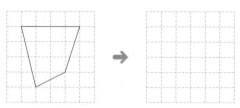

4 두 사각형은 서로 합동입니다. 물음에 답하세요.

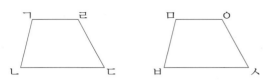

(1) 점 ㄷ의 대응점을 쓰세요.

( )

(2) 변 ㄴㄷ의 대응변을 쓰세요.

( )

(3) 각 ㄱㄹㄷ의 대응각을 쓰세요.

( )

5 두 도형은 서로 합동입니다. 대응점, 대응변, 대응각이 각각 몇 쌍 있나요?

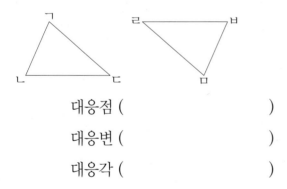

대응점 ( )

대응변 ( )

대응각 ( )

6 두 사각형은 서로 합동입니다. 변 ㄴㄷ은 몇 cm인가요?

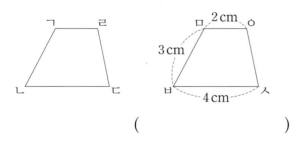

( )

기본 유형

7 점선을 따라 잘랐을 때 만들어지는 두 도형이 서로 합동인 것을 모두 고르세요. ( )

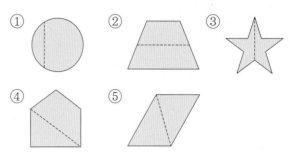

8 두 삼각형은 서로 합동입니다. 각 ㄱㄷㄴ은 몇 도인가요?

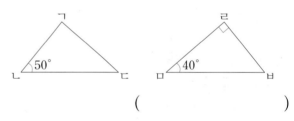

( )

9 두 사각형은 서로 합동입니다. 물음에 답하세요.

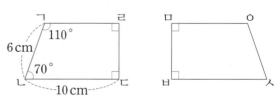

(1) 변 ㅂㅅ은 몇 cm인가요?

( )

(2) 각 ㅁㅇㅅ은 몇 도인가요?

( )

STEP 1 — 개념 완성하기

3 선대칭도형과 그 성질

(1) 선대칭도형 알아보기

- **선대칭도형**: 한 직선을 따라 접었을 때 완전히 겹치는 도형
- **대칭축**: 선대칭도형이 완전히 겹치도록 접을 수 있는 직선
- 대칭축을 따라 접었을 때
  대응점: 겹치는 점
  대응변: 겹치는 변
  대응각: 겹치는 각

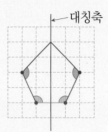

> **중요** 선대칭도형에서 대칭축의 개수
> 선대칭도형의 모양에 따라 대칭축은 1개일 수도 있고, 여러 개일 수도 있습니다. 대칭축이 여러 개일 때 모든 대칭축은 한 점에서 만납니다.
>
>

(2) 선대칭도형의 성질

① 각각의 대응변의 길이와 대응각의 크기가 서로 같습니다.

② 대응점끼리 이은 선분은 대칭축과 수직으로 만납니다.

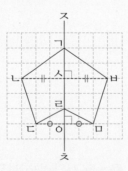

③ 대칭축은 대응점끼리 이은 선분을 둘로 똑같이 나눕니다. ⌐ 각각의 대응점에서 대칭축까지의 거리가 서로 같습니다.
(선분 ㄴㅅ)=(선분 ㅂㅅ), (선분 ㄷㅇ)=(선분 ㅁㅇ)

(3) 선대칭도형 그리기

① 대칭축을 중심으로 각 점에서 같은 거리만큼 떨어진 대응점을 찾아 표시합니다.

② 대응점을 이은 선분이 대칭축과 수직으로 만나는지 확인하며 대응점을 차례로 이어 선대칭도형을 완성합니다.

개념 확인

1 선대칭도형을 모두 찾아 기호를 쓰세요.

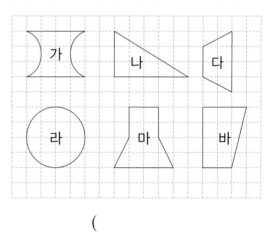

(   )

2 선대칭도형을 보고 대응점, 대응변, 대응각을 각각 찾아 쓰세요.

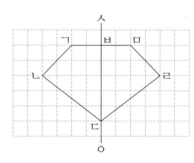

점 ㄴ의 대응점 (   )
변 ㄴㄷ의 대응변 (   )
각 ㄱㄴㄷ의 대응각 (   )

3 선대칭도형을 완성하세요.

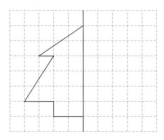

4 선분 ㅁㅂ을 대칭축으로 하는 선대칭도형입니다. 물음에 답하세요.

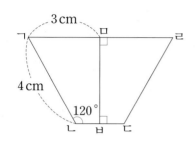

(1) 선분 ㅁㄹ은 몇 cm인가요?

(　　　　　　　)

(2) 각 ㄹㄷㅂ은 몇 도인가요?

(　　　　　　　)

5 다음 도형은 선대칭도형입니다. 대칭축을 모두 그리세요.

(1) 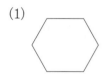　　(2)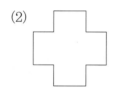

6 직선 ㅍㅎ을 대칭축으로 하는 선대칭도형입니다. 각 ㅈㅋㄴ은 몇 도인가요?

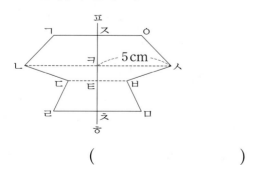

(　　　　　　　)

7 직선 ㄱㄴ을 대칭축으로 하는 선대칭도형입니다. □ 안에 알맞은 수를 써넣으세요.

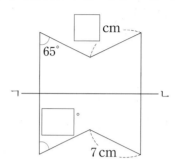

8 직선 ㅈㅊ을 대칭축으로 하는 선대칭도형입니다. 선분 ㄷㅁ은 몇 cm인가요?

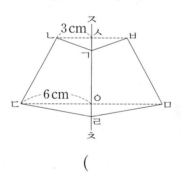

(　　　　　　　)

9 선대칭도형에 대해 잘못 말한 사람의 이름을 쓰세요.

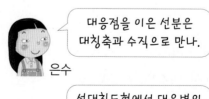
대응점을 이은 선분은 대칭축과 수직으로 만나.
은수

선대칭도형에서 대응변의 길이가 다른 경우도 있어.
재훈

(　　　　　　　)

STEP 1 개념 완성하기

4 점대칭도형과 그 성질

(1) 점대칭도형 알아보기

• 점대칭도형: 한 도형을 어떤 점을 중심으로 180°
돌렸을 때 처음 도형과 완전히 겹치는 도형

• 대칭의 중심: 점대칭도형을 180° 돌릴 때 처음
도형과 완전히 겹치게 하는 점

• 대칭의 중심을 중심으로 180° 돌렸을 때

대응점: 겹치는 점
대응변: 겹치는 변
대응각: 겹치는 각

중요 점대칭도형에서 대칭의 중심

점대칭도형에서 대칭의 중심은 도형의 한가운데에 있고 1개입니다. 대응점을 이은 선분은 반드시 대칭의 중심을 지납니다.

(2) 점대칭도형의 성질

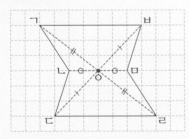

① 각각의 대응변의 길이와 대응각의 크기가 서로 같습니다.

② 대칭의 중심은 대응점끼리 이은 선분을 둘로 똑같이 나눕니다.
┌• 각각의 대응점에서 대칭의 중심까지의 거리가 서로 같습니다.
(선분 ㄱㅇ)=(선분 ㄹㅇ),
(선분 ㄴㅇ)=(선분 ㅁㅇ),
(선분 ㄷㅇ)=(선분 ㅂㅇ)

(3) 점대칭도형 그리기

① 각 점에서 대칭의 중심을 지나는 직선을 그은 후 각 점에서 대칭의 중심까지의 길이가 같도록 대응점을 찾아 표시합니다.

② 대응점을 차례로 이어 점대칭도형을 완성합니다.

개념 확인

1 점대칭도형을 찾아 ○표 하세요.

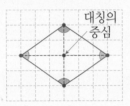

(   )   (   )   (   )

2 점 ㅇ을 대칭의 중심으로 하는 점대칭도형입니다. 대응점, 대응변, 대응각을 각각 찾아 쓰세요.

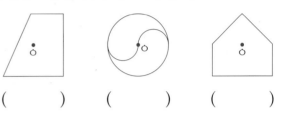

점 ㄴ의 대응점 (   )

변 ㄷㄹ의 대응변 (   )

각 ㄱㄴㄷ의 대응각 (   )

3 다음 도형은 점대칭도형입니다. 대칭의 중심을 찾아 표시하세요.

(1)   (2)

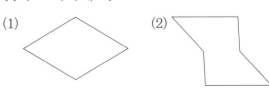

4 점 ㅇ을 대칭의 중심으로 하는 점대칭도형입니다. 물음에 답하세요.

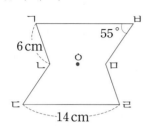

(1) 변 ㄹㅁ은 몇 cm인가요?

( )

(2) 각 ㄴㄷㄹ은 몇 도인가요?

( )

5 점대칭도형을 완성하세요.

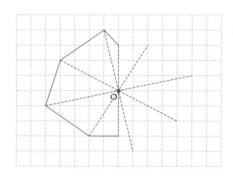

6 점대칭도형을 모두 찾아 기호를 쓰세요.

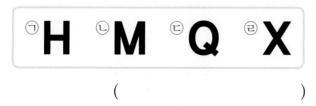

ⓐ H ⓑ M ⓒ Q ⓓ X

( )

7 점 ㅇ을 대칭의 중심으로 하는 점대칭도형입니다. □ 안에 알맞은 수를 써넣으세요.

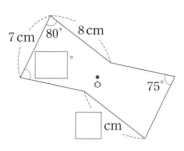

8 점 ㅇ을 대칭의 중심으로 하는 점대칭도형입니다. 선분 ㄴㅁ은 몇 cm인가요?

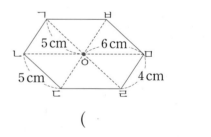

( )

9 점대칭도형을 완성하세요.

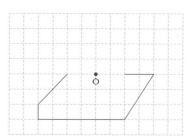

실력 다지기

합동인 도형

유형 01 왼쪽 도형과 서로 합동이 되도록 오른쪽 도형의 나머지 부분을 완성하세요.

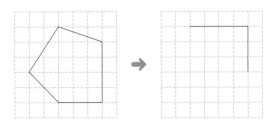

확인 02 두 도형은 합동이 아닙니다. 그 이유를 설명하세요. [서술형]

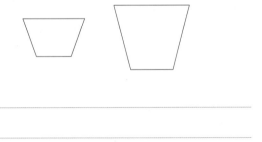

이유

강화 03 직각삼각형에 선을 3개 그어서 합동인 삼각형 4개가 되도록 나누세요.

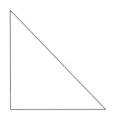

합동인 도형에서 대응변의 길이

04 두 사각형은 서로 합동입니다. 사각형 ㅁㅂㅅㅇ의 둘레는 몇 cm인가요?

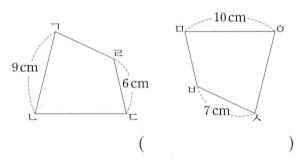

(   )

05 삼각형 ㄱㄴㄷ과 삼각형 ㄹㅁㄷ은 서로 합동입니다. 선분 ㄱㅁ은 몇 cm인가요?

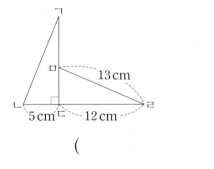

(   )

06 두 사각형은 서로 합동입니다. 사각형 ㄱㄴㄷㄹ의 둘레가 26 cm일 때 사각형 ㅁㅂㅅㅇ의 넓이는 몇 cm²인가요?

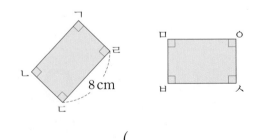

(   )

합동인 도형에서 대응각의 크기

07 두 사각형은 서로 합동입니다. □ 안에 알맞은 수를 써넣으세요.

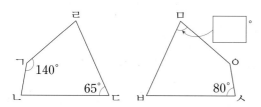

08 삼각형 ㄱㄴㄷ과 삼각형 ㄹㄷㄴ은 서로 합동입니다. 각 ㄱㄷㄴ은 몇 도인가요?

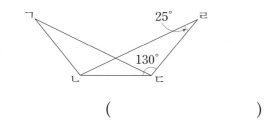

( )

09 두 삼각형은 서로 합동입니다. 각 ㄹㅁㅂ은 몇 도인지 풀이 과정을 쓰고, 답을 구하세요. [서술형]

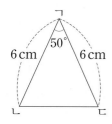 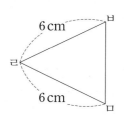

풀이

답

선대칭도형 알아보기

10 다음 선대칭도형 중 대칭축이 가장 많은 것을 찾아 기호를 쓰세요.

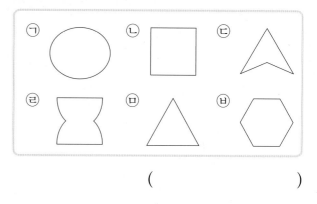

( )

11 직선 ㄱㄴ을 대칭축으로 하는 선대칭도형을 완성하세요.

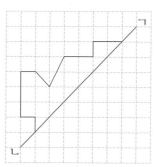

12 주어진 직선을 대칭축으로 하는 선대칭도형을 그려 글자를 완성하세요. [도전수학]

선대칭도형에서 대응변의 길이, 대응각의 크기

유형 **13** 직선 ㅅㅇ을 대칭축으로 하는 선대칭도형입니다. 이 선대칭도형의 둘레는 몇 cm인가요?

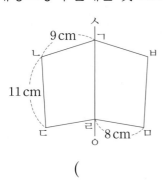

( )

확인 **14** 직선 ㅅㅇ을 대칭축으로 하는 선대칭도형입니다. 각 ㄹㄷㅂ은 몇 도인지 풀이 과정을 쓰고, 답을 구하세요. 〔서술형〕

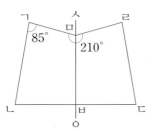

풀이

답

강화 **15** 직선 ㄱㄴ을 대칭축으로 하는 선대칭도형입니다. ㉠은 몇 도인지 구하세요.

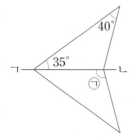

( )

선대칭도형에서 대응점끼리 이은 선분과 대칭축의 관계

16 선분 ㄱㅅ을 대칭축으로 하는 선대칭도형입니다. 선분 ㅁㅂ과 선분 ㄷㅅ의 길이의 합은 몇 cm인가요?

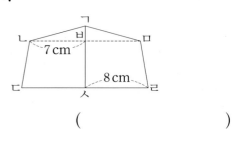

( )

17 직선 ㅅㅇ을 대칭축으로 하는 선대칭도형입니다. 선분 ㄴㅂ의 길이와 각 ㄴㄱㅁ의 크기를 각각 구하세요.

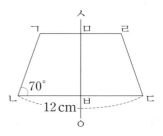

선분 ㄴㅂ의 길이 ( )

각 ㄴㄱㅁ의 크기 ( )

18 직선 ㅅㅇ을 대칭축으로 하는 선대칭도형입니다. 각 ㄱㄴㄷ은 몇 도인가요?

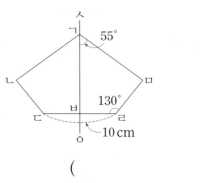

( )

점대칭도형 알아보기

19 점대칭도형을 모두 찾아 기호를 쓰고, 대칭의 중심을 표시하세요.

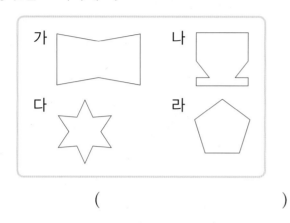

( )

20 점대칭도형을 모두 찾아 기호를 쓰세요.

㉠ 정삼각형　　㉡ 마름모
㉢ 직사각형　　㉣ 사다리꼴
㉤ 평행사변형　㉥ 정오각형

( )

21 각 점을 대칭의 중심으로 하는 점대칭도형을 완성하세요.

점대칭도형에서 대응변의 길이, 대응각의 크기

22 점 ㅇ을 대칭의 중심으로 하는 점대칭도형입니다. 이 점대칭도형의 둘레는 몇 cm인가요?

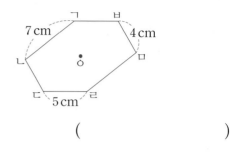

( )

23 점 ㅇ을 대칭의 중심으로 하는 점대칭도형입니다. 각 ㄴㄱㄹ은 몇 도인지 풀이 과정을 쓰고, 답을 구하세요.

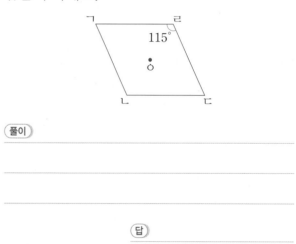

풀이

답

24 점 ㅇ을 대칭의 중심으로 하는 점대칭도형입니다. 각 ㄱㄴㄷ은 몇 도인가요?

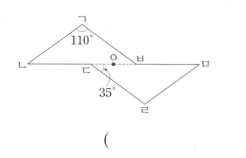

( )

3. 합동과 대칭　**075**

점대칭도형에서 대응점끼리 이은 선분과 대칭의 중심의 관계

유형 **25** 점 ㅇ을 대칭의 중심으로 하는 점대칭도형입니다. 삼각형 ㄱㄴㅇ의 둘레는 몇 cm인가요?

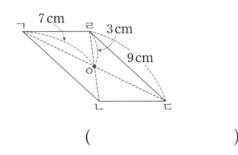

( )

확인 **26** 사각형 ㄱㄴㄷㄹ은 점 ㅇ을 대칭의 중심으로 하는 점대칭도형입니다. 사각형 ㄱㄴㄷㄹ의 두 대각선의 길이의 합이 28 cm일 때 선분 ㄷㅇ은 몇 cm인가요?

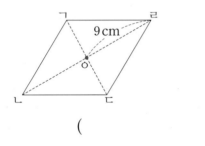

( )

강화 **27** 점 ㅇ을 대칭의 중심으로 하는 점대칭도형입니다. 선분 ㄱㅇ은 몇 cm인가요?

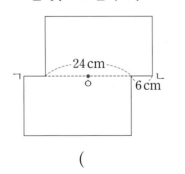

( )

선대칭도형이면서 점대칭도형인 도형

28 선대칭도형도 되고 점대칭도형도 되는 도형을 찾아 기호를 쓰세요.

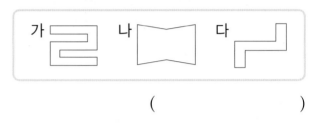

( )

29 선대칭도형도 되고 점대칭도형도 되는 숫자들의 합을 구하세요.

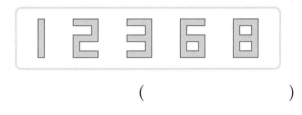

( )

서술형
30 선대칭도형이면서 점대칭도형인 글자는 모두 몇 개인지 풀이 과정을 쓰고, 답을 구하세요.

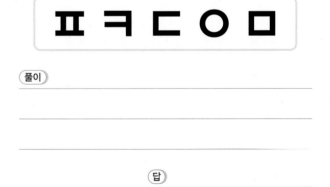

풀이

답

약점체크 선대칭도형의 활용

31 선분 ㄱㄷ을 대칭축으로 하는 선대칭도형입니다. 사각형 ㄱㄴㄷㄹ의 넓이는 몇 cm²인가요?

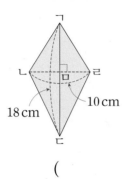

(　　　　　　　)

해결 선대칭도형의 성질을 이용합니다.

[서술형]

32 선분 ㄱㄹ을 대칭축으로 하는 선대칭도형입니다. 삼각형 ㄱㄴㄷ의 둘레가 20 cm일 때 변 ㄱㄴ은 몇 cm인지 풀이 과정을 쓰고, 답을 구하세요.

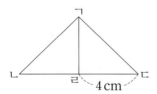

풀이 _____

_____

_____

답 _____

약점체크 점대칭도형의 활용

33 점 ㅇ을 대칭의 중심으로 하는 점대칭도형입니다. 이 점대칭도형의 둘레가 52 cm일 때 변 ㄴㄷ은 몇 cm인가요?

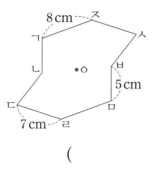

(　　　　　　　)

해결 점대칭도형의 성질을 이용합니다.

34 점 ㅇ을 대칭의 중심으로 하는 점대칭도형입니다. 이 점대칭도형의 둘레는 몇 cm인가요?

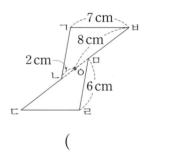

(　　　　　　　)

서술형 해결하기

01 삼각형 ㄱㄴㄷ과 삼각형 ㄹㄷㄴ은 서로 합동입니다. 삼각형 ㄱㄴㄷ의 둘레가 22 cm일 때 변 ㄱㄴ은 몇 cm인지 풀이 과정을 쓰고, 답을 구하세요.

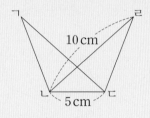

10 cm

5 cm

> **서술형 포인트** 합동인 도형에서 대응변의 길이가 서로 같음을 이용하여 변의 길이를 구합니다.

풀이를 완성하세요.

❶ 합동인 도형에서 대응변의 길이가 서로 같습니다.

(변 ㄱㄷ)=(변 ☐)=☐ cm

❷ 삼각형 ㄱㄴㄷ의 둘레가 22 cm이므로

(변 ㄱㄴ)

=(삼각형의 둘레)−(변 ㄱㄷ)−(변 ㄴㄷ)

=

답 ☐

02 삼각형 ㄱㄴㄷ과 삼각형 ㅁㄹㄷ은 서로 합동입니다. **삼각형 ㄱㄴㄷ의 둘레**는 몇 cm인지 풀이 과정을 쓰고, 답을 구하세요.

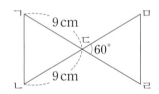

9 cm

60°

9 cm

❶ 변 ㄱㄴ의 길이 구하기

풀이

❷ 삼각형 ㄱㄴㄷ의 둘레 구하기

풀이

답 ☐

03 삼각형 ㄴㅁㅂ과 삼각형 ㄹㄷㅂ이 서로 합동이 되도록 직사각형 모양의 종이를 접었습니다. **삼각형 ㄹㅂㄷ의 넓이**는 몇 cm²인지 풀이 과정을 쓰고, 답을 구하세요.

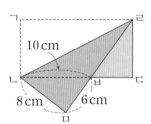

10 cm

8 cm   6 cm

풀이

답 ☐

연습

04 직사각형 모양의 종이를 접었습니다. ㉠은 몇 도인지 풀이 과정을 쓰고, 답을 구하세요.

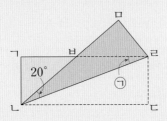

서술형 포인트 합동인 도형에서 대응각의 크기가 서로 같음을 이용하여 각도를 구합니다.

풀이를 완성하세요.

❶ 삼각형 ㅁㄴㄹ과 삼각형 ☐ 은 서로 합동이

므로 (각 ㄴㅁㄹ)=(각 ㄴㄷㄹ)= ☐ °이고,

삼각형 ㅁㄴㄹ의 세 각의 크기의 합은 180°이므로

(각 ㅁㄹㄴ)= 입니다.

❷ (각 ㄷㄹㄴ)=(각 ㅁㄹㄴ)= ☐ °이므로

㉠= 입니다.

답

단계

05 한 직선 위에 삼각형 ㄱㄴㄷ과 삼각형 ㄷㄹㅁ을 놓았습니다. 두 삼각형이 서로 합동일 때 **각 ㄱㄷㅁ은 몇 도**인지 풀이 과정을 쓰고, 답을 구하세요.

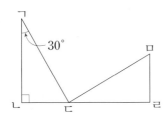

❶ 각 ㄱㄷㄴ의 크기 구하기

풀이

❷ 각 ㄱㄷㅁ의 크기 구하기

풀이

답

실전

06 삼각형 ㄱㄴㄷ과 삼각형 ㅂㄴㄹ은 서로 합동입니다. ㉠은 몇 도인지 풀이 과정을 쓰고, 답을 구하세요.

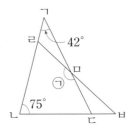

풀이

답

연습 07 점 ㅇ을 대칭의 중심으로 하는 점대칭도형입니다. <u>각 ㄱㄷㄹ은 몇 도</u>인지 풀이 과정을 쓰고, 답을 구하세요.

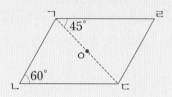

서술형 포인트 점대칭도형에서 대응각의 크기가 서로 같음을 이용하여 각도를 구합니다.

풀이를 완성하세요.

❶ 점대칭도형에서 대응각의 크기가 서로 같습니다.

(각 ㄱㄹㄷ)=(각 ◻️◻️◻️)=◻️°

❷ 삼각형 ㄱㄷㄹ의 세 각의 크기의 합은

◻️°이므로

(각 ㄱㄷㄹ)=◻️°−(◻️°+◻️°)

=◻️°입니다.

답 ⎯⎯⎯⎯⎯

단계 08 직선 ㄱㄴ을 대칭축으로 하는 선대칭도형입니다. ㉠은 **몇 도**인지 풀이 과정을 쓰고, 답을 구하세요.

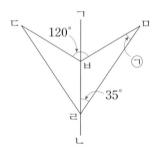

❶ 각 ㅁㅂㄹ의 크기 구하기

풀이

❷ ㉠의 크기 구하기

풀이

답 ⎯⎯⎯⎯⎯

실전 09 점 ㅇ을 대칭의 중심으로 하는 점대칭도형입니다. **각 ㄴㄷㅂ은 몇 도**인지 풀이 과정을 쓰고, 답을 구하세요.

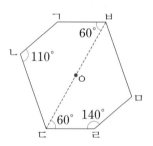

풀이

답 ⎯⎯⎯⎯⎯

연습, 실전 문제는 매칭북 **25쪽**에서 한 번 더!

▶ **정답** 22쪽

연습

10 직선 ㅅㅇ을 대칭축으로 하는 선대칭도형의 일부분입니다. 선대칭도형을 완성했을 때 선대칭도형의 넓이는 몇 cm²인지 풀이 과정을 쓰고, 답을 구하세요.

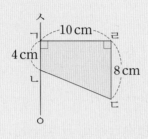

서술형 포인트 선대칭도형은 대칭축을 중심으로 접었을 때 완전히 겹치는 도형입니다. 완성한 선대칭도형의 넓이와 주어진 도형의 넓이의 관계를 이용합니다.

풀이를 완성하세요.

❶ 선대칭도형은 대칭축을 중심으로 접었을 때 완전히 겹치므로 완성한 선대칭도형의 넓이는 주어진 도형의 넓이의 ☐ 배입니다.

(주어진 도형의 넓이)

=

❷ (완성한 선대칭도형의 넓이)

=

답

단계

11 점 ㅇ을 대칭의 중심으로 하는 점대칭도형의 일부분입니다. 점대칭도형을 완성했을 때 점대칭도형의 넓이는 몇 cm²인지 풀이 과정을 쓰고, 답을 구하세요.

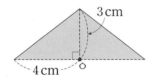

❶ 주어진 도형의 넓이 구하기

풀이

❷ 완성한 점대칭도형의 넓이 구하기

풀이

답

실전

12 점 ㅇ을 대칭의 중심으로 하는 점대칭도형의 일부분입니다. 점대칭도형을 완성했을 때 점대칭도형의 둘레는 몇 cm인지 풀이 과정을 쓰고, 답을 구하세요.

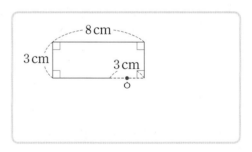

풀이

답

3 단원

01 서로 합동인 도형을 모두 찾아 기호를 쓰세요.

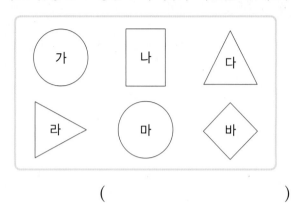

( )

[02~03] 삼각형 ㄱㄴㄷ과 삼각형 ㄹㅂㅁ은 서로 합동입니다. 물음에 답하세요.

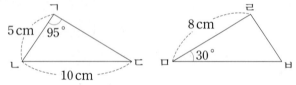

02 변 ㄹㅂ은 몇 cm인가요?

( )

03 각 ㅁㄹㅂ은 몇 도인가요?

( )

04 왼쪽 도형과 서로 합동인 도형을 그리세요.

[05~06] 도형을 보고 물음에 답하세요.

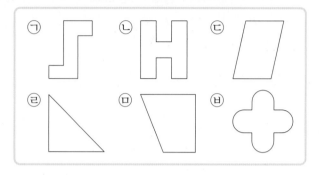

05 선대칭도형을 모두 찾아 기호를 쓰세요.

( )

06 점대칭도형을 모두 찾아 기호를 쓰세요.

( )

07 점대칭도형을 완성하세요.

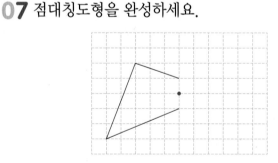

08 선대칭도형을 보고 대칭축이 많은 것부터 차례로 기호를 쓰세요.

( )

09 선분 ㄱㄴ을 대칭축으로 하는 선대칭도형입니다. 설명 중 <u>틀린</u> 것은 어느 것인가요?

(   )

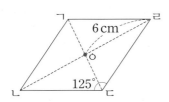

① 변 ㄴㄷ은 13 cm입니다.

② 선분 ㄷㅁ은 10 cm입니다.

③ 각 ㄹㅁㄴ은 40°입니다.

④ 선분 ㄱㄴ과 선분 ㄷㅁ이 만나서 이루는 각은 80°입니다.

⑤ 삼각형 ㄷㄴㄹ과 삼각형 ㅁㄴㄹ은 서로 합동입니다.

[10~11] 점 ㅇ을 대칭의 중심으로 하는 점대칭도형입니다. 물음에 답하세요.

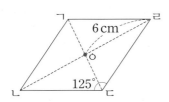

10 각 ㄱㄹㄷ은 몇 도인가요?

(   )

11 선분 ㄴㄹ은 몇 cm인가요?

(   )

12 사각형 ㄱㄴㄷㄹ과 사각형 ㅇㅅㅂㅁ은 서로 합동입니다. 사각형 ㄱㄴㄷㄹ의 둘레는 몇 cm인가요?

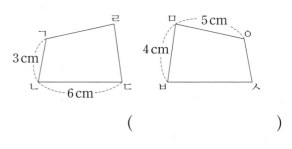

(   )

13 직선 ㄱㄴ을 대칭축으로 하는 선대칭도형입니다. ㉠은 몇 도인가요?

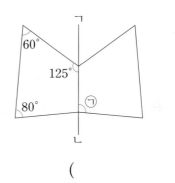

(   )

14 점 ㅇ을 대칭의 중심으로 하는 점대칭도형입니다. 각 ㄱㅇㄴ은 몇 도인가요?

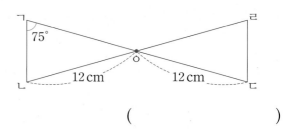

(   )

15 직선 ㅅㅇ을 대칭축으로 하는 선대칭도형입니다. 이 선대칭도형의 둘레는 몇 cm인가요?

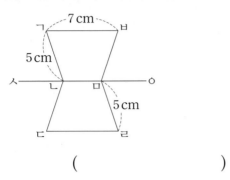

(   )

16 직사각형 모양의 종이를 접었습니다. ㉠은 몇 도인가요?

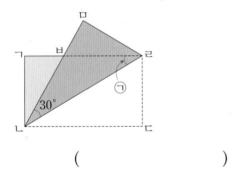

(   )

17 점 ㅇ을 대칭의 중심으로 하는 점대칭도형의 일부분입니다. 점대칭도형을 완성했을 때 점대칭도형의 둘레는 몇 cm인가요?

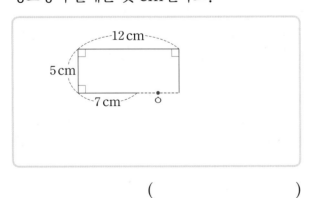

(   )

18 항상 합동이 되는 도형이 아닌 것을 찾아 기호를 쓰고, 그 이유를 설명하세요.

> ㉠ 둘레가 같은 정사각형
> ㉡ 둘레가 같은 정삼각형
> ㉢ 둘레가 같은 직사각형

답 _____

이유 _____

_____

19 선대칭도형이면서 점대칭도형인 알파벳은 모두 몇 개인지 풀이 과정을 쓰고, 답을 구하세요.

A O D H F

풀이 _____

_____

_____

답 _____

20 선분 ㄴㄹ을 대칭축으로 하는 선대칭도형입니다. 사각형 ㄱㄴㄷㄹ의 넓이는 몇 cm²인지 풀이 과정을 쓰고, 답을 구하세요.

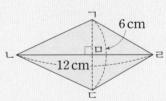

풀이 _____

_____

_____

답 _____

쉬어가기

'할로' 내 이름은 니콜라이야.

나는 바이킹의 후손으로 노르웨이에 살아.

'할로'는 일상생활에서 쓰는 인사말로 '안녕'이라는

뜻이야.

노르웨이에 대해 소개할게.

노르웨이는 북유럽 스칸디나비아 반도 서쪽에 길게 자리한

나라야. 빙하가 녹아 생긴 물길인 피오르와 2~3달 동안 해가

지지 않는 백야로 유명해. 노르웨이 사람들은 주로 바닷가의 도시에서 생활하는데 국토의

대부분이 산지인데다가 바닷가가 훨씬 따뜻하고 생활하기 좋기 때문이야.

할로
(hallo)

송네피오르

베르겐 항구

'바이킹'은 더 좋은 땅을 얻기 위해 전쟁을 일으키고,
각지를 약탈하였기 때문에 해적을 뜻하게 되었어요.

특강 합동과 대칭

합동

모양과 크기가 같아서 포개었을 때 완전히 겹치는 두 도형을 서로 합동이라고 합니다.

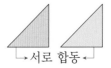

└→ 서로 합동 ←┘

⟫

대응점, 대응변, 대응각

서로 합동인 두 도형을 완전히 겹치도록 포개었을 때

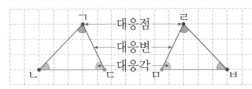

- 대응점: 겹치는 점
- 대응변: 겹치는 변
- 대응각: 겹치는 각

⟫

합동인 도형의 성질

서로 합동인 사각형 ㄱㄴㄷㄹ과 사각형 ㅁㅂㅅㅇ에서

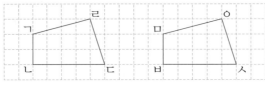

① 각각의 대응변의 길이가 서로 같습니다.
  ➡ (변 ㄱㄴ)=(변 ㅁㅂ), (변 ㄴㄷ)=(변 ㅂㅅ),
    (변 ㄷㄹ)=(변 ㅅㅇ), (변 ㄹㄱ)=(변 ㅇㅁ)
② 각각의 대응각의 크기가 서로 같습니다.
  ➡ (각 ㄱㄴㄷ)=(각 ㅁㅂㅅ), (각 ㄴㄷㄹ)=(각 ㅂㅅㅇ),
    (각 ㄷㄹㄱ)=(각 ㅅㅇㅁ), (각 ㄹㄱㄴ)=(각 ㅇㅁㅂ)

선대칭도형

- 선대칭도형: 한 직선을 따라 접어서 완전히 겹치는 도형
- 대칭축: 선대칭도형이 완전히 포개어지도록 접을 수 있는 직선
- 대칭축을 따라 포개었을 때
  대응점: 겹치는 점
  대응변: 겹치는 변
  대응각: 겹치는 각

선대칭도형의 성질

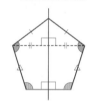

① 각각의 대응변의 길이와 대응각의 크기가 서로 같습니다.
② 대응점끼리 이은 선분은 대칭축과 수직으로 만납니다.
③ 대칭축은 대응점끼리 이은 선분을 둘로 똑같이 나눕니다.

점대칭도형

- 점대칭도형: 한 도형을 어떤 점을 중심으로 180° 돌렸을 때 처음 도형과
  완전히 겹치는 도형
- 대칭의 중심: 점대칭도형을 180° 돌릴 때 완전히 겹치게 하는 점
- 대칭의 중심을 중심으로 180° 돌렸을 때
  대응점: 겹치는 점
  대응변: 겹치는 변
  대응각: 겹치는 각

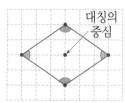

점대칭도형의 성질

① 각각의 대응변의 길이와 대응각의 크기가 서로 같습니다.
② 대칭의 중심은 대응점끼리 이은 선분을 둘로 똑같이 나눕니다.

4 소수의 곱셈

대표 유형

- 이번 단원에서 꼭 공부해야 할 〈대표 유형〉입니다.
- 학습한 후에 이해가 부족한 유형은 ☐ 안에 ○표 한 후 반복하여 학습하세요.

☐ (소수)×(자연수), (자연수)×(소수) 구하기
☐ (소수)×(자연수), (자연수)×(소수)의 계산 방법
☐ 계산 결과의 크기 비교 ①
☐ (소수)×(자연수)의 활용
☐ (자연수)×(소수)의 활용
☐ 도형의 둘레(넓이) 구하기
☐ 약점 체크 ☐ 안에 들어갈 수 있는 수 구하기
☐ 약점 체크 곱을 여러 번 계산하는 식
☐ 소수의 곱
☐ 계산 결과의 크기 비교 ②
☐ 곱의 소수점 위치 알아보기
☐ 소수의 곱셈 활용
☐ 소수의 곱을 이용하여 도형의 넓이 구하기
☐ ☐ 안에 알맞은 수 구하기
☐ 곱의 소수점 위치 활용
☐ 소수끼리의 곱에서 곱의 소수점 위치 알아보기
☐ 약점 체크 이어 붙인 넓이(길이) 구하기
☐ 약점 체크 색칠한 부분의 넓이 구하기
☐ 약점 체크 수의 범위에 알맞은 수 구하기
☐ 약점 체크 곱이 가장 큰(작은) 곱셈식 만들기

1 (소수)×(자연수) (1) ⟶ (1보다 작은 소수)×(자연수)

예제 0.3×4 계산하기

방법 1 덧셈식으로 계산하기

$$0.3 \times 4 = 0.3 + 0.3 + 0.3 + 0.3 = 1.2$$
$$\underbrace{}_{4번}$$

방법 2 분수의 곱셈으로 계산하기

$$0.3 \times 4 = \frac{3}{10} \times 4 = \frac{3 \times 4}{10} = \frac{12}{10} = 1.2$$

소수 → 분수

방법 3 0.1의 개수로 계산하기

0.3은 0.1이 3개입니다.

$$0.3 \times 4 = 0.1 \times 3 \times 4 = 0.1 \times 12$$

0.1이 모두 12개이므로

0.3×4=1.2입니다.

참고 그림을 이용하여 계산하기

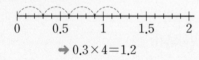

➡ 0.3×4=1.2

2 (소수)×(자연수) (2) ⟶ (1보다 큰 소수)×(자연수)

예제 1.6×2 계산하기

방법 1 덧셈식으로 계산하기

$$1.6 \times 2 = 1.6 + 1.6 = 3.2$$
$$\underbrace{}_{2번}$$

방법 2 분수의 곱셈으로 계산하기

$$1.6 \times 2 = \frac{16}{10} \times 2 = \frac{16 \times 2}{10} = \frac{32}{10} = 3.2$$

소수 → 분수

방법 3 0.1의 개수로 계산하기

1.6은 0.1이 16개입니다.

$$1.6 \times 2 = 0.1 \times 16 \times 2 = 0.1 \times 32$$

0.1이 모두 32개이므로

1.6×2=3.2입니다.

개념 확인

1 소수와 자연수의 곱셈을 덧셈식으로 계산한 것입니다. □ 안에 알맞은 수를 써넣으세요.

$$0.7 \times 5$$
$$= 0.7 + 0.7 + \boxed{} + \boxed{} + \boxed{}$$
$$= \boxed{}$$

2 보기 와 같이 분수의 곱셈으로 계산하세요.

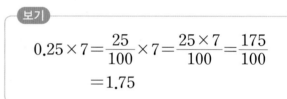

보기

$$0.25 \times 7 = \frac{25}{100} \times 7 = \frac{25 \times 7}{100} = \frac{175}{100}$$
$$= 1.75$$

(1) 0.6×4

(2) 1.87×2

3 소수의 곱셈을 0.01의 개수로 계산하려고 합니다. □ 안에 알맞은 수를 써넣으세요.

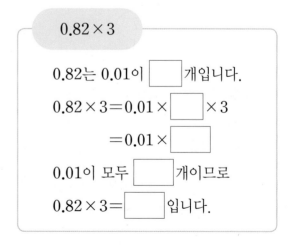

0.82×3

0.82는 0.01이 □ 개입니다.

$$0.82 \times 3 = 0.01 \times \boxed{} \times 3$$
$$= 0.01 \times \boxed{}$$

0.01이 모두 □ 개이므로

0.82×3= □ 입니다.

기본 유형

4 □ 안에 알맞은 수를 써넣으세요.

(1) $8 \times 6 = 48$ ➡ $0.8 \times 6 =$ □

(2) $32 \times 4 = 128$ ➡ $3.2 \times 4 =$ □

(3)
$$\begin{array}{r} 29 \\ \times\ 7 \\ \hline 203 \end{array}$$
➡
$$\begin{array}{r} 2.9 \\ \times\ 7 \\ \hline \ \end{array}$$

(4)
$$\begin{array}{r} 358 \\ \times\ \ 2 \\ \hline 716 \end{array}$$
➡
$$\begin{array}{r} 3.58 \\ \times\ \ 2 \\ \hline \ \end{array}$$

5 계산하세요.

(1) 0.9×7

(2) 4.3×2

(3)
$$\begin{array}{r} 3.6 \\ \times\ \ 8 \\ \hline \end{array}$$

(4)
$$\begin{array}{r} 2.74 \\ \times\ \ \ 5 \\ \hline \end{array}$$

6 크기를 비교하여 ○ 안에 >, =, <를 알맞게 써넣으세요.

7.9×5 ○ 40

7 빈 곳에 알맞은 수를 써넣으세요.

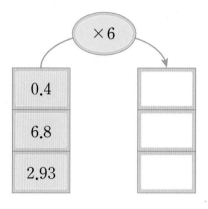

8 어림하여 계산 결과가 3보다 큰 것을 찾아 기호를 쓰세요.

| ㉠ 0.85×3 | ㉡ 1.52×2 |

( )

9 우진이는 매일 $2.47 \,\text{km}$씩 달립니다. 우진이가 6일 동안 달린 거리는 몇 km인가요?

$2.47 \times$ □ $=$ □ (km)

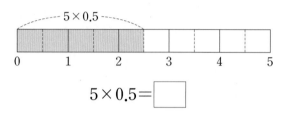

3 **(자연수)×(소수)** (1) →•(자연수)×(1보다 작은 소수)

예제 **2×0.7 계산하기**

방법 **1** 분수의 곱셈으로 계산하기

$$2 \times 0.7 = 2 \times \frac{7}{10} = \frac{2 \times 7}{10} = \frac{14}{10} = 1.4$$

소수 → 분수

방법 **2** 자연수의 곱셈으로 계산하기

$$2 \times 7 = 14$$
$$\frac{1}{10}배 \qquad \frac{1}{10}배$$
$$2 \times 0.7 = 1.4$$

$$\begin{array}{r} 2 \\ \times\ 7 \\ \hline 1\ 4 \end{array} \rightarrow \begin{array}{r} 2 \\ \times\ 0.7 \\ \hline 1.4 \end{array}$$

곱하는 수의 소수점 위치에
맞춰 소수점을 찍습니다.

곱하는 수가 $\frac{1}{10}$배 ➡ 계산 결과도 $\frac{1}{10}$배

(자연수)×(소수)에서 곱의 소수점의 위치는
소수의 소수점의 위치와 같습니다.

4 **(자연수)×(소수)** (2) →•(자연수)×(1보다 큰 소수)

예제 **4×1.43 계산하기**

방법 **1** 분수의 곱셈으로 계산하기

$$4 \times 1.43 = 4 \times \frac{143}{100} = \frac{4 \times 143}{100} = \frac{572}{100} = 5.72$$

소수 → 분수

방법 **2** 자연수의 곱셈으로 계산하기

$$4 \times 143 = 572$$
$$\frac{1}{100}배 \qquad \frac{1}{100}배$$
$$4 \times 1.43 = 5.72$$

$$\begin{array}{r} 4 \\ \times\ 1.4\ 3 \\ \hline 5.7\ 2 \end{array}$$

곱하는 수가 $\frac{1}{100}$배 ➡ 계산 결과도 $\frac{1}{100}$배

참고 (자연수)×(소수)와 (소수)×(자연수)의 결과 비교하기

$$\begin{array}{r} 4 \\ \times\ 1.4 \\ \hline 5.6 \end{array} = \begin{array}{r} 1.4 \\ \times\ 4 \\ \hline 5.6 \end{array}$$

➡ 곱해지는 수와 곱하는 수의 순서를 바꾸어도 결과는 같습니다.

개념 확인

1 그림을 보고 ☐ 안에 알맞은 수를 써넣으세요.

5×0.5

| 0 | 1 | 2 | 3 | 4 | 5 |

$$5 \times 0.5 = \boxed{}$$

2 보기 와 같이 분수의 곱셈으로 계산하세요.

보기
$$3 \times 0.9 = 3 \times \frac{9}{10} = \frac{3 \times 9}{10} = \frac{27}{10} = 2.7$$

(1) 8×0.8

(2) 6×2.3

3 소수의 곱셈을 자연수의 곱셈으로 계산하려고
합니다. ☐ 안에 알맞은 수를 써넣으세요.

(1) $13 \times 7 = \boxed{}$
$$\frac{1}{10}배 \qquad \frac{1}{10}배$$
$13 \times 0.7 = \boxed{}$

(2) $42 \times 201 = \boxed{}$
$$\frac{1}{100}배 \qquad \frac{1}{100}배$$
$42 \times 2.01 = \boxed{}$

4 계산하세요.

(1) 14×0.3

(2) 72×0.08

(3)
$$\begin{array}{r} 2\ 7 \\ \times\ 1.5 \\ \hline \end{array}$$

(4)
$$\begin{array}{r} 4\ 5 \\ \times\ 3.1\ 9 \\ \hline \end{array}$$

5 빈 곳에 알맞은 수를 써넣으세요.

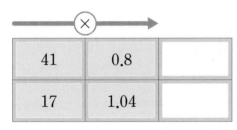

| 41 | 0.8 | |
| 17 | 1.04 | |

6 크기를 비교하여 ○ 안에 >, =, <를 알맞게 써넣으세요.

(1) 52×0.9 ○ 50

(2) 31×1.78 ○ 33

7 계산 결과를 찾아 선으로 이으세요.

(1) 12×0.4 •

(2) 63×0.07 •

(3) 38×1.6 •

• ㉠ 60.8

• ㉡ 4.8

• ㉢ 4.41

8 어림하여 계산 결과가 10보다 큰 것을 찾아 기호를 쓰세요.

㉠ 10의 0.94 ㉡ 5×2.12

(   )

9 민수의 몸무게는 34 kg이고, 아버지의 몸무게는 민수의 몸무게의 2.5배입니다. 아버지의 몸무게는 몇 kg인가요?

$34 \times \boxed{} = \boxed{}$ (kg)

(소수)×(자연수), (자연수)×(소수) 구하기

유형 **01** 빈 곳에 알맞은 수를 써넣으세요.

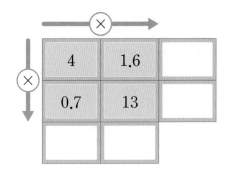

확인 **02** ㉠과 ㉡의 합을 구하세요.

> ㉠ 1.08×36
> ㉡ 15×2.8

(   )

강화 **03** ●가 자연수일 때 계산 결과가 ●보다 큰 것을 모두 찾아 ○표 하세요.

●×0.76	●×1.04
( )	( )

●×2.52	●×0.98
( )	( )

(소수)×(자연수), (자연수)×(소수)의 계산 방법

04 8×1.74를 두 가지 방법으로 계산하세요.

방법 **1**

방법 **2**

서술형
05 계산 결과를 잘못 말한 사람의 이름을 쓰고, 잘못 말한 부분을 옳게 고치세요.

승리 : 0.67×5는 0.7과 5의 곱으로 어림할 수 있으니까 결과는 3.5 정도야.

하윤 : 81과 7의 곱은 약 560이니까 0.81×7은 56 정도가 돼.

답 _____

옳게 고치기 _____

06 잘못 계산한 곳을 찾아 옳게 고치세요.

$$45×0.8=45×\frac{8}{10}=\frac{45×8}{10}=\frac{360}{10}=3.6$$

$45×0.8$

계산 결과의 크기 비교 ①

07 계산 결과가 더 큰 사람의 이름을 쓰세요.

 희준

 주미

| 0.49 × 16 | 31 × 0.17 |

(   )

08 계산을 하여 곱이 큰 것부터 차례로 ○ 안에 번호를 써넣으세요.

```
  5.2
×   6
```

```
  7 3
× 0.9
```

```
  1.3 9
×   1 4
```

09 계산 결과가 작은 것부터 차례로 기호를 쓰려고 합니다. 풀이 과정을 쓰고, 답을 구하세요. [서술형]

| ㉠ 27 × 0.8 | ㉡ 1.19 × 13 |
| ㉢ 32 × 2.4 | ㉣ 0.57 × 38 |

풀이

답

(소수) × (자연수)의 활용

10 혜진이는 하루에 1시간 30분씩 인라인스케이트를 탑니다. 혜진이가 일주일 동안 인라인스케이트를 탄 시간은 모두 몇 시간인지 소수로 나타내려고 합니다. 식을 쓰고, 답을 구하세요.

식

답

11 어느 미술 학원의 이번 주 시간표입니다. 이번 주에 준비해야 할 찰흙은 모두 몇 kg인가요?

시간표

월	화	수	목	금
찰흙 4.3 kg	지점토 7.4 kg	지점토 7.4 kg	찰흙 4.3 kg	찰흙 4.3 kg
철사 2묶음	노끈 4묶음	철사 2묶음	노끈 4묶음	노끈 4묶음

(   )

12 시현이네 가족은 태국으로 여행을 가기 위해 환전을 하려고 합니다. 환전하는 날의 환율은 1밧이 34.43원일 때, 태국 돈 9000밧만큼 환전하려면 우리나라 돈으로 얼마를 내야 하나요? (단, 환전할 때 발생하는 수수료는 생각하지 않습니다.) [교과역량]

밧은 태국의 화폐 단위입니다.

(   )

(자연수) × (소수)의 활용

유형 **13** 경석이가 기르는 장수하늘소의 길이는 사슴벌레의 길이의 1.7배입니다. 사슴벌레의 길이가 5 cm라면 장수하늘소의 길이는 몇 cm인지 구하세요.

사슴벌레

장수하늘소

(   )

확인 **14** 금성에서 잰 몸무게는 지구에서 잰 몸무게의 약 0.91배입니다. 지구에서 몸무게가 38 kg 인 사람이 금성에서 몸무게를 재면 약 몇 kg 인지 식을 쓰고, 답을 구하세요.

교과역량

식 _____

답 _____

강화 **15** 기차는 한 시간에 96 km를 가고, 자동차는 한 시간에 70 km를 갑니다. 각각 일정한 빠르기로 2시간 30분 동안 간다면 기차는 자동차보다 몇 km 더 가는지 풀이 과정을 쓰고, 답을 구하세요.

서술형

풀이 _____
_____
_____
_____

답 _____

도형의 둘레(넓이) 구하기

16 한 변의 길이가 8.6 cm인 정삼각형의 둘레는 몇 cm인지 식을 쓰고, 답을 구하세요.

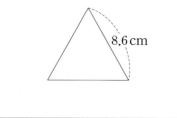
8.6 cm

식 _____

답 _____

17 가로가 4 m이고 세로가 7.32 m인 직사각형의 넓이는 몇 m²인가요?

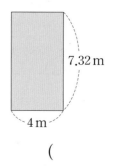
7.32 m
4 m

(   )

18 직사각형 모양의 놀이터가 있습니다. 이 놀이터의 가로는 20 m이고 세로는 가로의 0.85배입니다. 놀이터의 둘레는 몇 m인가요?

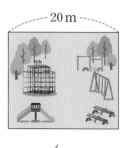
20 m

(   )

약점체크 □ 안에 들어갈 수 있는 수 구하기

19 □ 안에 들어갈 수 있는 자연수를 모두 구하세요.

$$2.3 < □ < 38 × 0.14$$

( )

해결 38 × 0.14의 계산 결과에서 자연수 부분을 보고 □ 안에 들어갈 수 있는 자연수를 찾습니다.

20 〔서술형〕 지수의 곱셈식의 곱보다 작고, 성재의 곱셈식의 곱보다 큰 자연수는 모두 몇 개인지 풀이과정을 쓰고, 답을 구하세요.

지수

성재

| 1.4 × 21 | | 28 × 0.95 |

풀이

_____

_____

_____

답

약점체크 곱을 여러 번 계산하는 식

21 변기 물통에 1.5 L 페트병 하나를 넣으면 변기의 물을 한 번 내릴 때마다 물 1.5 L를 아낄 수 있습니다. 하루에 변기 물을 9번 내린다면 이 방법으로 100일 동안 아낄 수 있는 물은 몇 L인가요?

( )

해결 하루에 아낄 수 있는 물의 양을 먼저 구한 후 100일 동안 아낄 수 있는 물의 양을 구합니다.

22 1분에 0.07 L의 물이 일정하게 나오는 수도가 있습니다. 이 수도에서 하루에 4시간씩 일주일 동안 물을 받았다면 받은 물의 양은 모두 몇 L인가요?

( )

4 단원

STEP 1 — 개념 완성하기

5 (소수)×(소수) (1) → •1보다 작은 소수끼리의 곱셈

[예제] 0.5×0.3 계산하기

[방법 1] 분수의 곱셈으로 계산하기

$$0.5 \times 0.3 = \frac{5}{10} \times \frac{3}{10} = \frac{15}{100} = 0.15$$

[방법 2] 자연수의 곱셈으로 계산하기 (1)

$$5 \times 3 = 15$$

$\frac{1}{10}$배 $\frac{1}{10}$배 $\frac{1}{100}$배

$$0.5 \times 0.3 = 0.15$$

[방법 3] 자연수의 곱셈으로 계산하기 (2)

① 자연수끼리 계산합니다.

② 계산한 결과에 곱하는 두 소수의 소수점 아래 자리 수를 더한 것만큼 소수점을 왼쪽으로 옮겨 표시합니다.

$$
\begin{array}{r}
5 \\
\times\ 3 \\
\hline
1\,5
\end{array}
\quad\Rightarrow\quad
\begin{array}{r}
0.5 \leftarrow \text{소수 한 자리 수} \\
\times\ 0.3 \leftarrow \text{소수 한 자리 수} \\
\hline
0.1\,5 \leftarrow \text{소수 두 자리 수}
\end{array}
$$

6 (소수)×(소수) (2) → •1보다 큰 소수끼리의 곱셈

[예제] 2.36×1.2 계산하기

[방법 1] 분수의 곱셈으로 계산하기

$$2.36 \times 1.2 = \frac{236}{100} \times \frac{12}{10} = \frac{2832}{1000} = 2.832$$

[방법 2] 자연수의 곱셈으로 계산하기 (1)

$$236 \times 12 = 2832$$

$\frac{1}{100}$배 $\frac{1}{10}$배 $\frac{1}{1000}$배

$$2.36 \times 1.2 = 2.832$$

[방법 3] 자연수의 곱셈으로 계산하기 (2)

$$
\begin{array}{r}
2\,3\,6 \\
\times\ \ 1\,2 \\
\hline
2\,8\,3\,2
\end{array}
\quad\Rightarrow\quad
\begin{array}{r}
2.3\,6 \leftarrow \text{소수 두 자리 수} \\
\times\ \ 1.2 \leftarrow \text{소수 한 자리 수} \\
\hline
2.8\,3\,2 \leftarrow \text{소수 세 자리 수}
\end{array}
$$

개념 확인

1 그림을 보고 □ 안에 알맞은 수를 써넣으세요.

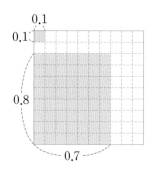

$$0.7 \times 0.8 = \boxed{}$$

2 소수의 곱셈을 분수의 곱셈으로 계산한 것입니다. □ 안에 알맞은 수를 써넣으세요.

(1) $0.3 \times 0.52 = \dfrac{\boxed{}}{10} \times \dfrac{\boxed{}}{100} = \dfrac{\boxed{}}{1000}$

$$= \boxed{}$$

(2) $3.25 \times 2.4 = \dfrac{\boxed{}}{100} \times \dfrac{\boxed{}}{10} = \dfrac{\boxed{}}{1000}$

$$= \boxed{}$$

3 □ 안에 알맞은 수를 써넣으세요.

$$8 \times 21 = \boxed{}$$

$\frac{1}{10}$배 $\frac{1}{10}$배 ▢배

$$0.8 \times 2.1 = \boxed{}$$

4 0.6×1.5를 계산한 것입니다. ㉠, ㉡, ㉢에 알맞은 수를 각각 구하세요.

$$0.6×1.5=\frac{㉠}{10}×\frac{15}{10}=\frac{㉡}{100}=㉢$$

㉠ (   )
㉡ (   )
㉢ (   )

5 계산하세요.

(1) 0.7×0.4

(2) 7.5×2.18

(3)
```
      0.6
    × 0.4 2
```

(4)
```
      2.0 3
    ×   5.6
```

6 빈 곳에 두 수의 곱을 써넣으세요.

(1)

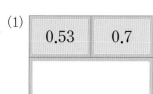

(2)

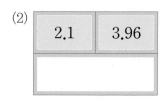

기본 유형

7 0.3×0.16의 값을 찾아 기호를 쓰세요.

㉠ 4.8   ㉡ 0.48   ㉢ 0.048

(   )

8 크기를 비교하여 ○ 안에 >, =, <를 알맞게 써넣으세요.

(1) 0.5×0.35 ○ 0.162

(2) 9.92 ○ 5.31×2.8

9 민우의 지우개의 길이는 연주의 지우개의 길이의 1.6배입니다. 연주의 지우개의 길이가 3.6 cm라면 민우의 지우개의 길이는 몇 cm인가요?

$$3.6×\boxed{}=\boxed{}\ (cm)$$

개념 완성하기

7 곱의 소수점 위치

(1) 소수에 10, 100, 1000 곱하기

예제 0.27에 10, 100, 1000 곱하기

$0.27 \times 1 = 0.27$

$0.27 \times 10 = 2.7$
  0이 1개

$0.27 \times 100 = 27$
  0이 2개

$0.27 \times 1000 = 270$
  0이 3개

> 곱하는 수의 0이 하나씩 늘어날 때마다 곱의 소수점이 오른쪽으로 한 자리씩 옮겨집니다.

(2) 자연수에 0.1, 0.01, 0.001 곱하기

예제 150에 0.1, 0.01, 0.001 곱하기

$150 \times 1 = 150$

$150 \times 0.1 = 15$
  소수 한 자리 수

$150 \times 0.01 = 1.5$
  소수 두 자리 수

$150 \times 0.001 = 0.15$
  소수 세 자리 수

> 곱하는 소수의 소수점 아래 자리 수가 하나씩 늘어날 때마다 곱의 소수점이 왼쪽으로 한 자리씩 옮겨집니다.

(3) 소수끼리의 곱셈에서 곱의 소수점 위치

예제 0.8×0.23 계산하기

방법 1 분수의 곱셈으로 계산하기

$$0.8 \times 2.3 = \frac{8}{10} \times \frac{23}{10} = \frac{184}{100} = 1.84$$

$$0.8 \times 0.23 = \frac{8}{10} \times \frac{23}{100} = \frac{184}{1000} = 0.184$$

방법 2 자연수의 곱셈으로 계산하기

$8 \times 23 = 184$

  0.1배   0.01배   0.001배

$0.8 \times 0.23 = 0.184$

$$\begin{array}{r} 0.8 \leftarrow \text{소수 한 자리 수} \\ \times\ 0.2\,3 \leftarrow \text{소수 두 자리 수} \\ \hline 0.1\,8\,4 \leftarrow \text{소수 세 자리 수} \end{array}$$

→ 곱하는 두 수의 소수점 아래 자리 수를 더한 것과 결과 값의 소수점 아래 자리 수가 같습니다.

개념 확인

1 자연수와 소수의 곱셈에서 곱의 소수점 위치의 규칙을 알아보려고 합니다. ☐ 안에 알맞은 수를 써넣고, 알맞은 말에 ○표 하세요.

(1) $240 \times 0.1 = 240 \times \dfrac{\boxed{}}{10} = \dfrac{\boxed{}}{10}$

$= \boxed{}$

(2) $240 \times 0.01 = 240 \times \dfrac{\boxed{}}{100} = \dfrac{\boxed{}}{100}$

$= \boxed{}$

(3) $240 \times 0.001 = 240 \times \dfrac{\boxed{}}{1000} = \dfrac{\boxed{}}{1000}$

$= \boxed{}$

(4) 곱하는 소수의 소수점 아래 자리 수만큼 소수점이 (왼쪽 , 오른쪽)으로 옮겨집니다.

2 곱의 소수점 위치의 규칙을 생각하여 ☐ 안에 알맞은 수를 써넣으세요.

(1) $10 \times 3.8 = \boxed{}$

$100 \times 3.8 = \boxed{}$

$1000 \times 3.8 = \boxed{}$

(2) $0.1 \times 172 = \boxed{}$

$0.01 \times 172 = \boxed{}$

$0.001 \times 172 = \boxed{}$

3 소수끼리의 곱셈에서 곱의 소수점 위치의 규칙을 생각하여 □ 안에 알맞은 수를 써넣으세요.

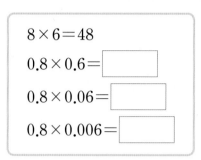

$8 \times 6 = 48$

$0.8 \times 0.6 = \boxed{}$

$0.8 \times 0.06 = \boxed{}$

$0.8 \times 0.006 = \boxed{}$

4 빈 곳에 알맞은 수를 써넣으세요.

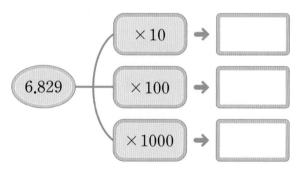

5 관계있는 것끼리 선으로 이으세요.

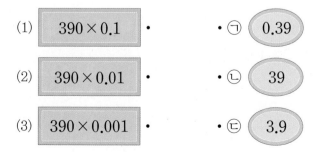

(1) 390×0.1 ・ ・㉠ 0.39

(2) 390×0.01 ・ ・㉡ 39

(3) 390×0.001 ・ ・㉢ 3.9

기본 유형

6 곱이 9.4인 것은 어느 것인가요? (   )

① 0.094×10 ② 0.094×100

③ 940×0.1 ④ 94×0.01

⑤ 940×0.001

7 □ 안에 알맞은 수를 써넣으세요.

$6510 \times \boxed{} = 6.51$

$65.1 \times \boxed{} = 651$

8 골프공 한 개의 무게를 재어 보니 0.045 kg입니다. 골프공의 무게가 모두 같을 때 골프공 10개, 100개, 1000개의 무게는 각각 몇 kg인지 구하세요.

$0.045 \times 10 = \boxed{}$ (kg)

$0.045 \times 100 = \boxed{}$ (kg)

$0.045 \times 1000 = \boxed{}$ (kg)

소수의 곱

유형 01 빈 곳에 알맞은 수를 써넣으세요.

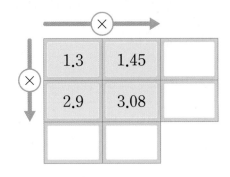

	×	
1.3	1.45	
2.9	3.08	

확인 02 가장 큰 수와 가장 작은 수의 곱을 구하세요.

26.8	18.65	0.72	3.1

( )

강화 03 ㉠과 ㉡의 계산 결과의 합은 얼마인지 풀이 과정을 쓰고, 답을 구하세요. [서술형]

㉠ 7.5 × 3.9	㉡ 4.63 × 6.8

풀이 _____

_____

_____

답 _____

계산 결과의 크기 비교 ②

04 계산 결과를 비교하여 곱이 더 큰 사람의 이름을 쓰세요.

시진

미혜

0.8 × 0.26	0.47 × 0.4

( )

05 곱이 가장 작은 것은 어느 것인가요?

( )

① 1.8 × 1.2   ② 1.3 × 4.2
③ 0.6 × 7.5   ④ 3.4 × 1.3
⑤ 3.6 × 0.9

06 계산 결과가 큰 것부터 차례로 기호를 쓰세요.

㉠ 4.64 × 0.8	㉡ 3.7 × 1.3
㉢ 0.92 × 7.6	㉣ 2.02 × 2.9

( )

곱의 소수점 위치 알아보기

07 빈 곳에 알맞은 수를 써넣으세요.

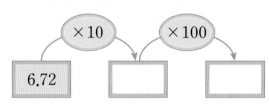

소수의 곱셈 활용

10 ○○ 우유 2.3 L 한 통의 0.17만큼이 포화 지방 성분입니다. 포화 지방 성분은 몇 kg인지 식을 쓰고, 답을 구하세요.

식 _____

답 _____

08 계산 결과가 나머지와 다른 하나를 찾아 기호를 쓰세요.

> ㉠ 1720 × 0.01   ㉡ 1.72 × 10
> ㉢ 17.2 × 10   ㉣ 0.172 × 100

(   )

11 세아네 집에서 학교까지의 거리는 1.7 km이고, 학교에서 지하철역까지의 거리는 세아네 집에서 학교까지의 거리의 0.6배입니다. 학교에서 지하철역까지의 거리는 몇 km인가요?

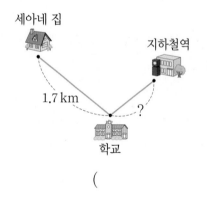

(   )

서술형

12 일정한 빠르기로 한 시간에 215.6 km를 가는 기차가 있습니다. 이 기차가 1시간 15분 동안 간 거리는 몇 km인지 풀이 과정을 쓰고, 답을 구하세요.

풀이 _____

_____

_____

_____

답 _____

09 계산 결과가 소수 세 자리 수인 것은 어느 것인가요? (   )

① 2725 × 0.01   ② 9542 × 0.1

③ 6217 × 0.001   ④ 3100 × 0.001

⑤ 720 × 0.01

소수의 곱을 이용하여 도형의 넓이 구하기

유형 **13** 가로가 0.85 m이고 세로가 0.46 m인 직사각형의 넓이는 몇 m²인지 식을 쓰고, 답을 구하세요.

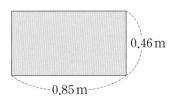

0.46 m

0.85 m

식 _____

답 _____

확인 **14** 정사각형과 평행사변형의 넓이의 합은 몇 cm² 인가요?

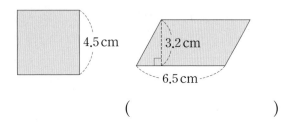

4.5 cm

3.2 cm

6.5 cm

(   )

강화 **15** 준혁이가 몬드리안의 작품을 보고 그린 그림입니다. 빨간색 정사각형과 파란색 직사각형의 넓이의 차는 몇 cm²인가요?

●네덜란드의 화가

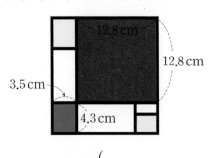

12.8 cm

12.8 cm

3.5 cm

4.3 cm

(   )

□ 안에 알맞은 수 구하기

16 □ 안에 알맞은 수를 써넣으세요.

(1) $526 \times \boxed{} = 5.26$

(2) $37 \times \boxed{} = 3.7$

(3) $8523 \times \boxed{} = 8.523$

17 □ 안에 알맞은 수가 다른 하나를 찾아 기호를 쓰려고 합니다. 풀이 과정을 쓰고, 답을 구하세요.

서술형

ㄱ $5160 \times \boxed{} = 5.16$

ㄴ $64 \times \boxed{} = 0.64$

ㄷ $928 \times \boxed{} = 0.928$

풀이 _____

_____

_____

답 _____

18 □ 안에 알맞은 수가 가장 큰 것은 어느 것인가요? (   )

① $4.087 \times \boxed{} = 4087$

② $\boxed{} \times 695 = 0.695$

③ $56 \times \boxed{} = 5.6$

④ $\boxed{} \times 23.14 = 2314$

⑤ $30 \times \boxed{} = 0.3$

곱의 소수점 위치 활용

19 ㉠은 ㉡의 몇 배인가요?

$$4.9 \times ㉠ = 490$$
$$49 \times ㉡ = 0.49$$

(   )

20 어느 백화점에서는 산 금액의 0.01만큼을 포인트로 적립해 줍니다. 선준이가 이 백화점에서 8500원짜리 물건을 샀다면 이번에 적립한 포인트는 몇 점인가요?

(   )

21 연아는 친구들과 먹을 간식으로 60.5 g짜리 요구르트 10병과 8.42 g짜리 초콜릿 100개를 준비했습니다. 연아가 준비한 요구르트와 초콜릿의 무게의 합은 몇 kg인가요?

(   )

소수끼리의 곱에서 곱의 소수점 위치 알아보기

22 보기를 이용하여 결과 값에 소수점을 찍으세요.

보기
$$56 \times 42 = 2352$$

(1) $5.6 \times 4.2 = 2\ 3\ 5\ 2$

(2) $0.56 \times 4.2 = 2\ 3\ 5\ 2$

23 $125 \times 16 = 2000$임을 이용하여 ☐ 안에 알맞은 수를 써넣으세요.

$$12.5 \times \boxed{} = 2$$

서술형

24 $34 \times 27 = 918$임을 이용하여 0.34×27의 값과 3.4×2.7의 값을 각각 구하고, 두 값을 비교하세요.

답 0.34×27 , 3.4×2.7

비교

약점체크 이어 붙인 넓이(길이) 구하기

유형 **25** 벽면에 가로가 8.4 cm, 세로가 6.8 cm인 직사각형 모양의 타일을 겹치지 않게 16장 붙였습니다. 타일을 붙인 부분의 넓이는 몇 cm²인가요?

( )

해결 타일 한 장의 넓이를 먼저 구합니다.

확인 **26** 길이가 5.8 cm인 종이 24장을 0.6 cm씩 겹치게 한 줄로 이어 붙였습니다. 이어 붙인 종이의 전체 길이는 몇 cm인가요?

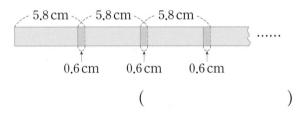

( )

약점체크 색칠한 부분의 넓이 구하기

27 색칠한 부분의 넓이는 몇 cm²인가요?

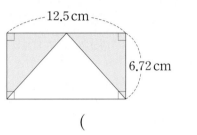

( )

해결 색칠한 부분의 넓이를 구하려면 직사각형과 삼각형을 어떻게 이용해야 하는지 먼저 생각합니다.

서술형
28 색칠한 부분의 넓이는 몇 cm²인지 풀이 과정을 쓰고, 답을 구하세요.

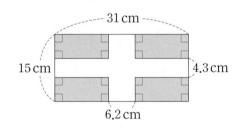

풀이

답

약점체크 수의 범위에 알맞은 수 구하기

29 □ 안에 들어갈 수 있는 자연수는 모두 몇 개인가요?

$$6.3 \times 1.4 < □ < 3.1 \times 4.5$$

( )

해결 식을 각각 계산하여 계산 결과에서 자연수 부분을 살펴봅니다.

30 ㉠의 값보다 크고 ㉡의 값보다 작은 자연수를 모두 구하려고 합니다. 풀이 과정을 쓰고, 답을 구하세요. [서술형]

㉠ $2.7 \times 0.8 \times 7.875$
㉡ $4.3 \times 5.5 \times 0.94$

풀이

답

약점체크 곱이 가장 큰(작은) 곱셈식 만들기

31 4장의 수 카드를 □ 안에 한 번씩 모두 써넣어 곱셈식을 만들려고 합니다. 곱이 가장 큰 곱셈식을 만들었을 때의 곱을 구하세요.

2 4 7 9

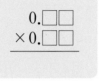

( )

해결 0.㉠㉡×0.㉢㉣에서 곱이 크려면 소수 첫째 자리에 큰 수를 넣고, 곱이 작으려면 소수 첫째 자리에 작은 수를 넣어야 합니다.

32 수호는 4장의 카드를 한 번씩 모두 사용하여 소수 두 자리 수를 만들었고, 재민이는 3장의 수 카드를 한 번씩 모두 사용하여 대분수를 만들었습니다. 수호와 재민이가 만든 두 수의 곱이 가장 작을 때의 곱을 소수로 구하세요.

수호: . 2 3 7

재민: 3 4 5

( )

연습

01 아버지의 몸무게는 언니의 몸무게의 1.6배이고, 언니의 몸무게는 희주의 몸무게의 1.2배입니다. 희주의 몸무게가 42.6 kg일 때 <u>아버지의 몸무게는 몇 kg인지</u> 풀이 과정을 쓰고, 답을 구하세요.

서술형 포인트 희주의 몸무게를 기준으로 언니의 몸무게를 먼저 구한 후 아버지의 몸무게를 구합니다.

풀이를 완성하세요.

❶ (언니의 몸무게)=(희주의 몸무게)× ☐

= _____

❷ (아버지의 몸무게)

=(언니의 몸무게)× ☐

= _____

답 _____

단계

02 진구의 몸무게는 소희의 몸무게의 0.9배보다 3 kg 더 무겁고, 경수의 몸무게는 소희의 몸무게의 1.25배입니다. 소희의 몸무게가 40 kg일 때 **진구와 경수의 몸무게의 차**는 몇 kg인지 풀이 과정을 쓰고, 답을 구하세요.

❶ 진구의 몸무게 구하기

풀이

❷ 경수의 몸무게 구하기

풀이

❸ 진구와 경수의 몸무게의 차 구하기

풀이

답 _____

실전

03 어느 동물원에 있는 호랑이의 무게는 북극곰의 무게의 0.4배보다 87 kg 더 무겁고, 기린의 무게는 북극곰의 무게의 2.2배입니다. 북극곰의 무게가 450.5 kg일 때 **호랑이와 기린의 무게의 합**은 몇 kg인지 풀이 과정을 쓰고, 답을 구하세요.

풀이

답 _____

연습, 실전 문제는 매칭북 **33쪽**에서 한 번 더!

▶ **정답** 29쪽

연습

04 21.65에 어떤 수를 곱했더니 0.2165가 되었습니다. **어떤 수에 480을 곱한 값**은 얼마인지 풀이 과정을 쓰고, 답을 구하세요.

서술형 포인트 어떤 수를 ■라 하고 식을 세워 어떤 수를 먼저 구합니다.

풀이를 완성하세요.

❶ 어떤 수를 ■라 하면 $21.65 \times$ ■ $=$ ☐ 이고

곱의 소수점 위치가 21.65에서 ☐ 쪽으로

☐ 칸 옮겨졌으므로 ■ $=$ ☐ 입니다.

❷ ■ $\times 480 =$

따라서 어떤 수에 480을 곱하면 ☐ 입니다.

답 ⬚

단계

05 어떤 수에 8.3을 곱해야 할 것을 잘못하여 어떤 수를 8.4로 나누었더니 4.25가 되었습니다. **바르게 계산**하면 얼마인지 풀이 과정을 쓰고, 답을 구하세요.

❶ 잘못 계산한 식을 세워 어떤 수 구하기

풀이

❷ 바르게 계산한 값 구하기

풀이

답 ⬚

실전

06 어떤 수에 5.7을 곱해야 할 것을 잘못하여 어떤 수를 7.5로 나누었더니 3.38이 되었습니다. **바르게 계산**하면 얼마인지 풀이 과정을 쓰고, 답을 구하세요.

풀이

답 ⬚

4 단원

연습
07 둘레가 68 cm인 정사각형을 가로는 0.7로 줄이고, 세로는 1.25로 늘여 직사각형을 만들었습니다. 새로 만든 직사각형의 넓이는 몇 cm²인지 풀이 과정을 쓰고, 답을 구하세요.

서술형 포인트) 정사각형의 한 변의 길이를 먼저 구합니다.

풀이를 완성하세요.

❶ (정사각형의 한 변의 길이)
= _____

새로 만든 직사각형의 가로와 세로를 구합니다.

(직사각형의 가로)= _____

(직사각형의 세로)= _____

❷ (새로 만든 직사각형의 넓이)
= _____

답 _____

단계
08 한 변의 길이가 13 cm인 정사각형이 있습니다. 이 정사각형의 각 변을 0.6배 한 길이를 더하여 새로운 정사각형을 만들었습니다. 늘어난 부분의 넓이는 몇 cm²인지 풀이 과정을 쓰고, 답을 구하세요.

❶ 새로 만든 정사각형의 넓이 구하기
풀이

❷ 처음 정사각형의 넓이 구하기
풀이

❸ 늘어난 부분의 넓이 구하기
풀이

답 _____

실전
09 가로가 24 cm, 세로가 18 cm인 직사각형이 있습니다. 이 직사각형의 가로와 세로를 각각 1.7배 한 길이를 더하여 새로운 직사각형을 만들었습니다. 늘어난 부분의 넓이는 몇 cm²인지 풀이 과정을 쓰고, 답을 구하세요.

풀이

답 _____

연습

10 어떤 자동차가 1 km를 가는 데 0.08 L의 휘발유가 필요합니다. 이 자동차가 일정한 빠르기로 한 시간에 95 km를 갈 때, <u>1시간 30분 동안 가려면 휘발유가 몇 L 필요한지</u> 풀이 과정을 쓰고, 답을 구하세요.

서술형 포인트 자동차가 1시간 30분 동안 갈 수 있는 거리를 먼저 구합니다.

풀이를 완성하세요.

❶ 1시간 30분을 시간 단위로 나타내면

1시간 30분=☐시간입니다.

(자동차가 1시간 30분 동안 갈 수 있는 거리)

=

❷ (필요한 휘발유의 양)

=(1 km를 가는 데 필요한 휘발유의 양)

×(자동차가 1시간 30분 동안 갈 수 있는 거리)

=

답

단계

11 길이가 0.21 m인 양초가 있습니다. 이 양초는 한 시간에 0.08 m씩 일정한 빠르기로 탑니다. 양초에 불을 붙이고 12분 동안 태웠다면 **타고 남은 양초의 길이**는 몇 m인지 풀이 과정을 쓰고, 답을 구하세요. (단, 양초의 굵기는 일정합니다.)

❶ 12분을 시간 단위로 나타내어 양초가 12분 동안 탄 길이 구하기

풀이

❷ 타고 남은 양초의 길이 구하기

풀이

답

실전

12 1분에 0.86 km를 일정한 빠르기로 가는 기차가 터널을 완전히 통과하는 데 3분 30초가 걸렸습니다. 기차의 길이가 175 m일 때 **터널의 길이**는 몇 km인지 풀이 과정을 쓰고, 답을 구하세요.

|←175 m→|←걸린 시간: 3분 30초→|

풀이

답

4
단원

01 보기 와 같이 계산하세요.

보기
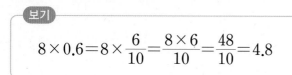
$$8 \times 0.6 = 8 \times \frac{6}{10} = \frac{8 \times 6}{10} = \frac{48}{10} = 4.8$$

12×0.37

02 □ 안에 알맞은 수를 써넣으세요.

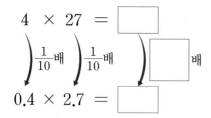

$4 \times 27 = \boxed{}$

$\frac{1}{10}$배 $\frac{1}{10}$배 $\boxed{}$배

$0.4 \times 2.7 = \boxed{}$

03 빈 곳에 알맞은 수를 써넣으세요.

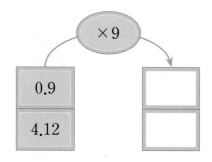

$\times 9$

0.9	
4.12	

04 계산 결과를 비교하여 ○ 안에 >, =, <를 알맞게 써넣으세요.

21×0.4 ◯ 19×0.52

05 빈 곳에 알맞은 수를 써넣으세요.

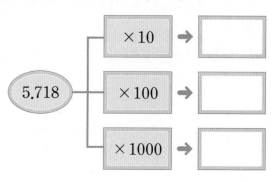

5.718 — $\times 10$ → ☐
        — $\times 100$ → ☐
        — $\times 1000$ → ☐

06 직사각형의 넓이는 몇 cm²인지 식을 쓰고, 답을 구하세요.

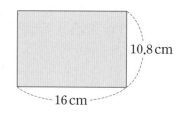

10.8 cm
16 cm

식 _____

답 _____

07 옳게 계산한 것은 어느 것인가요? (   )

① $27 \times 0.1 = 0.27$

② $4.35 \times 1000 = 435$

③ $3 \times 0.01 = 0.3$

④ $0.86 \times 100 = 86$

⑤ $7650 \times 0.001 = 76.5$

08 39×18=702임을 이용하여 관계있는 것끼리 선으로 이으세요.

(1) 39×1.8 •

(2) 0.39×18 •

• ㉠ 7.02

• ㉡ 0.702

• ㉢ 70.2

09 계산 결과가 작은 순서대로 기호를 쓰세요.

㉠ 1.6×3.7   ㉡ 2.08×2.9
㉢ 2.3×3.42   ㉣ 4.5×1.5

( )

10 다음을 보고 1992년 서울시 주민등록 인구수가 약 1097만 명일 때 2017년 서울시 주민등록 인구수를 반올림하여 만의 자리까지 나타내세요.

서울시가 발표한 '2017년 서울시 인구 통계'에 따르면 2017년 서울시 주민등록 인구수는 최고치였던 1992년과 비교할 때 약 0.904배로 2010년 이후 지속적인 감소세를 이어가고 있다고 밝혔습니다.

출처: 서울열린데이터광장

( )

11 ㉠은 ㉡의 몇 배인가요?

㉠ 5.1×38   ㉡ 0.051×38

( )

12 가로가 28 m이고 세로가 1.5 m인 직사각형 모양의 밭이 있습니다. 이 밭의 0.75만큼 고구마를 심었습니다. 고구마를 심은 밭의 넓이는 몇 m^2인가요?

( )

13 일정한 빠르기로 1분에 1.63 km를 가는 자동차가 있습니다. 이 자동차가 6분 30초 동안 간 거리는 몇 km인지 식을 쓰고, 답을 구하세요.

식

답

14 1분에 0.06 L의 물이 일정하게 나오는 수도가 있습니다. 이 수도에서 하루에 6시간씩 5일 동안 물을 받았다면 받은 물의 양은 모두 몇 L인가요?

( )

15 □ 안에 들어갈 수 있는 자연수를 모두 구하세요.

$$31 \times 0.09 < \square < 2.9 \times 2.21$$

( )

16 어떤 트럭이 1 km를 가는 데 0.16 L의 경유가 필요합니다. 이 트럭이 일정한 빠르기로 한 시간에 73 km를 갈 때, 2시간 30분 동안 가려면 경유가 몇 L 필요한가요?

( )

17 한 변의 길이가 15 cm인 정사각형이 있습니다. 이 정사각형의 각 변을 0.74배 한 길이를 더하여 새로운 정사각형을 만들었습니다. 늘어난 부분의 넓이는 몇 cm²인가요?

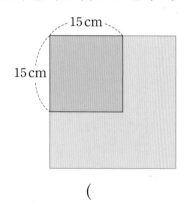

( )

18 ㉠과 ㉡의 계산 결과의 차는 얼마인지 풀이 과정을 쓰고, 답을 구하세요.

㉠ 2.37 × 15   ㉡ 34 × 0.9

풀이

답

19 0.28 × 19와 2.8 × 1.9의 값이 같은 이유를 쓰세요.

이유

20 어떤 수에 2.6을 곱해야 할 것을 잘못하여 어떤 수를 2.6으로 나누었더니 6.25가 되었습니다. 바르게 계산하면 얼마인지 풀이 과정을 쓰고, 답을 구하세요.

풀이

답

쉬어가기

'나마스까르' 내 이름은 티샤야.
'나마스까르'는 벵골어로 '안녕하세요.'라는
뜻이야.
나는 행복 지수가 높은 방글라데시의 수도
다카에 살고 있어.
방글라데시는 방글라 민족이 사는 나라라는 의미로
'나의 금빛, 방글라'라는 말이야.
방글라데시의 최고의 휴양지인 콕스 바자르는 세계에서 가장 긴 해변으로
그 길이가 무려 약 120 km야.

나마스까르

다카

콕스 바자르

'릭샤'는 방글라데시의 중요한 교통수단으로
바퀴가 세 개 달린 자전거를 택시처럼 이용해요.

릭샤

5 직육면체

개념 완성하기

1 직사각형 6개로 둘러싸인 도형

(1) **직육면체 알아보기**

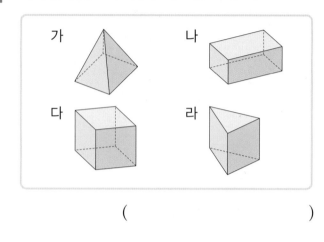

- **직육면체**: 직사각형 6개로 둘러싸인 도형
- **면**: 선분으로 둘러싸인 부분
- **모서리**: 면과 면이 만나는 선분
- **꼭짓점**: 모서리와 모서리가 만나는 점

(2) **직육면체의 특징**

① 직육면체는 모든 면이 직사각형 모양입니다.

② 직육면체는 면이 6개, 모서리가 12개, 꼭짓점이 8개입니다.

2 정사각형 6개로 둘러싸인 도형

(1) **정육면체**: 정사각형 6개로 둘러싸인 도형

(2) **정육면체의 특징**

① 정육면체는 모서리의 길이가 모두 같습니다.

② 정육면체는 6개의 면이 모두 합동입니다.

(3) **직육면체와 정육면체의 비교**

		직육면체	정육면체
공통점	면의 수	6	
	모서리의 수	12	
	꼭짓점의 수	8	
차이점	면의 모양	직사각형	정사각형
	모서리의 길이	서로 다릅니다.	모두 같습니다.

└─• 4개씩 3쌍의 길이가 같습니다.

(4) **직육면체와 정육면체의 관계**

- 정육면체는 직육면체라고 할 수 있습니다.
  → 정사각형은 직사각형이라고 할 수 있습니다.
- 직육면체는 정육면체라고 할 수 없습니다.

개념 확인

1 직육면체를 모두 찾아 기호를 쓰세요.

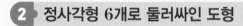

가 나

다 라

( )

2 정육면체를 찾아 ○표 하세요.

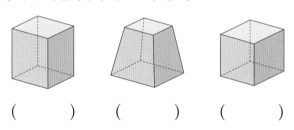

( ) ( ) ( )

3 직육면체의 각 부분의 이름을 □ 안에 써넣으세요.

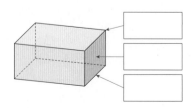

4 정육면체의 특징을 알아보려고 합니다. ☐ 안에 알맞게 써넣으세요.

(1) 정육면체는 면의 모양이 [   ]입니다.

(2) 정육면체는 면이 ☐개, 모서리가 ☐개, 꼭짓점이 ☐개입니다.

5 도형을 보고 물음에 답하세요.

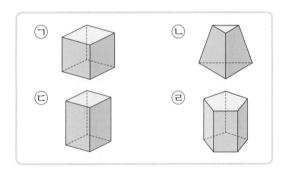

(1) 정육면체를 찾아 기호를 쓰세요.

(   )

(2) 직육면체가 아닌 것을 모두 찾아 기호를 쓰세요.

(   )

6 정육면체를 보고 ☐ 안에 알맞은 수를 써넣으세요.

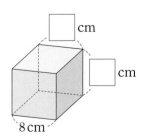

기본 유형

7 직육면체를 보고 표를 완성하세요.

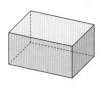

면의 수	모서리의 수	꼭짓점의 수

8 정육면체에서 길이가 5 cm인 모서리는 모두 몇 개인가요?

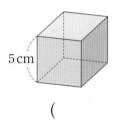

(   )

9 ◯ 안에 바르게 설명한 것은 ◯표, 그렇지 않은 것은 ✕표 하세요.

(1) 직육면체의 면은 모두 정사각형입니다. ◯

(2) 정육면체의 모서리의 길이는 서로 다릅니다. ◯

(3) 정육면체는 직육면체라고 할 수 있습니다. ◯

3 직육면체의 성질

(1) 직육면체에서 서로 마주 보는 면의 관계
평행한 면

① 밑면: 직육면체에서 계속 늘여도 만나지 않는 서로 평행한 두 면

② 직육면체에는 평행한 면이 3쌍 있고 이 평행한 면은 각각 밑면이 될 수 있습니다.

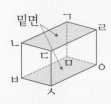

서로 평행한 면:

면 ㄱㄴㄷㄹ과 면 ㅁㅂㅅㅇ

면 ㄴㅂㅁㄱ과 면 ㄷㅅㅇㄹ

면 ㄴㅂㅅㄷ과 면 ㄱㅁㅇㄹ

(2) 직육면체에서 서로 만나는 두 면 사이의 관계
수직인 면

① 옆면: 직육면체에서 밑면과 수직인 면

② 한 꼭짓점에서 만나는 세 면은 서로 수직입니다.

③ 한 면에 수직인 면은 4개씩입니다.
서로 수직인 면은 12쌍입니다.

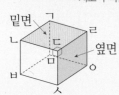

면 ㄱㄴㄷㄹ과 수직인 면:

면 ㄴㅂㅅㄷ, 면 ㄷㅅㅇㄹ,

면 ㄱㅁㅇㄹ, 면 ㄴㅂㅁㄱ

4 직육면체의 겨냥도

(1) 직육면체의 겨냥도

직육면체 모양을 잘 알 수 있도록 나타낸 그림 → 보이는 모서리는 실선으로, 보이지 않는 모서리는 점선으로 그립니다.

(2) 직육면체의 겨냥도에서 구성 요소의 수

	보이는 부분	보이지 않는 부분	전체
면의 수	3	3	6
모서리의 수	9	3	12
꼭짓점의 수	7	1	8

1 직육면체에서 색칠한 면과 평행한 면을 찾아 색칠하세요.

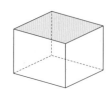

2 직육면체를 보고 물음에 답하세요.

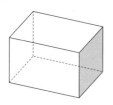

(1) 색칠한 면과 만나는 면은 모두 몇 개인가요?

(   )

(2) 알맞은 말에 ○표 하세요.

> 직육면체에서 서로 만나는 두 면은
> (평행 , 수직)입니다.

3 직육면체의 겨냥도를 옳게 그린 것을 찾아 기호를 쓰세요.

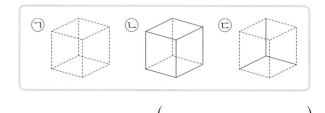

(   )

4 직육면체를 보고 물음에 답하세요.

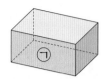

(1) 직육면체에서 서로 평행한 면은 모두 몇 쌍인가요?

(   )

(2) 직육면체에서 면 ㉠과 수직인 면은 모두 몇 개인가요?

(   )

5 직육면체를 보고 물음에 답하세요.

(1) 직육면체에 보이는 모서리는 실선으로, 보이지 않는 모서리는 점선으로 나타내세요.

(2) 면, 모서리, 꼭짓점의 수를 써넣어 표를 완성하세요.

	보이는 부분	보이지 않는 부분
면의 수		
모서리의 수		
꼭짓점의 수		

6 직육면체에서 꼭짓점 ㄷ과 만나는 면을 모두 쓰세요.

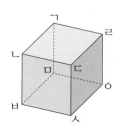

(   )

7 그림에서 빠진 부분을 그려 넣어 직육면체의 겨냥도를 완성하세요.

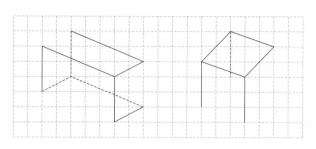

8 직육면체에서 서로 평행한 면을 쓰세요.

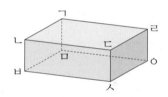

면 ㄱㄴㄷㄹ과 (   )
면 ㄴㅂㅅㄷ과 (   )
면 ㄷㅅㅇㄹ과 (   )

9 직육면체에서 면 ㄷㅅㅇㄹ과 수직인 면을 모두 쓰세요.

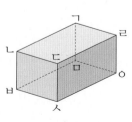

(   )

개념 완성하기

5 정육면체의 전개도

정육면체의 전개도

정육면체의 모서리를 잘라서 펼
친 그림

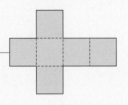

잘린 모서리는 실선으로,
잘리지 않은 모서리는 점
선으로 표시합니다.

참고 **주사위의 전개도 그리기**

• 마주 보는 면의 수의 합은 7이므로 1과 6, 2와 5,
3과 4가 짝이 되어 마주 보도록 그립니다.

• 두 면이 마주 보기 위해서는 두 면이 평행해야 합
니다.

6 직육면체의 전개도

(1) 직육면체의 전개도 그리기

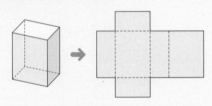

① 잘린 모서리는 실선으로, 잘리지 않은 모서리는
점선으로 표시합니다.

② 접었을 때 만나는 모서리끼리 길이가 같게 그
립니다.

③ 마주 보는 3쌍의 면의 모양과 크기가 서로 같은
지, 접었을 때 겹치는 면이 없는지 확인합니다.

(2) 직육면체의 전개도 살펴보기

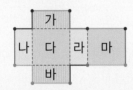

• 같은 색으로 표시한 점끼리 만나고, 같은 색으로
표시한 선분끼리 만납니다.

• 서로 평행한 면: 면 가와 면 바, 면 나와 면 라,
면 다와 면 마

• 면 가와 수직인 면: 면 나, 면 다, 면 라, 면 마

1 정육면체의 모서리를 잘라서 펼친 그림을 무엇
이라고 하나요?

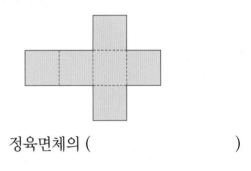

정육면체의 (   )

2 직육면체의 전개도에 ○표 하세요.

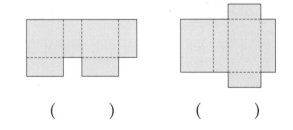

(   )   (   )

3 전개도를 접어서 정육면체를 만들었을 때 색칠
한 면과 평행한 면에 색칠하세요.

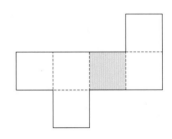

기본 유형

4 직육면체의 전개도를 보고 물음에 답하세요.

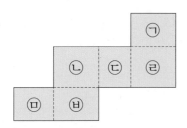

(1) 직육면체의 전개도에서 모양과 크기가 같은 면은 모두 몇 쌍인가요?

(   )

(2) 전개도를 접었을 때 면 ㉠과 평행한 면을 찾아 쓰세요.

(   )

(3) 전개도를 접었을 때 면 ㉣과 수직인 면을 모두 찾아 쓰세요.

(   )

5 직육면체를 보고 전개도를 완성하세요.

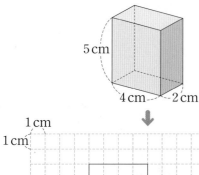

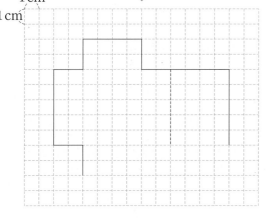

6 정육면체의 모서리를 잘라서 정육면체의 전개도를 만들었습니다. □ 안에 알맞은 기호를 써넣으세요.

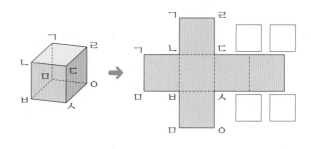

7 직육면체의 전개도입니다. □ 안에 알맞은 수를 써넣으세요.

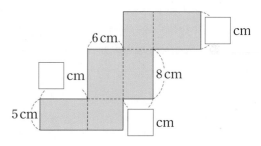

8 정육면체의 전개도에서 나머지 한 면의 위치로 알맞은 곳을 고르세요. (   )

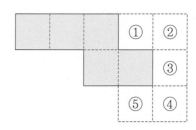

실력 다지기

직육면체와 정육면체 알아보기

유형 **01** 직육면체에 대한 설명으로 옳은 것을 찾아 기호를 쓰세요.

> ㉠ 직사각형 모양의 면 4개로 둘러싸인 도형입니다.
> ㉡ 면과 면이 만나는 선분을 변이라고 합니다.
> ㉢ 모서리와 모서리가 만나는 점을 꼭짓점이라 하고 8개가 있습니다.

( )

확인 **02** 민정이의 말이 잘못된 이유를 쓰세요. 서술형

> 정육면체는 정사각형 7개로 둘러싸인 도형이야.

민정

이유

강화 **03** 직육면체와 정육면체의 면, 모서리, 꼭짓점의 개수의 합은 몇 개인가요?

 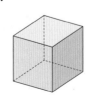

( )

직육면체의 겨냥도 알아보기

04 직육면체를 보고 겨냥도를 그리세요.

05 직육면체의 겨냥도를 잘못 그린 것입니다. 그 이유를 쓰고, 옳게 그리세요. 서술형

이유

06 직육면체의 겨냥도를 보고 ㉠과 ㉡에 알맞은 수의 합을 구하세요.

> • 보이는 꼭짓점은 ㉠개입니다.
> • 보이지 않는 모서리는 ㉡개입니다.

( )

확인, 강화 문제는 매칭북 **36**쪽에서 한 번 더!

정답 32쪽

◆ 직육면체의 모서리의 길이

07 직육면체에서 색칠한 면의 네 변의 길이의 합은 몇 cm인가요?

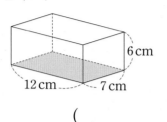

6 cm
12 cm   7 cm

(   )

08 직육면체에서 보이는 모서리의 길이의 합은 몇 cm인가요?

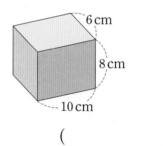

6 cm
8 cm
10 cm

(   )

09 정육면체 모양의 큐브입니다. 이 큐브의 모든 모서리의 길이의 합은 몇 cm인가요?

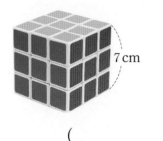

7 cm

(   )

◆ 직육면체와 정육면체의 관계

10 대화를 보고 옳게 말한 사람의 이름을 쓰세요.

정육면체의 모든 면은 모양이 같아.
주희

직육면체는 정육면체라고 할 수 있어.

서진

(   )

11 직육면체와 정육면체의 차이점을 모두 찾아 기호를 쓰세요.

㉠ 면의 모양   ㉡ 모서리의 수
㉢ 면의 수   ㉣ 꼭짓점의 수
㉤ 모서리의 길이

(   )

12 직육면체와 정육면체에 대한 설명으로 틀린 것을 모두 고르세요. (   )

① 직육면체와 정육면체는 면, 모서리, 꼭짓점의 수가 서로 같습니다.
② 정육면체의 면은 모두 정사각형입니다.
③ 직육면체는 모서리의 길이가 모두 같습니다.
④ 직육면체는 모든 면이 합동입니다.
⑤ 정육면체는 직육면체라고 할 수 있습니다.

5
단원

직육면체에서 면 사이의 관계

유형 **13** 직육면체에서 색칠한 면과 평행한 면의 둘레는 몇 cm인가요?

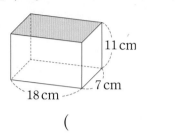

11 cm
7 cm
18 cm

(   )

확인 **14** 두 면 사이의 관계가 <u>다른</u> 하나는 어느 것인가요? (   )

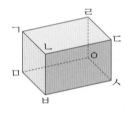

① 면 ㄱㄴㄷㄹ과 면 ㄱㅁㅇㄹ
② 면 ㄱㅁㅂㄴ과 면 ㄴㅂㅅㄷ
③ 면 ㄴㅂㅅㄷ과 면 ㄹㅇㅅㄷ
④ 면 ㄹㅇㅅㄷ과 면 ㅁㅂㅅㅇ
⑤ 면 ㅁㅂㅅㅇ과 면 ㄱㄴㄷㄹ

강화 **15** 직육면체에서 면 ㄴㅂㅅㄷ과 면 ㄷㅅㅇㄹ에 동시에 수직인 면을 모두 쓰세요.

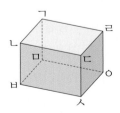

(   )

직육면체의 전개도 알아보기

16 직육면체의 전개도가 아닌 것을 찾아 기호를 쓰세요.

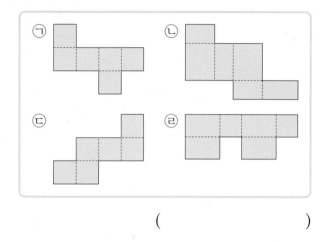

㉠   ㉡
㉢   ㉣

(   )

서술형
17 직육면체의 전개도를 잘못 그린 사람의 이름을 쓰고, 그 이유를 설명하세요.

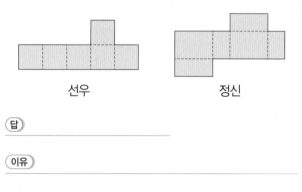

선우   정신

답 _____

이유 _____
_____

18 다음은 잘못 그려진 정육면체의 전개도입니다. 면 1개를 옮겨 올바른 전개도로 고치세요.

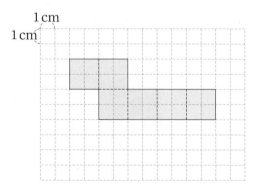

1 cm
1 cm

직육면체의 전개도 그리기

19 오른쪽 직육면체의 전개도를 그린 것입니다. □ 안에 알맞은 수를 써넣고, 전개도를 완성하세요.

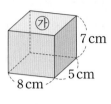

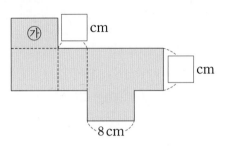

20 직육면체를 보고 전개도를 그리세요.

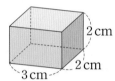

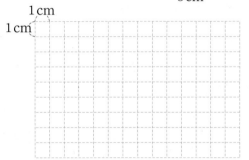

21 한 모서리의 길이가 2 cm인 정육면체의 전개도를 두 가지로 그리세요. (단, 뒤집거나 돌려서 같은 것은 한 가지로 생각합니다.)

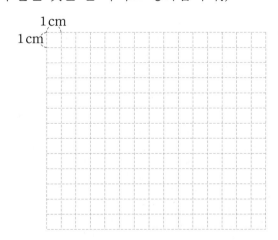

직육면체에서 만나는 점, 선분, 면 찾기

22 전개도를 접었을 때 면 가와 만나지 않는 면을 찾아 기호를 쓰세요.

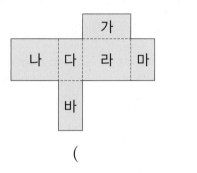

(   )

23 전개도를 접었을 때 선분 ㄷㄹ과 만나는 선분을 찾아 쓰세요.

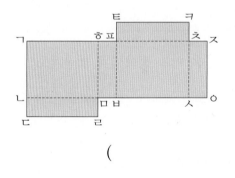

(   )

24 전개도를 접었을 때 점 ㄴ과 만나는 점을 모두 찾아 쓰세요.

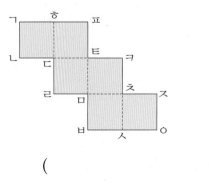

(   )

유형 **25** 보기 와 같이 무늬(♥)가 3개 그려져 있는 정육 면체가 되도록 전개도에 무늬(♥)를 1개 그리 세요. (단, 무늬의 방향은 생각하지 않습니다.)

보기

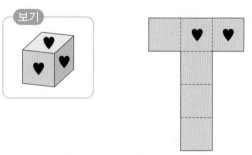

해결 직육면체에서 서로 만나는 면은 수직이고, 평행한 면은 동 시에 보일 수 없습니다. 먼저 전개도에서 무늬가 그려진 면과 평 행한 면을 찾습니다.

확인 **26** 다음은 어느 정육면체의 전개도인지 찾아 기호 를 쓰세요. (단, 무늬의 방향은 생각하지 않습 니다.)

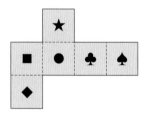

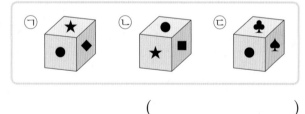

( )

27 다음 직육면체에서 모든 모서리의 길이의 합은 60 cm입니다. □ 안에 알맞은 수를 구하세요.

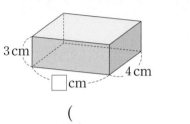

3 cm
□ cm
4 cm

( )

해결 직육면체는 서로 평행한 모서리가 길이가 같음을 이용하여 식을 세웁니다.

서술형

28 직육면체의 모든 모서리의 길이의 합과 정육 면체의 모든 모서리의 길이의 합이 같습니다. 정육면체의 한 모서리의 길이는 몇 cm인지 풀이 과정을 쓰고, 답을 구하세요.

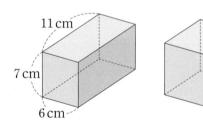

11 cm
7 cm
6 cm

풀이

답

약점
체크 주사위의 눈의 수 구하기

29 주사위에서 서로 평행한 두 면의 눈의 수의 합은 7입니다. 가에 올 수 있는 눈의 수를 모두 구하세요.

(   )

해결 주사위는 마주 보는 두 면이 서로 평행합니다. 눈이 주어진 면과 평행한 면의 눈의 수를 먼저 구합니다.

30 다음은 정육면체 모양 주사위의 전개도입니다. 주사위의 마주 보는 면의 눈의 수의 합은 7입니다. 면 ㉠과 면 ㉡의 눈의 수의 합은 얼마인지 풀이 과정을 쓰고, 답을 구하세요.

[서술형]

도전
수학

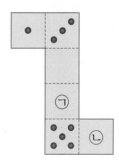

풀이 _____

_____

_____

_____

답 _____

약점
체크 선이 지나간 자리 나타내기

31 직육면체의 면에 선을 그었습니다. 직육면체의 전개도가 다음과 같을 때 선이 지나간 자리를 전개도에 나타내세요.

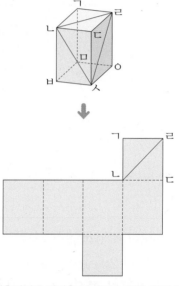

해결 먼저 직육면체를 접었을 때 만나는 점을 찾아 전개도에 꼭짓점의 기호를 표시하고, 직육면체에 그은 선이 어떤 꼭짓점끼리 이은 것인지 알아봅니다.

32 직육면체의 전개도에 선을 그었습니다. 전개도를 접어서 직육면체를 만들었을 때 직육면체에 선이 지나간 자리를 나타내세요.

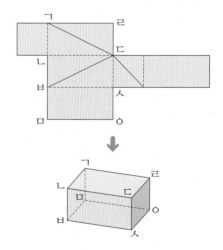

5
단원

5. 직육면체 ◦ **129**

3 서술형 해결하기

01 직육면체의 모든 모서리의 길이의 합은 몇 cm인지 풀이 과정을 쓰고, 답을 구하세요.

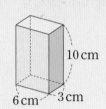

10 cm
6 cm   3 cm

서술형 포인트 직육면체에 길이가 같은 모서리가 몇 개씩 있는지 먼저 알아봅니다.

풀이를 완성하세요.

❶ 직육면체에는 길이가 같은 모서리가 ☐ 개씩

☐ 쌍 있으므로 길이가 6 cm, 3 cm, 10 cm

인 모서리가 각각 ☐ 개씩 있습니다.

❷ (모든 모서리의 길이의 합)

=

답 ⃝

---

02 직육면체의 겨냥도에서 보이지 않는 모서리의 길이의 합이 20 cm일 때, 직육면체의 **모든 모서리의 길이의 합**은 몇 cm인지 풀이 과정을 쓰고, 답을 구하세요.

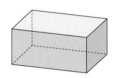

❶ 길이가 같은 모서리가 몇 개씩 있는지 구하기

풀이

❷ 모든 모서리의 길이의 합 구하기

풀이

답 ⃝

---

03 정육면체의 겨냥도에서 보이지 않는 모서리의 길이의 합이 15 cm일 때, 정육면체의 **모든 모서리의 합**은 몇 cm인지 풀이 과정을 쓰고, 답을 구하세요.

풀이

답 ⃝

연습

04 직육면체 모양의 상자를 끈으로 묶었습니다. 매듭으로 사용한 끈의 길이가 15cm일 때, 상자를 묶는 데 사용한 끈의 전체 길이는 몇 cm인지 풀이 과정을 쓰고, 답을 구하세요.

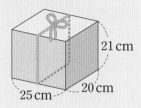

서술형 포인트 끈을 세로와 높이에 각각 몇 번씩 둘렀는지 알아봅니다.

풀이를 완성하세요.

❶ 상자의 세로와 높이에 끈을 20 cm인 모서리는 ☐ 번, 21cm인 모서리는 ☐ 번 둘렀고,

매듭으로 사용한 끈의 길이는 ☐ cm입니다.

❷ (사용한 끈의 전체 길이)

$= 20 \times$ ☐ $+ 21 \times$ ☐ $+$ ☐

$=$ ☐ (cm)

답 _____

단계

05 직육면체 모양의 상자를 리본으로 묶었습니다. 매듭으로 사용한 리본의 길이가 30 cm일 때, **상자를 묶는 데 사용한 리본의 전체 길이**는 몇 cm인지 풀이 과정을 쓰고, 답을 구하세요.

❶ 가로, 세로, 높이에 둘러싼 리본의 횟수와 매듭으로 사용한 리본의 길이 구하기

풀이

❷ 사용한 리본의 전체 길이 구하기

풀이

답 _____

실전

06 정육면체 모양의 상자를 리본으로 묶었습니다. 매듭으로 사용한 리본의 길이가 20 cm일 때, **상자를 묶는 데 사용한 리본의 전체 길이**는 몇 cm인지 풀이 과정을 쓰고, 답을 구하세요.

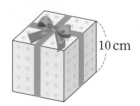

풀이

답 _____

5 단원

연습
07 직육면체의 전개도에서 <u>선분 ㄴㅇ</u>은 몇 cm인지 풀이 과정을 쓰고, 답을 구하세요.

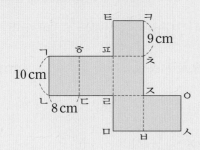

서술형 포인트 전개도를 접었을 때 만나는 선분의 길이가 같고, 평행한 선분의 길이가 같습니다. 먼저 각 선분의 길이를 알아봅니다.

풀이를 완성하세요.

❶ (선분 ㄷㄹ)=(선분 [   ])=[   ] cm

(선분 ㄹㅈ)=(선분 [   ])=[   ] cm

(선분 ㅈㅇ)=(선분 [   ])=[   ] cm

❷ (선분 ㄴㅇ)=(선분 ㄴㄷ)+(선분 ㄷㄹ)

+(선분 ㄹㅈ)+(선분 ㅈㅇ)

=

답 ⃝

단계
08 정육면체의 전개도입니다. **전개도의 둘레**는 몇 cm인지 풀이 과정을 쓰고, 답을 구하세요.

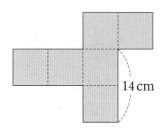

❶ 한 모서리의 길이 구하기

풀이

❷ 전개도의 둘레 구하기

풀이

답 ⃝

실전
09 직육면체의 전개도입니다. **전개도의 둘레**는 몇 cm인지 풀이 과정을 쓰고, 답을 구하세요.

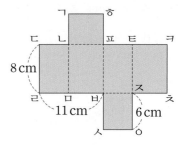

풀이

답 ⃝

연습

10 각 면에 1부터 6까지의 숫자가 쓰인 정육면체를 세 방향에서 본 것입니다. **전개도의 빈 곳에 알맞은 숫자는 무엇인지** 풀이 과정을 쓰고, 답을 구하세요. (단, 숫자의 방향은 생각하지 않습니다.)

서술형 포인트 정육면체에서 한 면에 수직인 면은 4개이고, 서로 평행한 면은 마주 보고 있음을 이용합니다.

풀이를 완성하세요.

❶ 5가 쓰인 면과 수직인 면에 쓰인 숫자는

□ , □ , □ , □ 이므로 5가 쓰인 면과

평행한 면에 쓰인 숫자는 □ 입니다.

❷ 정육면체의 전개도에서 1이 쓰인 면과 평행한 면

에 쓰인 숫자가 □ 이므로 2가 쓰인 면과 평행한

면에 쓰인 숫자는 □ 입니다.

답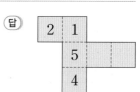

단계

11 정육면체의 각 면에 A, B, C, D, E, F를 써넣고 여러 방향에서 본 것입니다. **D가 쓰인 면과 평행한 면에 쓰인 알파벳**은 무엇인지 풀이 과정을 쓰고, 답을 구하세요. (단, 알파벳의 방향은 생각하지 않습니다.)

❶ F가 쓰인 면과 수직인 면에 쓰인 알파벳 구하기

풀이

❷ D가 쓰인 면과 평행한 면에 쓰인 알파벳 구하기

풀이

답

실전

12 정육면체의 각 면에 가, 나, 다, 라, 마, 바를 써넣고 여러 방향에서 본 것입니다. **마가 쓰인 면과 평행한 면에 쓰인 글자**는 무엇인지 풀이 과정을 쓰고, 답을 구하세요. (단, 글자의 방향은 생각하지 않습니다.)

풀이

답

5
단원

[01~02] 도형을 보고 물음에 답하세요.

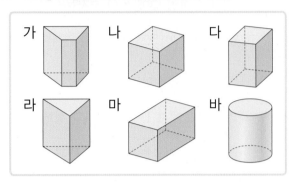

가 나 다
라 마 바

01 직육면체를 모두 찾아 기호를 쓰세요.

( )

02 정육면체를 찾아 기호를 쓰세요.

( )

03 그림에서 빠진 부분을 그려 넣어 직육면체의 겨냥도를 완성하세요.

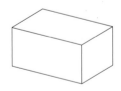

04 직육면체를 보고 ☐ 안에 알맞은 수를 써넣으세요.

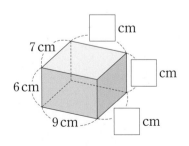

7 cm
6 cm
9 cm
☐ cm
☐ cm
☐ cm

05 직육면체에서 면 ㄴㅂㅁㄱ과 수직인 면이 아닌 것은 어느 것인가요? ( )

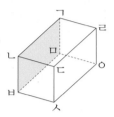

① 면 ㄱㄴㄷㄹ   ② 면 ㄱㅁㅇㄹ
③ 면 ㄴㅂㅅㄷ   ④ 면 ㄷㅅㅇㄹ
⑤ 면 ㅁㅂㅅㅇ

06 정육면체의 전개도를 모두 고르세요.

( )

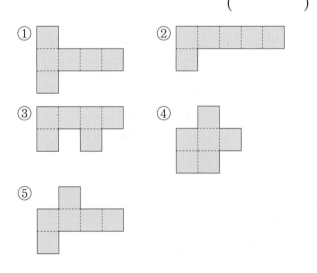

①   ②
③   ④
⑤

07 다음 설명 중 틀린 것을 찾아 기호를 쓰세요.

> ㉠ 직육면체의 꼭짓점은 8개입니다.
> ㉡ 정육면체는 직육면체라고 할 수 있습니다.
> ㉢ 직육면체의 면은 모두 정사각형입니다.

( )

08 전개도를 접었을 때 면 다와 평행한 면을 찾아 쓰세요.

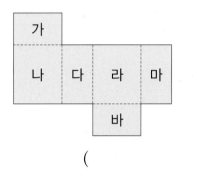

( )

09 직육면체의 겨냥도에서 수가 많은 것부터 차례로 기호를 쓰세요.

> ⓐ 보이는 모서리의 수
> ⓑ 보이지 않는 면의 수
> ⓒ 보이는 꼭짓점의 수

( )

10 직육면체를 보고 전개도를 그리세요.

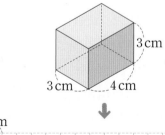

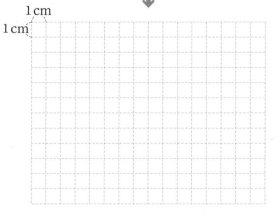

11 직육면체에서 보이는 모서리의 길이의 합은 몇 cm인가요?

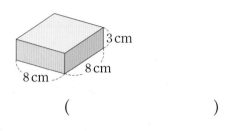

( )

[12~13] 정육면체의 전개도를 보고 물음에 답하세요.

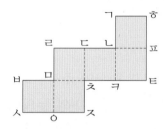

12 전개도를 접었을 때 점 ㄹ과 만나는 점을 모두 찾아 쓰세요.

( )

13 전개도를 접었을 때 선분 ㅋㅌ과 만나는 선분을 찾아 쓰세요.

( )

14 모든 모서리의 길이의 합이 132 cm인 정육면체가 있습니다. 이 정육면체의 한 모서리의 길이는 몇 cm인가요?

( )

15 직육면체 모양의 상자를 리본으로 묶었습니다. 매듭으로 사용한 리본의 길이가 25 cm일 때, 상자를 묶는 데 사용한 리본의 전체 길이는 몇 cm인가요?

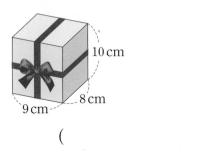

(   )

16 다음은 정육면체 모양 주사위의 전개도입니다. 주사위의 마주 보는 면의 눈의 수의 합이 7일 때, 전개도의 빈 곳에 주사위의 눈을 알맞게 그리세요.

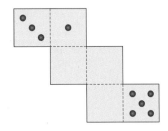

17 직육면체의 면에 선을 그었습니다. 직육면체의 전개도가 다음과 같을 때 선이 지나간 자리를 전개도에 나타내세요.

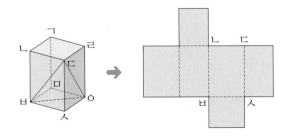

18 직육면체와 정육면체의 공통점과 차이점을 한 가지씩 쓰세요.

공통점 _____

_____

차이점 _____

_____

19 직육면체의 전개도를 잘못 그린 것입니다. 그 이유를 쓰세요.

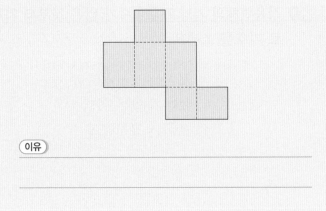

이유 _____

_____

_____

20 오른쪽 직육면체의 모든 모서리의 길이의 합과 모든 모서리의 길이의 합이 같은 정육면체가 있습니다. 정육면체의 한 모서리의 길이는 몇 cm인지 풀이 과정을 쓰고, 답을 구하세요.

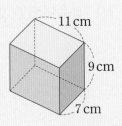

풀이 _____

_____

_____

답 _____

쉬어가기

'올라' 내 이름은 마르코야.

나는 볼리비아의 행정수도인 라파스에 살고 있어.

'올라'는 스페인어로 '안녕!'이라는 뜻이야.

올라
(Hola)

볼리비아는 안데스 산맥 중 폭이 가장 넓은 곳에

자리 잡고 있어.

볼리비아의 유명한 관광지이고 세계 최대의 소금 사막인 '우유니 소금 사막'은 거대한

호수의 물이 오랜 세월이 지나는 동안 모두 증발하고 소금만 남아 만들어진 사막이야.

라파스

우유니 소금 사막

포토시의 광부

'포토시'는 안데스 산맥의 광산 도시예요. 고도 4000 m에 있는 작은 마을로 커다란 광맥이 발견되면서 유명해졌어요. 1987년 유네스코의 세계 문화 유산으로 지정되었어요.

직육면체와 정육면체

직육면체

직육면체: 직사각형 6개로 둘러싸인 도형

정육면체

정육면체: 정사각형 6개로 둘러싸인 도형

직육면체의 구성 요소

- 면: 선분으로 둘러싸인 부분
- 모서리: 면과 면이 만나는 선분
- 꼭짓점: 모서리와 모서리가 만나는 점

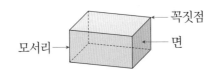

직육면체와 정육면체의 비교

	공통점			차이점	
	면의 수	모서리의 수	꼭짓점의 수	면의 모양	모서리의 길이
직육면체	6	12	8	직사각형	서로 다릅니다.
정육면체				정사각형	모두 같습니다.

• 4개씩 3쌍의 길이가 같습니다.

직육면체와 정육면체의 관계

직육면체

정육면체

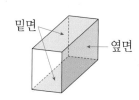

• 직육면체는 정육면체라고 할 수 없습니다.
• 정육면체는 직육면체라고 할 수 있습니다.

직육면체의 성질

• 밑면: 직육면체에서 계속 늘여도 만나지 않는 서로 평행한 두 면
• 옆면: 직육면체에서 밑면과 수직인 면

밑면

옆면

서로 마주 보는 면 사이의 관계

• 서로 마주 보는 3쌍의 면은 각각 평행합니다.
• 서로 평행한 면은 모양과 크기가 같습니다.

서로 만나는 면 사이의 관계

• 서로 만나는 면은 수직입니다.
• 한 면에 수직인 면은 4개씩입니다.

5 단원

겨냥도

직육면체의 겨냥도: 직육면체 모양을 잘 알 수 있도록 나타낸 그림

전개도

정육면체의 전개도: 정육면체의 모서리를 잘라서 펼친 그림

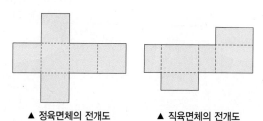

▲ 정육면체의 전개도   ▲ 직육면체의 전개도

6 평균과 가능성

대표 유형

- 이번 단원에서 꼭 공부해야 할 〈대표 유형〉입니다.
- 학습한 후에 이해가 부족한 유형은 □ 안에 ○표 한 후 반복하여 학습하세요.

- ☐ 평균 구하기
- ☐ 평균을 이용하여 자료의 합 구하기
- ☐ 평균과 자료의 값 비교하기
- ☐ 여러 자료의 평균 비교하기
- ☐ 평균을 이용하여 모르는 자료의 값 구하기
- ☐ 평균을 높이는(낮추는) 방법 구하기
- ☐ 일이 일어날 가능성 알아보기
- ☐ 일이 일어날 가능성 수로 표현하기
- ☐ 일이 일어날 가능성 나타내기
- ☐ 일이 일어날 가능성 비교하기
- ☐ 약점 체크 두 자료의 전체 평균 구하기
- ☐ 약점 체크 두 자료의 평균이 같을 때 자료의 값 구하기

개념 완성하기

1 평균

평균: 자료의 값을 모두 더해 자료의 수로 나눈 값
└→ 자료를 대표하는 값

[예제] 5학년 반별 학생 수의 평균 구하기

반별 학생 수

반	1반	2반	3반	4반
학생 수(명)	28	26	29	25

① (반별 학생 수의 합)=28+26+29+25
　　　　　　　　　　　=108(명)

② (반별 학생 수의 평균)=108÷4=27(명)
　　　　　반별 학생 수의 합 ┘　　└→ 반 수

2 평균 구하기

[예제] 제기차기 기록의 평균 구하기

제기차기 기록

회	1회	2회	3회
기록(개)	13	14	15

방법 1 평균을 예상한 후 자료의 값을 고르게 하기

① 평균 예상하기: 14개

② 평균을 14개로 예상했으므로 3회의 1개를 1회로 옮기면 기록을 14, 14, 14로 나타낼 수 있습니다.

1회
2회
3회

→ 제기차기 기록의 평균: 14개

방법 2 자료의 값을 모두 더해 자료의 수로 나누기

$$(평균)=\frac{(자료의\ 값을\ 모두\ 더한\ 수)}{(자료의\ 수)}$$

$$(제기차기\ 기록의\ 평균)=\frac{13+14+15}{3}$$
$$=\frac{42}{3}=14(개)$$

개념 확인

[1~2] 은서가 9월부터 12월까지 학교 도서관을 이용하고 받은 칭찬 도장의 수를 나타낸 표입니다. 물음에 답하세요.

은서가 받은 칭찬 도장의 수

월	9월	10월	11월	12월
도장의 수(개)	5	3	6	2

1 은서가 받은 칭찬 도장의 수만큼 ○를 그려 나타냈습니다. 칭찬 도장의 수의 평균을 예상하고, 예상한 평균을 기준으로 ○표를 옮기세요.

		○	
○		○	
○		○	
○	○	○	
○	○	○	○
○	○	○	○
9월	10월	11월	12월

↓

예상한 평균 (　　　　　　　　)

9월	10월	11월	12월

2 은서가 9월부터 12월까지 받은 칭찬 도장의 수의 평균은 몇 개인가요?

(　　　　　　　　)

3 혜영이네 모둠의 몸무게를 나타낸 표입니다. □ 안에 알맞은 수를 써넣으세요.

혜영이네 모둠의 몸무게

이름	혜영	영진	재인	수진	소진
몸무게(kg)	49	36	40	48	42

(1) 혜영이네 모둠의 몸무게를 모두 더하면 □kg입니다.

(2) 혜영이네 모둠은 모두 □명입니다.

(3) 혜영이네 모둠의 몸무게의 평균은 □kg 입니다.

4 승기가 3일 동안 운동한 시간을 나타낸 표입니다. 운동 시간의 평균을 구하세요.

승기가 운동한 시간

날짜	1일	2일	3일
운동 시간(분)	50	45	55

$$\frac{50+\boxed{}+\boxed{}}{\boxed{}}=\frac{\boxed{}}{\boxed{}}=\boxed{}\text{(분)}$$

5 지후의 국어, 수학, 사회, 과학 점수를 나타낸 표입니다. 지후의 점수의 평균을 구하세요.

지후의 점수

과목	국어	수학	사회	과학
점수(점)	83	95	78	92

$$\frac{\boxed{}}{4}=\boxed{}\text{(점)}$$

기본 유형

[6~7] 지효네 모둠과 정모네 모둠의 방과 후 학교 신청 과목 수를 나타낸 표입니다. 물음에 답하세요.

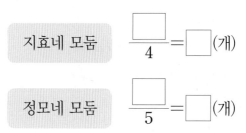

지효네 모둠

이름	신청 과목 수(개)
지효	3
흥민	4
종인	3
나을	2

정모네 모둠

이름	신청 과목 수(개)
정모	4
지우	0
종현	3
세희	1
은율	2

6 지효네 모둠과 정모네 모둠의 방과 후 학교 신청 과목 수의 평균은 각각 몇 개인가요?

지효네 모둠 $\dfrac{\boxed{}}{4}=\boxed{}$(개)

정모네 모둠 $\dfrac{\boxed{}}{5}=\boxed{}$(개)

7 어느 모둠이 방과 후 학교 과목을 더 많이 신청했다고 볼 수 있나요?

( )

8 민호가 넘은 줄넘기 기록입니다. 민호의 줄넘기 기록의 평균은 몇 회인가요?

78회	101회	83회	94회

( )

개념 완성하기

3 평균 이용하기

(1) 평균 비교하기

예제 평균을 이용하여 대표 선수 뽑기

효신이의 멀리뛰기 기록

회	1회	2회	3회
기록(cm)	171	185	196

인성이의 멀리뛰기 기록

회	1회	2회	3회
기록(cm)	182	186	190

• (효신이의 멀리뛰기 기록의 평균)

$$=\frac{171+185+196}{3}=\frac{552}{3}=184 \text{ (cm)}$$

• (인성이의 멀리뛰기 기록의 평균)

$$=\frac{182+186+190}{3}=\frac{558}{3}=186 \text{ (cm)}$$

➡ 평균 기록이 186>184이므로 멀리뛰기 기록의 평균이 더 좋은 인성이가 대표 선수가 되어야 합니다.

(2) 평균을 이용하여 자료의 값 구하기

예제 마을별 학생 수의 평균이 164명일 때, 다 마을의 학생 수 구하기

마을별 학생 수

마을	가	나	다	라
학생 수(명)	164	176		156

┌ (평균)=(자료 값의 합)÷(자료의 수)
└ ➡ (자료 값의 합)=(평균)×(자료의 수)

① (마을별 학생 수의 합)=(평균)×(마을 수)

$$=164×4$$
$$=656(명)$$

② (다 마을의 학생 수)

$$=656-(164+176+156)$$
$$=160(명)$$

[1~3] 우진이와 민아가 투호에 넣은 화살 수를 나타낸 표입니다. 한 사람당 화살을 10개씩 던졌을 때 두 사람의 기록을 비교하려고 합니다. 물음에 답하세요.

우진이의 기록

회	1회	2회	3회	4회
넣은 화살 수(개)	4	5	3	8

민아의 기록

회	1회	2회	3회	4회
넣은 화살 수(개)	6	5	4	9

1 우진이가 넣은 화살은 평균 몇 개인가요?

( )

2 민아가 넣은 화살은 평균 몇 개인가요?

( )

3 우진이와 민아 중에서 투호에 넣은 화살 수의 평균 기록이 더 좋은 사람은 누구인가요?

( )

기본 유형 문제는 매칭북 **42쪽**에서 한 번 더!

▶ 정답 37쪽

[4~6] 누리네 학교 5학년 학생들이 이웃 돕기 성금으로 696000원을 모았습니다. 물음에 답하세요.

반별 학생 수

반	1반	2반	3반	4반	5반	6반
학생 수(명)	32	30	28	29	27	28

4 누리네 학교 5학년 학생들이 모은 이웃 돕기 성금 696000원은 한 반당 평균 얼마씩 모은 것인가요?

( )

5 누리네 학교 5학년 한 반당 학생 수는 평균 몇 명인가요?

( )

6 누리네 학교 5학년 학생 한 명당 성금을 평균 얼마씩 낸 것인가요?

( )

기본 유형

[7~8] 연지네 모둠의 하루 휴대 전화 사용 시간을 나타낸 표입니다. 하루 휴대 전화 사용 시간의 평균이 61분일 때, 물음에 답하세요.

하루 휴대 전화 사용 시간

이름	연지	철우	승민	지원	동주
사용 시간(분)	50	30	110		70

7 연지네 모둠의 하루 휴대 전화 사용 시간을 모두 더하면 몇 분인가요?

☐×5=☐(분)

8 지원이의 하루 휴대 전화 사용 시간은 몇 분인가요?

( )

9 5일 동안 어느 스케이트장에 입장한 사람 수를 나타낸 표입니다. 요일별로 스케이트장에 입장한 사람 수의 평균이 71명일 때, 목요일에 입장한 사람은 몇 명인가요?

스케이트장에 입장한 사람 수

요일	월	화	수	목	금
사람 수(명)	82	67	45		85

☐−(82+67+45+85)=☐(명)

개념 완성하기

4 일이 일어날 가능성 말로 표현하기

가능성: 어떠한 상황에서 특정한 일이 일어나길 기대할 수 있는 정도로 불가능하다, ~아닐 것 같다, 반반이다, ~일 것 같다, 확실하다 등으로 표현

예제 **동전을 던졌을 때 숫자 면이 나올 가능성 구하기**
동전을 던지면 숫자 면 또는 그림 면이 나오므로 동전을 던졌을 때 숫자 면이 나올 가능성은 '반반이다'입니다.

5 일이 일어날 가능성 비교하기

예제 **화살이 노란색에 멈출 가능성 비교하기**

가   나   다

- 가: 화살이 노란색에 멈출 가능성 ➜ 확실하다
- 나: 화살이 노란색에 멈출 가능성 ➜ 반반이다
- 다: 화살이 노란색에 멈출 가능성 ➜ 불가능하다

6 일이 일어날 가능성 수로 표현하기

불가능하다   반반이다   확실하다
0              $\frac{1}{2}$ 1

예제 **구슬 1개를 꺼낼 때 가능성을 수로 표현하기**

 꺼낸 구슬이 파란색일 가능성: 1 └ 확실하다

 꺼낸 구슬이 파란색일 가능성: $\frac{1}{2}$ └ 반반이다

 꺼낸 구슬이 파란색일 가능성: 0 └ 불가능하다

개념 확인

1 빈 곳에 일이 일어날 가능성의 정도를 알맞게 써넣으세요.

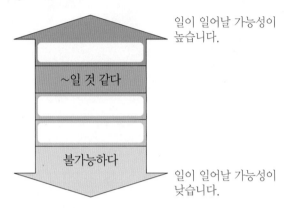

일이 일어날 가능성이 높습니다.

~일 것 같다

불가능하다

일이 일어날 가능성이 낮습니다.

2 일이 일어날 가능성을 생각하여 알맞게 표현한 곳에 ○표 하세요.

(1) 3월 3일 다음 날이 3월 4일일 것입니다.

불가능 하다	~아닐 것 같다	반반 이다	~일 것 같다	확실 하다

(2) 토끼가 알에서 태어날 것입니다.

불가능 하다	~아닐 것 같다	반반 이다	~일 것 같다	확실 하다

(3) 주사위를 3번 굴리면 주사위 눈의 수가 모두 2가 나올 것입니다.

불가능 하다	~아닐 것 같다	반반 이다	~일 것 같다	확실 하다

기본 유형 문제는 매칭북 **42**쪽에서 한 번 더!

🔵 **정답** 37쪽

3 회전판을 돌릴 때 화살이 초록색에 멈출 가능성을 알아보려고 합니다. 물음에 답하세요.

보기

ㄱ 불가능하다   ㄴ ~아닐 것 같다
ㄷ 반반이다   ㄹ ~일 것 같다
ㅁ 확실하다

가	나	다

(1) 화살이 초록색에 멈출 가능성을 보기 에서 찾아 표에 기호를 써넣으세요.

(2) 가, 나, 다 회전판을 돌릴 때 화살이 초록색에 멈출 가능성이 높은 순서대로 기호를 쓰면 ☐, ☐, ☐ 입니다.

4 1부터 6까지의 눈이 그려진 주사위를 한 번 굴리려고 합니다. 일이 일어날 가능성을 0부터 1까지의 수로 표현할 때, ☐ 안에 알맞은 수를 써넣으세요.

(1) 주사위 눈의 수가 1 이상이 나올 가능성을 수로 표현하면 ☐ 입니다.

(2) 주사위 눈의 수가 짝수가 나올 가능성을 수로 표현하면 ☐ 입니다.

(3) 주사위 눈의 수가 8 이상이 나올 가능성을 수로 표현하면 ☐ 입니다.

기본 유형

5 일이 일어날 가능성을 찾아 선으로 이으세요.

(1) 여름 방학 때 폭설이 올 가능성   ·   · ㄱ 확실하다

(2) 해가 동쪽에서 뜰 가능성   ·   · ㄴ 반반이다

(3) 주사위를 던져 홀수의 눈이 나올 가능성   ·   · ㄷ 불가능하다

6 제비뽑기 상자에 제비가 4개 들어 있고, 그중 2개가 당첨 제비입니다. 상자에서 제비 1개를 뽑을 때 당첨 제비를 뽑을 가능성을 ↓로 나타내세요.

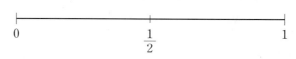

$$0 \qquad\qquad \frac{1}{2} \qquad\qquad 1$$

7 신우와 태경이가 농구를 하려고 합니다. 동전을 던져서 숫자 면이 나온 사람이 먼저 공격을 할 때, 신우가 먼저 공격을 하게 될 가능성을 수로 표현하세요. (단, '불가능하다'이면 0, '반반이다'이면 $\frac{1}{2}$, '확실하다'이면 1로 표현합니다.)

그림 면   숫자 면

(   )

평균 구하기

유형 01 찬수네 모둠의 키를 나타낸 표입니다. 찬수네 모둠의 키의 평균은 몇 cm인가요?

찬수네 모둠의 키

이름	찬수	지혜	미주	시원
키(cm)	148	157	145	150

(   )

확인 02 지난주 월요일부터 금요일까지 교실의 기온을 매일 낮 12시에 재어 나타낸 표입니다. 지난주 교실의 기온의 평균은 몇 °C인가요?

교실의 기온

요일	월	화	수	목	금
기온(°C)	22	25	20	27	26

(   )

강화 03 정현이의 일주일 독서량을 나타낸 표입니다. 정현이의 하루 독서량의 평균은 몇 쪽인지 두 가지 방법으로 구하세요.

일주일 독서량

요일	월	화	수	목	금	토	일
독서량 (쪽)	26	38	14	29	23	12	40

방법 1

방법 2

평균을 이용하여 자료의 합 구하기

04 ☐ 안에 알맞은 수를 써넣으세요.

> 승우는 30일 동안 하루에 평균 23회씩 윗몸 말아 올리기를 했습니다. 승우가 30일 동안 한 윗몸 말아 올리기는 모두 ☐ 회입니다.

05 준연이가 지난 1년 동안 받은 용돈은 모두 얼마인가요?

> 지난 1년 동안 한 달에 받은 용돈은 평균 8000원이야.

준연

(   )

06 [서술형] 어느 장난감 공장에서 미니카를 하루에 평균 320개 만든다고 합니다. 11월 1일부터 12월 31일까지 하루도 쉬지 않고 만든다면 미니카를 모두 몇 개 만들 수 있는지 풀이 과정을 쓰고, 답을 구하세요.

풀이

답

평균과 자료의 값 비교하기

07 희진이의 100 m 달리기 기록을 나타낸 표입니다. 알맞은 말에 ○표 하세요.

100 m 달리기 기록

회	1회	2회	3회	4회
기록(초)	23.1	18.2	20	22.7

> 희진이의 3회 기록인 20초는 평균에 비해
> (빠른 편 , 느린 편)입니다.

08 호찬이와 친구들이 한 학기 동안 읽은 책 수를 나타낸 표입니다. 한 학기 동안 읽은 책 수가 평균보다 더 많은 사람을 모두 쓰세요.

한 학기 동안 읽은 책 수

이름	호찬	예슬	상진	건우	경수
책 수(권)	33	17	25	18	27

( )

09 어느 휴양림에 5일 동안 다녀간 방문자 수를 나타낸 표입니다. 휴양림에서는 방문자 수가 지난 5일 동안 방문자 수의 평균보다 많았던 요일에 숲 해설가를 추가로 배정하려고 합니다. 숲 해설가를 추가로 배정해야 하는 요일을 모두 쓰세요.

방문자 수

요일	월	화	수	목	금
방문자 수(명)	123	162	99	131	145

( )

여러 자료의 평균 비교하기

10 영주네 모둠과 수호네 모둠이 훌라후프를 돌린 기록입니다. 어느 모둠이 더 잘 돌렸나요?

영주네 모둠	수호네 모둠
63, 97, 27, 73, 85	54, 68, 86, 79, 83

( )

11 ㉮ 모둠과 ㉯ 모둠의 단체 줄넘기 기록을 나타낸 표입니다. 어느 모둠의 단체 줄넘기 기록의 평균이 몇 회 더 많은지 차례로 구하세요.

단체 줄넘기 기록

회	1회	2회	3회	4회
㉮ 모둠(회)	36	18	37	25
㉯ 모둠(회)	24	28	39	33

( ), ( )

12 바이올린 대회 참가권 1장을 받기 위해 승진, 누리, 세연이가 연주를 했습니다. 심사 위원의 점수의 평균이 높은 사람이 참가권을 받는다고 할 때, 평가 결과를 보고 참가권을 받게 될 사람을 구하세요.

평가 결과

이름 \ 심사 위원	A	B	C	D
승진	92	95	89	92
누리	90	94	96	92
세연	91	90	93	90

( )

평균을 이용하여 모르는 자료의 값 구하기

유형 **13** 연주가 5일 동안 섭취한 열량을 나타낸 표입니다. 연주가 섭취한 열량의 평균은 하루 열량 섭취 권장량인 2000 kcal일 때, 연주가 목요일에 섭취한 열량은 몇 kcal인가요?

섭취한 열량

요일	월	화	수	목	금
열량 (kcal)	1870	2250	1920		2040

(   )

확인 **14** 유미가 1분씩 6회 동안 기록한 타자 수를 나타낸 표입니다. 유미가 기록한 타자 수의 평균이 312타일 때, 유미의 기록이 가장 좋은 때는 몇 회인지 풀이 과정을 쓰고, 답을 구하세요.

서술형

타자 수

회	1회	2회	3회	4회	5회	6회
타자 수(타)	304	322	332		289	310

풀이

답

강화 **15** 정후네 학교에서 실시하는 제기차기 대회는 반 평균이 30개 이상 되어야 학년별 경기에 참가할 수 있습니다. 5학년 6반의 제기차기 기록을 보고 6반이 학년별 경기에 참가하려면 마지막에 적어도 몇 개를 차야 하는지 구하세요.

| 35 | 40 | 27 | 32 | □ |

(   )

평균을 높이는(낮추는) 방법 구하기

16 지윤이의 과목별 단원 평가 점수를 나타낸 표입니다. 지윤이가 다음 시험에서 평균 점수를 2점 올리려면 단원 평가 점수의 합은 몇 점이어야 하나요?

단원 평가 점수

과목	국어	사회	과학	수학
점수(점)	94	90	88	92

(   )

17 어느 핸드볼 팀이 경기를 4번 했을 때 받은 반칙 수를 나타낸 표입니다. 이 핸드볼 팀이 다섯 경기 동안 받은 반칙 수의 평균이 네 경기 동안 받은 반칙 수의 평균보다 낮아졌다면 다섯 번째 경기에서 받은 반칙 수는 많아야 몇 개인가요?

받은 반칙 수

경기	첫 번째	두 번째	세 번째	네 번째
받은 반칙 수(개)	25	30	21	20

(   )

18 어느 수화 동아리 회원들의 나이입니다. 새로운 회원 한 명이 더 들어와서 평균 나이가 한 살 늘었다면 새로운 회원의 나이는 몇 살인가요?

| 20 | 18 | 16 | 21 | 25 |

(   )

일이 일어날 가능성 알아보기

19 일이 일어날 가능성을 찾아 기호를 쓰세요.

> ㉠ 불가능하다 ㉡ ~아닐 것 같다
> ㉢ 반반이다   ㉣ ~일 것 같다
> ㉤ 확실하다

(1) 박하 맛 사탕이 1개, 커피 맛 사탕이 3개 들어 있는 봉지에서 사탕 1개를 꺼낼 때 꺼낸 사탕이 커피 맛일 가능성

(   )

(2) 1부터 6까지의 눈이 그려진 주사위를 던 졌을 때 0의 눈이 나올 가능성

(   )

(3) 한 명의 아이가 태어날 때 여자 아이일 가능성

(   )

(4) 금요일의 다음 날이 토요일일 가능성

(   )

20 일이 일어날 가능성이 '확실하다'인 경우를 찾 아 기호를 쓰세요.

> ㉠ 서울의 12월 평균 기온이 40℃일 가능성
> ㉡ 은행에서 뽑은 대기 번호표의 번호가 홀수일 가능성
> ㉢ 4일 다음이 5일일 가능성

(   )

일이 일어날 가능성 수로 표현하기

21 일이 일어날 가능성이 '불가능하다'이면 0, '반 반이다'이면 $\frac{1}{2}$, '확실하다'이면 1로 표현하세요.

> 500원짜리 동전만 있는 저금통에서 동전을 하나 꺼낼 때 500원짜리 동전이 나올 가능성

(   )

22 다음 카드 중에서 한 장을 뽑을 때 ★의 카드 를 뽑을 가능성을 0부터 1까지의 수로 표현하 세요.

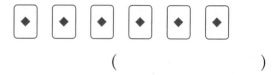

(   )

서술형

23 정민이가 구슬 개수 맞히기를 하고 있습니다. 구슬 8개가 들어 있는 상자에서 1개 이상의 구 슬을 꺼낼 때 꺼낸 구슬의 개수가 홀수일 가능 성을 0부터 1까지의 수로 표현하려고 합니다. 풀이 과정을 쓰고, 답을 구하세요.

풀이

답

일이 일어날 가능성 나타내기

유형 **24** 제비가 4개 들어 있는 제비뽑기 상자에서 제비를 한 개 뽑을 때 당첨 제비를 뽑을 가능성에 알맞게 □ 안에 기호를 써넣으세요.

> ㉠ 제비 4개 중에서 당첨 제비가 2개인 경우
> ㉡ 제비 4개 중에서 당첨 제비가 없는 경우
> ㉢ 제비 4개가 모두 당첨 제비인 경우

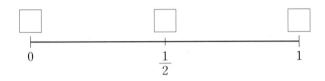

확인 **25** 회전판을 돌릴 때 화살이 빨간색에 멈출 가능성을 ↓로 나타내세요.

강화 **26** 일이 일어날 가능성에 알맞게 □ 안에 기호를 써넣으세요.

> ㉠ 내일 펭귄이 우리 집에 올 가능성
> ㉡ OX 문제를 풀 때 정답을 맞힐 가능성
> ㉢ 계산기에서 '2＋3＝'을 누르면 5가 나올 가능성
> ㉣ 빨간색 구슬 3개와 파란색 구슬 1개가 들어 있는 주머니에서 구슬 1개를 꺼낼 때 꺼낸 구슬이 빨간색일 가능성
> ㉤ 1, 2, 3, 4가 각각 쓰인 카드 4장 중에서 2가 쓰인 카드를 뽑을 가능성

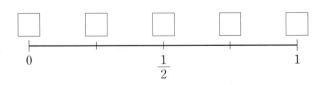

일이 일어날 가능성 비교하기

27 회전판을 48번 돌려서 화살이 멈춘 횟수를 나타낸 표입니다. 일이 일어날 가능성에 알맞은 회전판을 찾아 □ 안에 기호를 써넣으세요.

색깔	노랑	초록	파랑
횟수(회)	12	24	12

색깔	노랑	초록	파랑
횟수(회)	16	16	16

색깔	노랑	초록	파랑
횟수(회)	6	36	6

28 1부터 6까지의 눈이 그려진 주사위를 한 번 굴릴 때 일이 일어날 가능성이 낮은 순서대로 기호를 쓰세요.

> ㉮ 주사위의 눈의 수가 5의 배수로 나올 가능성
> ㉯ 주사위의 눈의 수가 6의 약수로 나올 가능성
> ㉰ 주사위의 눈의 수가 1 이상 6 이하로 나올 가능성
> ㉱ 주사위의 눈의 수가 9보다 큰 수로 나올 가능성

( )

29 혜미, 유이, 준우 세 사람이 마신 주스의 양의
평균은 320 mL이고, 세훈이가 마신 주스의
양은 280 mL입니다. 네 사람이 마신 주스의
양의 평균은 몇 mL인가요?

(   )

해결 (두 자료의 전체 평균)$=\dfrac{\text{(두 자료의 전체 값의 합)}}{\text{(두 자료의 전체 수)}}$

[서술형]

30 윤희네 모둠 남학생과 여학생의 몸무게의 평
균을 나타낸 표입니다. 윤희네 모둠의 몸무게
의 평균은 몇 kg인지 풀이 과정을 쓰고, 답을
구하세요.

몸무게의 평균

남학생 5명	42.2 kg
여학생 7명	43 kg

풀이

답

31 민수와 준하의 팔 굽혀 펴기 기록을 나타낸 표
입니다. 두 사람의 팔 굽혀 펴기 기록의 평균
이 같을 때, 준하의 3회 기록은 몇 회인가요?

민수의 기록

회	횟수(회)
1회	16
2회	7
3회	13

준하의 기록

회	횟수(회)
1회	15
2회	13
3회	
4회	8

(   )

해결 ① 항목이 모두 주어진 자료의 평균을 구합니다.
② ①에서 구한 평균을 이용하여 항목의 값을 모르는 자료의 전체
합을 구합니다.
③ 전체 합을 이용하여 항목의 값을 구합니다.

32 시후와 진서가 이번 주에 공부한 시간을 나타
낸 표입니다. 두 사람의 공부 시간의 평균이 같
을 때, 진서가 목요일에 공부한 시간은 몇 분
인가요?

시후가 공부한 시간

요일	시간(분)
월	120
수	60
금	90

진서가 공부한 시간

요일	시간(분)
월	70
화	120
수	100
목	
금	55

(   )

6
단원

서술형 해결하기

연습

01 어느 지역 과수원 12곳의 사과 생산량의 평균을 나타낸 표입니다. 이 지역을 동쪽과 서쪽으로 구분할 때 서쪽에 있는 과수원 3곳의 사과 생산량의 평균은 몇 t인지 풀이 과정을 쓰고, 답을 구하세요.

사과 생산량의 평균

전체 과수원 12곳의 사과 생산량의 평균	65 t
동쪽에 있는 과수원 9곳의 사과 생산량의 평균	68 t

서술형 포인트 먼저 전체 과수원의 사과 생산량의 평균을 이용하여 전체 과수원의 사과 생산량의 합을 구합니다.

풀이를 완성하세요.

❶ (전체 과수원의 사과 생산량의 합)

=

(동쪽에 있는 과수원의 사과 생산량의 합)

=

❷ (서쪽에 있는 과수원의 사과 생산량의 합)

=

(서쪽에 있는 과수원의 사과 생산량의 평균)

=

답

단계

02 귤을 노란색 상자와 초록색 상자에 나누어 담았습니다. 귤을 담은 상자 150개의 무게의 평균은 17.5 kg이고, 노란색 상자 75개의 무게의 평균은 20 kg입니다. **초록색 상자의 무게의 평균**은 몇 kg인지 풀이 과정을 쓰고, 답을 구하세요. (단, 빈 상자의 무게는 생각하지 않습니다.)

❶ 전체 귤 상자의 무게의 합과 노란색 상자의 무게의 합 각각 구하기

풀이

❷ 초록색 상자의 무게의 평균 구하기

풀이

답

실전

03 시원이네 모둠 15명의 키의 평균은 145.2 cm입니다. 남학생 8명의 키의 평균이 144.5 cm일 때, **여학생의 키의 평균**은 몇 cm인지 풀이 과정을 쓰고, 답을 구하세요.

풀이

답

연습, 실전 문제는 매칭북 **46**쪽에서 한 번 더!

▶ 정답 40쪽

연습 04 지역별 공공도서관 수를 나타낸 표입니다. 가 지역의 공공도서관 수가 다 지역의 공공도서관 수보다 57군데 더 많을 때, 다 지역의 공공도서관은 몇 군데인지 풀이 과정을 쓰고, 답을 구하세요.

지역별 공공도서관 수

지역	가	나	다	라	평균
도서관 수 (군데)		27		54	58

서술형 포인트 평균을 이용하여 네 지역의 공공도서관 수의 합을 먼저 구합니다.

풀이를 완성하세요.

❶ (네 지역의 공공도서관 수의 합)

= _____

❷ 다 지역의 공공도서관 수를 ■ 군데라 하면 가 지역의 공공도서관 수는 (■ + ☐) 군데입니다.

(네 지역의 공공도서관 수의 합)

= _____

_____

➡ 다 지역의 공공도서관은 ☐ 군데입니다.

답 _____

단계 05 마을별 쌀 생산량을 나타낸 표입니다. D 마을의 쌀 생산량이 A 마을의 쌀 생산량의 3배일 때, **D 마을의 쌀 생산량**은 몇 t인지 풀이 과정을 쓰고, 답을 구하세요.

마을별 쌀 생산량

마을	A	B	C	D	E	평균
생산량(t)		74	62		64	64

❶ 다섯 마을의 쌀 생산량의 합 구하기

풀이

❷ D 마을의 쌀 생산량 구하기

풀이

답 _____

실전 06 출판사별 하루 동안의 책 판매량을 나타낸 표입니다. 나 출판사의 책 판매량이 다 출판사의 책 판매량의 2배일 때, **나 출판사의 책 판매량**은 몇 권인지 풀이 과정을 쓰고, 답을 구하세요.

출판사별 책 판매량

출판사	가	나	다	라	마	평균
판매량(권)	130			174	167	162

풀이

답 _____

6 단원

[01~02] 승우네 학교 5학년 반별 학급 문고 수를 나타낸 표입니다. 물음에 답하세요.

반별 학급 문고 수

반	1반	2반	3반	4반
학급 문고 수(권)	168	169	185	158

01 승우네 학교 5학년 네 반의 학급 문고 수를 더하면 모두 몇 권인가요?

( )

02 한 반당 학급 문고 수의 평균은 몇 권인가요?

( )

03 일이 일어날 가능성을 찾아 선으로 이으세요.

(1) 코끼리가 한 마리 태어날 때 수컷일 가능성 •

(2) 우리나라에서 여름에 새해를 맞이할 가능성 •

(3) 목요일의 전날이 수요일일 가능성 •

• ㉠ 확실하다

• ㉡ 반반이다

• ㉢ 불가능하다

04 ☐ 안에 알맞은 수를 써넣으세요.

> 어느 지역의 12월 한 달 동안 대중교통 이용자 수의 평균은 하루 24000명이라고 합니다. 이 지역에서 12월에 대중교통을 이용한 사람은 모두 ☐ 명입니다.

05 회전판을 돌릴 때 화살이 초록색에 멈출 가능성을 ↓로 나타내세요.

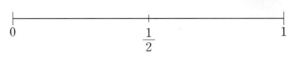

06 일이 일어날 가능성이 '확실하다'인 경우는 어느 것인가요? ( )

① 내일 눈이 올 가능성

② 암컷 개구리가 알을 낳을 가능성

③ 짝이 남자일 가능성

④ 1, 2, 3, 4가 각각 쓰인 4장의 카드 중에서 4가 쓰인 카드를 뽑을 가능성

⑤ 검은색 공만 들어 있는 주머니에서 흰색 공을 꺼낼 가능성

07 서율이네 모둠에서 하루 동안 자신이 사용한 물의 양을 나타낸 표입니다. 서율이네 모둠이 하루 동안 사용한 물의 양의 평균은 몇 L인지 두 가지 방법으로 구하세요.

하루 동안 사용한 물의 양

이름	서율	현서	은지	다을
물의 양(L)	384	278	286	376

방법 1

방법 2

[08~09] 동영상 공유 사이트에 동영상을 올리는 어떤 사람의 요일별 채널 구독자 수를 나타낸 표입니다. 물음에 답하세요.

요일별 채널 구독자 수

요일	월	화	수	목	금
구독자 수(명)	17만	9만		11만	14만

08 5일 동안 구독한 구독자 수의 평균이 15만 명일 때, 5일 동안 구독한 구독자 수는 모두 몇 명인가요?

(   )

09 수요일에 구독한 구독자 수는 몇 명인가요?

(   )

10 태민이네 모둠의 줄넘기 기록을 나타낸 표입니다. 줄넘기를 평균보다 더 많이 한 사람을 모두 쓰세요.

줄넘기 기록

이름	태민	민호	소진	주경
횟수(회)	29	40	32	23

(   )

11 배추를 가 밭에서는 6시간 동안 9000포기 수확했고, 나 밭에서는 4시간 동안 7200포기 수확했습니다. 1시간 동안 배추 수확량의 평균은 어느 밭이 몇 포기 더 많은지 차례로 구하세요.

(   ), (   )

12 일이 일어날 가능성이 높은 순서대로 기호를 쓰세요.

> ㉠ 검은색 구슬 4개가 들어 있는 주머니에서 구슬을 1개 꺼낼 때 검은색일 가능성
> ㉡ 흰색 구슬 4개가 들어 있는 주머니에서 구슬을 1개 꺼낼 때 검은색일 가능성
> ㉢ 검은색 구슬 3개와 흰색 구슬 1개가 들어 있는 주머니에서 구슬을 1개 꺼낼 때 검은색일 가능성

(   )

13 지현이의 단원 평가 점수를 나타낸 표입니다. 지현이가 다음 시험에서 평균 점수를 5점 올리려고 합니다. 다른 과목은 이번 시험과 점수가 같고 과학에서만 점수를 올리려면 과학은 몇 점을 받아야 하나요?

단원 평가 점수

과목	국어	수학	과학
점수(점)	90	86	70

(   )

14 민준이네 반 남학생과 여학생의 하루 컴퓨터 이용 시간의 평균을 나타낸 표입니다. 민준이네 반 학생들의 하루 컴퓨터 이용 시간의 평균은 몇 분인가요?

하루 컴퓨터 이용 시간의 평균

남학생 18명	44분
여학생 12명	34분

(   )

15 정은이와 예희의 50 m 달리기 기록을 나타낸 표입니다. 두 사람의 달리기 기록의 평균이 같을 때, 예희의 2회 기록은 몇 초인가요?

정은이의 기록

회	기록(초)
1회	11
2회	14
3회	10
4회	9

예희의 기록

회	기록(초)
1회	10
2회	
3회	14

( )

16 어느 양계장에서 키우는 수탉과 암탉 50마리의 무게의 평균은 5.3 kg입니다. 수탉 15마리의 무게의 평균이 6 kg일 때, 암탉의 무게의 평균은 몇 kg인가요?

( )

17 지역별 배 생산량을 나타낸 표입니다. D 지역의 배 생산량이 B 지역의 배 생산량의 2배일 때, D 지역의 배 생산량은 몇 t인가요?

지역별 배 생산량

지역	A	B	C	D	평균
생산량(t)	44		62		47.5

( )

18 재호가 3월부터 7월까지 읽은 책 수를 나타낸 표입니다. 월별 읽은 책 수의 평균을 구하고, 6월에 읽은 책 수를 평균과 비교하여 설명하세요.

월별 읽은 책 수

월	3	4	5	6	7
책 수(권)	10	12	10	16	12

평균 _____

비교 _____

19 검은색 바둑돌만 5개 들어 있는 주머니에서 바둑돌을 1개 꺼낼 때 꺼낸 바둑돌이 흰색일 가능성과 검은색일 가능성을 각각 0부터 1까지의 수로 표현하려고 합니다. 풀이 과정을 쓰고, 답을 구하세요.

풀이 _____

_____

_____

답 흰색: _____ , 검은색: _____

20 가 모둠과 나 모둠의 왕복 오래달리기 기록입니다. 어느 모둠의 기록의 평균이 몇 회 더 많은지 풀이 과정을 쓰고, 답을 차례로 구하세요.

가 모둠
18, 16, 21, 29

나 모둠
15, 22, 17, 20, 26

풀이 _____

_____

_____

답 _____ ,

쉬어가기

'헬로우' 내 이름은 헨리야.

나는 유럽에 있는 섬나라인 영국에서 살아.

'헬로우'는 일상생활에서 만났을 때 하는 인사말로

"안녕하세요."라는 뜻이야.

영국은 아직도 왕과 여왕이 존재하는 나라야.

하지만 왕이나 여왕이 나라를 다스리지는 않아.

영국의 수도인 런던에는 런던 아이, 버킹엄 궁전, 타워 브릿지, 빅 벤 등 그 역사만큼 볼

거리가 아주 많아. 고대 유적지인 스톤헨지가 있는 솔즈베리도 유명해.

스톤헨지는 한 개에 최소 40톤이 넘는 돌이 세워져 있는 아주 신비로운 곳이야.

헬로우
(Hello)

런던 타워 브릿지

솔즈베리 스톤헨지

'빅 벤'은 영국 런던에 있는 국회의사당
하원 시계탑의 대형 시계예요.

런던의 빅 벤

MEMO

동아출판
초등 무료
스마트러닝

무료 스마트 러닝

동아출판 초등 **무료 스마트러닝**으로
초등 전 과목 · 전 영역을 쉽고 재미있게!

백점수학 5-1 동영상 학습
개념 강의, 문제풀이 전략 강의

과목별 · 영역별 특화 강의

전 과목 개념 강의

국어 독해 지문 분석 강의

구구단 송

그림으로 이해하는 비주얼씽킹 강의

과학 실험 동영상 강의

과목별 문제 풀이 강의

서비스 제공 교재   백점 시리즈 | 큐브 | 빠작 초등 국어 | 초능력 | 초고필 | 하이탑 초등 과학

큐브
수학
실력
매칭북

5·2

◆ 1:1 매칭 학습 ▸ 매칭북으로 진도북의 문제를 한 번 더 복습 | 단원 평가지 제공

동아출판

매칭북

차례   5·2

1 52 이상인 수는 모두 몇 개인가요?

50.2	62.9	17.2	52.0
74.3	55.1	22.4	82.7

( )

2 14 미만인 수로 이루어져 있는 것을 찾아 기호를 쓰세요.

㉠ 1, 4, 9, 16, 25
㉡ 2, 5, 9, 12, 14
㉢ 3, 6, 8, 10, 13

( )

3 어느 지역의 마을별 초등학생 수를 조사하여 나타낸 표입니다. 물음에 답하세요.

마을별 초등학생 수

마을	학생 수(명)	마을	학생 수(명)
들꽃	135	보람	143
사랑	167	은하	121
행복	98	푸른	120

(1) 초등학생 수가 120명 이하인 마을을 모두 쓰세요.

( )

(2) 초등학생 수가 135명 초과인 마을을 모두 쓰세요.

( )

4 84가 포함되는 수의 범위를 찾아 기호를 쓰세요.

㉠ 79 초과 84 미만인 수
㉡ 83 초과 85 이하인 수
㉢ 79 이상 83 이하인 수

( )

[5~6] 씨름 선수들의 체급별 몸무게를 나타낸 표입니다. 물음에 답하세요.

체급별 몸무게(초등학생용)

체급	몸무게(kg) 범위
경장급	40 이하
소장급	40 초과 45 이하
청장급	45 초과 50 이하
용장급	50 초과 55 이하
용사급	55 초과 60 이하

(출처: 씨름의 역사(현대), 한국씨름연구소. 2019.)

5 민석이의 몸무게는 42.8 kg입니다. 민석이가 속한 체급은 어느 체급인가요?

( )

6 민석이가 속한 체급의 몸무게 범위를 수직선에 나타내세요.

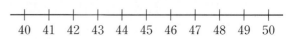

40 41 42 43 44 45 46 47 48 49 50

01 32 초과 41 이하인 수가 쓰인 모자는 모두 몇
02 개인가요?
유사

( )

02 55 이상 67 미만인 자연수는 모두 몇 개인지
03 구하세요.
유사

( )

03 수직선에 나타낸 수의 범위에 포함되는 자연
05 수는 모두 몇 개인가요?
유사

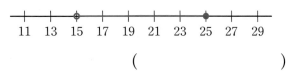

( )

04 수직선에 나타낸 수의 범위에 속하는 수를 모
06 두 찾아 ○표 하세요.
유사

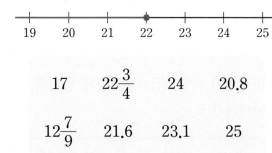

$$17 \quad 22\frac{3}{4} \quad 24 \quad 20.8$$

$$12\frac{7}{9} \quad 21.6 \quad 23.1 \quad 25$$

05 다음 수의 범위에 포함되는 자연수 중에서 가
08 장 큰 수와 가장 작은 수의 합은 얼마인지 풀
유사 이 과정을 쓰고, 답을 구하세요.

서술형

10 이상 93 이하인 수

풀이

답

06 다음은 ☐ 이하인 자연수입니다. ☐ 안에 들어
09 갈 수 있는 가장 작은 자연수를 구하세요.
유사

76   71   73   78   72

( )

07 수직선에 나타낸 수의 범위에 속하는 모든 자
11 연수들의 합을 구하세요.
유사

5   6   7   8   9   10   11   12   13   14

( )

08 수의 범위에 포함되는 자연수들의 합이 더 큰
12 것의 기호를 쓰세요.
유사

㉠ 4 초과 9 미만인 수
㉡ 7 이하인 수

( )

진도북[012~015쪽]의 확인, 강화 문제 복습

정답 42쪽

09 다음 수가 모두 포함되도록 수의 범위를 나타내려고 합니다. 이상, 이하, 초과, 미만 중에서 □ 안에 알맞은 말을 써넣으세요.

| 27 | 28.4 | 29 | 30.1 | 31 |

➡ 27 □ 31 □ 인 수

10 ㉠과 ㉡에 알맞은 자연수는 각각 얼마인지 풀이 과정을 쓰고, 답을 구하세요.

[서술형]

㉠ 이상 ㉡ 미만인 자연수는
43, 44, 45, 46, 47입니다.

풀이

답 ㉠:   , ㉡:

11 수직선에 나타낸 자연수의 범위에 알맞게 □ 안에 알맞은 수나 말을 써넣으세요.

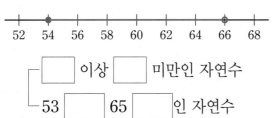

□ 이상 □ 미만인 자연수

53 □ 65 □ 인 자연수

12 □ 안에 알맞은 자연수를 써넣으세요.

71 이상 84 미만인 자연수의 범위는 □ 초과 □ 이하인 자연수의 범위와 같습니다.

13 일산화탄소 농도 기준표입니다. 일산화탄소 농도가 '보통'인 지역을 모두 쓰세요.

구분	좋음	보통	나쁨	매우 나쁨
농도 범위 (μg/m³)	2 이하	2 초과 9 이하	9 초과 15 이하	15 초과

↳ μg은 일산화탄소 농도의 단위로 마이크로그램이라고 합니다.

지역별 일산화탄소 농도   (단위: μg/m³)

지역	서울	경기	전남	경남	제주
농도	1.5	2.0	2.4	2.5	0.1

(   )

14 50 m 달리기 급수가 2등급인 사람을 모두 쓰세요.

달리기 기록

이름	기록(초)
우인	11.2
혜정	10.5
상민	9.4
영재	8.9
태희	13.9

달리기 급수

급수	기록(초) 범위
1	8.8 이하
2	8.8 초과 9.7 이하
3	9.7 초과 10.5 이하
4	10.5 초과 13.2 이하
5	13.2 초과

(   )

15 2018년 평창 동계 올림픽에서 나라별 딴 메달 수를 나타낸 표입니다. 메달 수가 15개 초과인 나라를 모두 쓰세요.

[교과 역량]

23 유사

나라별 메달 수

나라	메달 수(개)	나라	메달 수(개)	나라	메달 수(개)
독일	31	영국	5	스페인	2
체코	7	미국	23	스위스	15
스웨덴	14	핀란드	6	중국	9

( )

16 우체국의 무게별 택배 요금을 나타낸 표입니다. 9.3 kg인 물건을 0.7 kg인 상자에 넣어 택배를 보내려면 얼마를 내야 하나요? (단, 크기는 생각하지 않습니다.)

24 유사

무게별 택배 요금

무게(kg) 범위	요금(원)
2 이하	5000
2 초과 5 이하	6000
5 초과 10 이하	7500
10 초과 20 이하	9500
20 초과 30 이하	12000

(출처: 우체국 택배(창구 접수 기준), 2019.)

( )

17 두 조건을 모두 만족하는 수의 범위를 자연수를 사용하여 이상과 미만으로 나타내세요.

26 유사

㉠ 16 초과 26 이하인 자연수
㉡ 20 이상 33 미만인 자연수

( )

18 수직선에 나타낸 수의 범위에 포함되는 자연수는 13개입니다. ㉮에 알맞은 자연수를 구하세요.

28 유사

㉮   48

( )

19 승희네 학교 5학년 학생들이 캠프를 가려면 정원이 40명인 버스가 최소 6대 필요합니다. 승희네 학교 5학년 학생은 몇 명 이상 몇 명 이하인지 구하세요. (단, 운전사와 선생님의 수는 생각하지 않습니다.)

30 유사

( )

20 자연수 부분이 6 이상 7 이하이고, 소수 첫째 자리 숫자가 3 이상 5 이하인 소수 한 자리 수를 만들려고 합니다. 만들 수 있는 소수 한 자리 수는 모두 몇 개인지 풀이 과정을 쓰고, 답을 구하세요.

[서술형]

32 유사

풀이

답

STEP 1

한번더 개념 완성하기

진도북[018~021쪽]의 기본 유형 문제 복습

1. 수의 범위와 어림하기

정답 43쪽

1 단원

1 수를 올림하여 백의 자리까지 나타내려고 합니다. 준영이와 원희 중 잘못 나타낸 사람의 이름을 쓰세요.

준영
2357 ➡ 2360

원희
3814 ➡ 3900

(   )

[2~3] ㉠과 ㉡을 어림한 후, 어림한 수의 크기를 비교하여 ○ 안에 >, =, <를 알맞게 써넣으세요.

2
㉠ 1678을 올림하여 백의 자리까지
나타낸 수 ➡ [   ]

㉡ 1682를 올림하여 십의 자리까지
나타낸 수 ➡ [   ]

㉠ ◯ ㉡

3
㉠ 5403을 버림하여 천의 자리까지
나타낸 수 ➡ [   ]

㉡ 5342를 버림하여 백의 자리까지
나타낸 수 ➡ [   ]

㉠ ◯ ㉡

4 민석이네 모둠 학생들의 몸무게를 나타낸 표입니다. 몸무게를 반올림하여 일의 자리까지 나타내세요.

이름	몸무게(kg)	반올림한 몸무게(kg)
민석	40.3	
연아	34.8	
채아	37.5	

5 소라는 마트에서 3400원인 음료수를 1000원짜리 지폐로 사려고 합니다. 최소 얼마를 내야 하는지 물음에 답하세요.

⑴ 올림, 버림, 반올림 중에서 어떤 방법으로 어림해야 하나요?

(   )

⑵ 최소 얼마를 내야 하나요?

(   )

6 별 모양을 한 개 만드는 데 색 테이프 10 cm가 필요합니다. 색 테이프 92 cm로 별 모양을 몇 개까지 만들 수 있는지 물음에 답하세요.

⑴ 올림, 버림, 반올림 중에서 어떤 방법으로 어림해야 하나요?

(   )

⑵ 별 모양을 몇 개까지 만들 수 있나요?

(   )

01 5.134를 올림하여 소수 둘째 자리까지 나타낸
유사 02 수는 어느 것인가요? (　　　　)

① 5.13　　② 5.14　　③ 5.1

④ 5.2　　⑤ 6

02 62705를 올림하여 만의 자리까지 나타낸 수
유사 03 와 올림하여 천의 자리까지 나타낸 수의 차를
구하세요.

(　　　　　　　)

03 올림하여 백의 자리까지 나타내면 3200이 되
유사 05 는 자연수 중에서 가장 큰 수와 가장 작은 수
를 각각 구하세요.

가장 큰 수 (　　　　　　　)

가장 작은 수 (　　　　　　　)

04 다음 네 자리 수를 올림하여 천의 자리까지 나
유사 06 타내면 8000입니다. □ 안에 들어갈 수 있는
수는 모두 몇 개인가요?

7□00

(　　　　　　　)

05 버림하여 백의 자리까지 나타낸 수가 다른 하
유사 08 나를 찾아 기호를 쓰세요.

㉠ 42800　　㉡ 42812
㉢ 42900　　㉣ 42899

(　　　　　　　)

06 버림하여 십의 자리까지 나타냈을 때 가장 큰
유사 09 수가 되는 것은 어느 것인가요? (　　　　)

① 3379　　② 3450　　③ 3508

④ 3512　　⑤ 3473

07 버림하여 천의 자리까지 나타내면 5000이 되
유사 11 는 자연수 중에서 가장 큰 수는 얼마인지 풀이
과정을 쓰고, 답을 구하세요.　　[서술형]

풀이

답

08 민주가 처음에 생각한 자연수를 구하세요.
유사 12

석현: 민주야, 네가 생각한 자연수에 9를 곱해
서 나온 수를 버림하여 십의 자리까지 나
타내면 얼마야?

민주: 70이야.

(　　　　　　　)

09 우리나라 야구장별 관람석 수를 나타낸 표입니다. 관람석 수를 반올림하여 천의 자리까지 나타내세요.

[교과 역량]

[14 유사]

야구장별 관람석 수

지역	관람석(석)	반올림한 수
부산	28500	
광주	12500	
잠실	30306	
수원	20800	

10 주어진 수를 반올림하여 해당 자리까지 나타낼 때 가장 큰 수가 되는 것은 어느 것인가요?

[15 유사]

(   )

549083

① 십만의 자리   ② 만의 자리

③ 천의 자리   ④ 백의 자리

⑤ 십의 자리

11 다섯 자리 수 672☐5를 반올림하여 백의 자리까지 나타내면 67200입니다. ☐ 안에 들어갈 수 있는 수를 모두 구하려고 합니다. 풀이 과정을 쓰고, 답을 구하세요.

[서술형]

[17 유사]

풀이

답

12 어떤 수를 반올림하여 십의 자리까지 나타냈더니 340이 되었습니다. 어떤 수가 될 수 있는 수의 범위를 수직선에 나타내고, ☐ 안에 알맞은 수를 써넣으세요.

[18 유사]

330   340   350

☐ 이상 ☐ 미만

13 버림하여 천의 자리까지 나타낸 수와 반올림하여 천의 자리까지 나타낸 수가 같은 것을 모두 고르세요. (   )

[20 유사]

① 84036   ② 80512

③ 83391   ④ 82604

⑤ 86750

14 어떤 수를 올림하여 십의 자리까지 나타내면 450이고, 반올림하여 십의 자리까지 나타내면 440입니다. 어떤 수가 될 수 있는 자연수는 모두 몇 개인가요?

[21 유사]

(   )

15 선물을 포장하는 데 리본 387 cm가 필요합니다. 문구점에서 리본을 60 cm 묶음으로만 팔고, 60 cm에 450원입니다. 문구점에서 리본을 사려면 최소 얼마가 필요한가요?

[24 유사]

(   )

1
단원

16 저금통에 100원짜리 동전이 281개, 50원짜리 동전이 72개, 10원짜리 동전이 36개 들어 있습니다. 이 돈을 1000원짜리 지폐로 바꾼다면 최대 몇 장까지 바꿀 수 있나요?
(26유사)

(   )

17 어느 농장에서 당근 354 kg을 캤습니다. 이 당근을 한 상자에 15 kg씩 담아서 한 상자에 12000원씩 받고 팔았습니다. 당근을 판 돈은 최대 얼마인가요?
(27유사)

(   )

18 어느 해 서울의 초등학생 수는 남학생 219464명, 여학생 204336명이었습니다. 이 해의 서울의 초등학생 수를 반올림하여 만의 자리까지 나타내면 몇만 명인가요?
(29유사)

(   )

19 공원에서 우체국까지의 거리는 7.3 km이고, 우체국에서 병원까지의 거리는 11.5 km입니다. 공원에서 우체국을 지나 병원까지의 거리를 반올림하여 십의 자리까지 나타내면 몇 km인가요?
(30유사)

(   )

20 현우, 민정, 소연이는 다음 학용품값을 보고 세 가지 학용품을 사는 데 필요한 금액을 어림했습니다. 세 사람이 어림한 방법을 각각 쓰세요. (단, 한 사람은 1가지 방법으로만 어림합니다.)
(32유사)

물감	크레파스	색연필
15400원	11900원	6200원

현우
16000, 12000, 7000으로 어림해서 모두 35000원이야.

15000, 12000, 6000으로 어림해서 모두 33000원이야.

민정

소연
15000, 11000, 6000으로 어림해서 모두 32000원이야.

이름	현우	민정	소연
어림 방법			

21 공장에서 사탕 5723개를 생산했습니다. 사탕을 한 상자에 10개씩 넣어 8500원에 팔거나 한 상자에 100개씩 넣어 70000원에 팔려고 합니다. 사탕을 두 가지 방법으로 각각 최대한 많이 팔았을 때 판 금액의 차는 얼마인지 풀이 과정을 쓰고, 답을 구하세요.
(34유사)
[서술형]

(풀이)

(답)

01 어느 지역 주차장의 주차 요금은 기본 1시간에 2000원이고, 1시간 초과 시 10분마다 500원씩 추가하여 요금을 받습니다. 이 주차장에 **92분 동안 주차했다면 내야 할 주차 요금**은 얼마인지 풀이 과정을 쓰고, 답을 구하세요. (단, 추가 요금은 1시간 초과 시 올림을 적용합니다.)

(01 유사)

❶ 기본요금과 추가 요금을 내야 하는 시간 각각 구하기

풀이

❷ 내야 할 주차 요금 구하기

풀이

답 _____

02 어느 보드게임 카페의 이용 요금을 나타낸 것입니다. 이 보드게임 카페를 **115분 동안 이용했다면 내야 할 이용 요금**은 얼마인지 풀이 과정을 쓰고, 답을 구하세요. (단, 추가 요금은 1시간 초과 시 올림을 적용합니다.)

(03 유사)

이용 요금

• 기본 1시간 요금: 5000원
• 1시간 초과 시: 10분마다 600원씩 추가

풀이

답 _____

03 태우네 가족이 극장에서 영화를 보려고 하는데 태우는 영화를 볼 수 없다고 합니다. 영화 관람 등급 안내문의 □ **안에 알맞은 수**는 얼마인지 풀이 과정을 쓰고, 답을 구하세요.

(04 유사)

가족의 나이

가족	아빠	엄마	형	태우
나이(세)	43	40	15	14

[영화 관람 등급 안내]
이 영화는 □세 미만은 볼 수 없습니다.

❶ 영화를 볼 수 있는 사람의 나이의 범위 구하기

풀이

❷ □ 안에 알맞은 수 구하기

풀이

답 _____

04 어느 나비 박물관에서 나이가 13세 이하이거나 65세 이상인 사람은 입장료를 받지 않습니다. **입장료를 내야 하는 사람의 나이의 범위를 초과와 미만으로 나타내려고 합니다.** 풀이 과정을 쓰고, 답을 구하세요.

(06 유사)

풀이

답 _____

05 그림 그리기 대회에 참가한 학생 수를 반올림하여 십의 자리까지 나타내면 520명입니다. 이 학생들에게 도화지를 한 장씩 나누어 주려고 합니다. **도화지가 모자라지 않으려면 도화지를 최소 몇 장** 준비해야 하는지 풀이 과정을 쓰고, 답을 구하세요.

(07 유사)

❶ 그림 그리기 대회에 참가한 학생 수의 범위 구하기

(풀이)

❷ 준비해야 하는 도화지의 수 구하기

(풀이)

(답)

06 연정이네 학교 학생 수를 버림하여 백의 자리까지 나타내면 1300명입니다. 이 학생들에게 공책을 3권씩 나누어 주려고 합니다. **공책이 모자라지 않으려면 공책을 최소 몇 권** 준비해야 하는지 풀이 과정을 쓰고, 답을 구하세요.

(09 유사)

(풀이)

(답)

07 수 카드 4장을 한 번씩 모두 사용하여 가장 큰 네 자리 수를 만들었습니다. 만든 수를 **반올림하여 십의 자리까지 나타낸 수와 버림하여 십의 자리까지 나타낸 수의 차**는 얼마인지 풀이 과정을 쓰고, 답을 구하세요.

(10 유사)

| 9 | 5 | 8 | 6 |

❶ 만들 수 있는 가장 큰 네 자리 수 구하기

(풀이)

❷ 반올림하여 십의 자리까지 나타낸 수와 버림하여 십의 자리까지 나타낸 수의 차 구하기

(풀이)

(답)

08 카드 5장을 한 번씩 모두 사용하여 가장 작은 소수 세 자리 수를 만들었습니다. 만든 수를 **버림하여 소수 첫째 자리까지 나타낸 수와 올림하여 소수 둘째 자리까지 나타낸 수의 차**는 얼마인지 풀이 과정을 쓰고, 답을 구하세요.

(12 유사)

| 3 | 7 | 4 | 0 | . |

(풀이)

(답)

한번더 **개념 완성하기**

2. 분수의 곱셈

● **정답** 46쪽

1 계산 결과를 찾아 선으로 이으세요.

(1) $\dfrac{2}{9} \times 12$ ·

(2) $1\dfrac{1}{14} \times 2$ ·

(3) $2\dfrac{5}{8} \times 6$ ·

· ㉠ $15\dfrac{3}{4}$

· ㉡ $2\dfrac{1}{7}$

· ㉢ $2\dfrac{2}{3}$

2 크기를 비교하여 더 큰 것에 ○표 하세요.

$3\dfrac{2}{7}$ $\dfrac{4}{7} \times 6$

(   ) (   )

3 주스가 $\dfrac{4}{5}$ L씩 들어 있는 컵이 6개 있습니다. 주스는 모두 몇 L인가요?

☐ ×6= ☐ (L)

4 크기를 비교하여 ○ 안에 >, =, <를 알맞게 써넣으세요.

(1) $3 \times 1\dfrac{1}{4}$ ◯ 3

(2) $6 \times \dfrac{9}{11}$ ◯ 6

5 동원이와 민지가 계산한 것을 보고 옳게 계산한 사람의 이름을 쓰세요.

> · 동원: $1\dfrac{3}{8} \times 6 = 5\dfrac{1}{4}$
>
> · 민지: $9 \times 2\dfrac{1}{3} = 21$

(   )

6 고양이의 무게는 4 kg이고, 강아지의 무게는 고양이의 무게의 $1\dfrac{3}{4}$배입니다. 강아지의 무게는 몇 kg인가요?

☐ ×$1\dfrac{3}{4}$= ☐ (kg)

01 가장 큰 수와 가장 작은 수의 곱을 구하세요.
02 유사

$$4\frac{3}{10} \qquad 1\frac{9}{16} \qquad 8$$

( )

02 ㉠과 ㉡의 계산 결과의 차를 구하세요.
03 유사

㉠ $2\frac{2}{5} \times 10$ ㉡ $3 \times 1\frac{4}{15}$

( )

03 계산에서 잘못된 부분을 찾아 이유를 쓰고, 옳 게 고쳐 계산하세요. [서술형]
06 유사

$$3\frac{3}{10} \times \overset{2}{\underset{5}{4}} = 3\frac{6}{5} = 4\frac{1}{5}$$

이유)

$$3\frac{3}{10} \times 4$$

04 계산 결과가 작은 순서대로 기호를 쓰세요.
09 유사

㉠ $\frac{5}{8} \times 10$ ㉡ $5 \times 1\frac{2}{5}$

㉢ $2\frac{1}{4} \times 3$ ㉣ $4 \times 1\frac{1}{2}$

( )

05 휘발유 1 L로 $6\frac{4}{9}$ km를 가는 트럭이 있습니 다. 이 트럭에 휘발유가 30 L 들어 있다면 몇 km를 갈 수 있는지 식을 쓰고, 답을 구하세요.
11 유사

식)

답)

06 은희는 둘레가 $1\frac{1}{2}$ km인 트랙을 3바퀴 달렸 고, 건우는 둘레가 $\frac{5}{8}$ km인 트랙을 5바퀴 달 렸습니다. 은희와 건우가 달린 거리는 모두 몇 km인지 풀이 과정을 쓰고, 답을 구하세요. [서술형]
12 유사

풀이)

답)

07 태극기를 정확히 그리려면 분수의 곱셈을 이
⑭유사 용해야 합니다. 가로가 54 cm인 태극기를 그
릴 때 ㉮와 ㉯를 각각 몇 cm로 해야 하는지
구하세요.

교과 역량

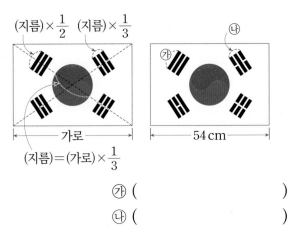

㉮ (   )

㉯ (   )

08 주원이는 집에서 6 km 떨어진 삼촌 댁에 갔습
⑮유사 니다. 전체 거리의 $\frac{5}{7}$는 지하철을 타고 갔고,
나머지 거리는 자전거를 타고 갔습니다. 자전거
를 탄 거리는 몇 km인지 풀이 과정을 쓰고, 답
을 구하세요.

서술형

풀이

답

09 평행사변형의 넓이는 몇 cm²인가요?
⑰유사

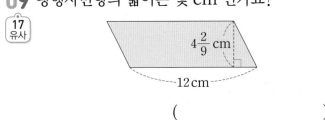

(   )

10 수아네 텃밭은 가로가 $5\frac{3}{4}$ m, 세로가 6 m인
⑱유사 직사각형 모양이고, 형호네 텃밭은 가로가 10 m,
세로가 $\frac{5}{6}$ m인 직사각형 모양입니다. 누구네
텃밭이 몇 m² 더 넓은지 차례로 구하세요.

(   ), (   )

11 어느 수도꼭지에서 1시간에 92 L씩 물이 일정
⑳유사 한 양으로 나옵니다. 이 수도꼭지에서 2시간
15분 동안 나오는 물은 모두 몇 L인가요?

(   )

12 □ 안에 들어갈 수 있는 자연수는 모두 몇 개
㉒유사 인지 풀이 과정을 쓰고, 답을 구하세요.

서술형

$$\frac{5}{8} \times 12 < \square < 3\frac{1}{6} \times 4$$

풀이

답

STEP **1** 한번 더 **개념 완성하기**

2. 분수의 곱셈

> 정답 47쪽

1 보아와 현민이가 계산한 것을 보고 옳게 계산한 사람의 이름을 쓰세요.

$$\frac{4}{5} \times \frac{7}{8} = \frac{7}{40}$$

보아

$$\frac{6}{7} \times \frac{5}{8} = \frac{15}{28}$$

현민

( )

2 계산 결과가 작은 순서대로 기호를 쓰세요.

㉠ $\frac{1}{7} \times \frac{1}{6}$ ㉡ $\frac{1}{2} \times \frac{1}{8}$ ㉢ $\frac{1}{5} \times \frac{1}{5}$

☐ < ☐ < ☐

3 서진이네 반 학생의 $\frac{3}{5}$은 여학생이고, 그중 $\frac{2}{9}$가 모자를 썼습니다. 서진이네 반에서 모자를 쓴 여학생은 전체의 몇 분의 몇인가요?

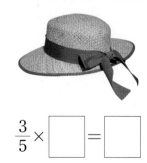

$$\frac{3}{5} \times \boxed{} = \boxed{}$$

4 계산 결과를 비교하여 ○ 안에 >, =, <를 알맞게 써넣으세요.

$$1\frac{2}{5} \times 6\frac{1}{4} \quad \bigcirc \quad 2\frac{3}{4} \times 4\frac{4}{11}$$

5 빈 곳에 알맞은 수를 써넣으세요.

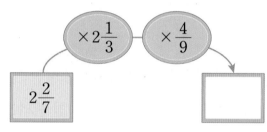

6 가로가 $3\frac{1}{3}$ cm이고, 세로가 $2\frac{2}{5}$ cm인 직사각형의 넓이는 몇 cm²인가요?

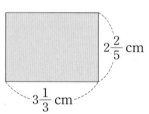

(직사각형의 넓이)=(가로)×(세로)

$$3\frac{1}{3} \times \boxed{} = \boxed{} \ (\text{cm}^2)$$

한 번 더 **실력 다지기**

2. 분수의 곱셈

정답 47쪽

01 세 분수의 곱을 구하세요.
(02 유사)

$$\frac{3}{5} \qquad 1\frac{5}{12} \qquad 3\frac{3}{4}$$

( )

02 계산에서 잘못된 부분을 찾아 이유를 쓰고, 옳게 고쳐 계산하세요.
(05 유사) [서술형]

$$1\frac{7}{8} \times 2\frac{2}{3} = \frac{11}{\overset{}{4}} \times \frac{7}{3} = \frac{77}{12} = 6\frac{5}{12}$$

이유) _____

_____

$$1\frac{7}{8} \times 2\frac{2}{3}$$

03 잘못 계산한 사람의 이름을 쓰고, 옳게 계산했을 때의 값을 구하세요.
(06 유사)

혜정

$$4\frac{2}{3} \times 1\frac{2}{7} = 4\frac{4}{21}$$

승수

$$7\frac{1}{2} \times 1\frac{3}{5} = 12$$

( ), ( )

04 곱이 가장 큰 것은 어느 것인가요? ( )
(08 유사)

① $3\frac{3}{4} \times 2\frac{2}{15}$ ② $\frac{5}{12} \times \frac{9}{10}$

③ $\frac{17}{42} \times 14$ ④ $66 \times \frac{2}{21}$

⑤ $\frac{1}{8} \times \frac{1}{6}$

05 봉지에 찰흙이 $1\frac{2}{7}$ kg 들어 있습니다. 이 봉지에 찰흙을 $2\frac{1}{4}$ kg 더 넣어서 그중 $\frac{4}{9}$ 를 사용했습니다. 사용한 찰흙은 몇 kg인가요?
(11 유사)

( )

06 분수의 곱셈식에 알맞은 문제를 만들고, 풀이 과정을 쓰고, 답을 구하세요.
(12 유사) [서술형]

$$2\frac{1}{6} \times 2\frac{4}{13}$$

문제) _____

풀이) _____

답) _____

07 □ 안에 들어갈 수 있는 자연수를 모두 구하려
고 합니다. 풀이 과정을 쓰고, 답을 구하세요.

(14 유사) [서술형]

$$2\frac{1}{4} \times 1\frac{3}{5} > \square\frac{2}{5}$$

풀이 _____

_____

_____

_____

답 _____

08 □ 안에 들어갈 수 있는 자연수는 모두 몇 개인
가요?

(15 유사)

$$2\frac{4}{5} \times 1\frac{1}{4} < \square < 3\frac{3}{7} \times 2\frac{3}{8}$$

(   )

09 직사각형 가와 평행사변형 나가 있습니다. 나는
가보다 몇 m² 더 넓나요?

(17 유사)

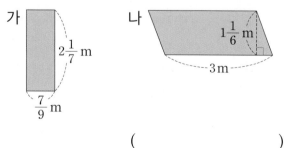

(   )

10 한 변의 길이가 $2\frac{4}{9}$ cm인 정사각형의 각 변
의 한가운데 점을 이어서 작은 정사각형을 만
들었습니다. 같은 방법으로 정사각형을 만들어
갈 때 색칠한 부분의 넓이는 몇 cm²인가요?

(18 유사)

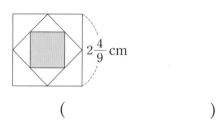

(   )

11 어머니의 몸무게는 $51\frac{1}{3}$ kg입니다. 도혜는 어
머니의 몸무게의 $\frac{5}{7}$이고, 아버지는 도혜의 몸무
게의 $2\frac{2}{5}$입니다. 아버지의 몸무게는 몇 kg인가
요?

(20 유사)

(   )

12 민수는 3일 동안 책을 읽었습니다. 첫째 날은 전
체의 $\frac{2}{5}$만큼 읽었고, 둘째 날은 첫째 날 읽고
난 나머지의 $\frac{3}{4}$을 읽었고, 셋째 날은 둘째 날
까지 읽고 남은 나머지의 $\frac{1}{3}$을 읽었습니다. 책
이 360쪽일 때 3일 동안 읽고 난 나머지는 몇
쪽인가요?

(21 유사)

(   )

13 분수의 곱셈을 이용하여 그림을 그렸습니다. 색칠하지 않은 부분의 넓이는 몇 cm²인가요?
_{23 유사}

- 가로가 20 cm, 세로가 10 cm인 직사각형 모양의 종이에 그림을 그립니다.
- 파란색으로 색칠한 부분의 넓이는 직사각형 모양으로 전체 종이의 넓이의 $\frac{1}{5}$입니다.
- 노란색으로 색칠한 부분의 넓이는 직사각형 모양으로 파란색으로 색칠하고 남은 부분의 $\frac{1}{4}$입니다.
- 빨간색으로 색칠한 부분의 넓이는 직사각형 모양으로 파란색과 노란색으로 색칠하고 남은 부분의 $\frac{1}{2}$입니다.

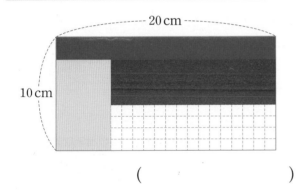

(   )

14 수 카드를 한 번씩만 사용하여 진분수 3개를 만들어 곱하려고 합니다. 곱이 가장 작을 때의 값을 구하세요. (단, 분모와 분자에 각각 한 장의 카드만 사용합니다.)
_{25 유사}

 1   2   4   5   6   8

(   )

15 어떤 수에 $\frac{6}{7}$을 곱해야 할 것을 잘못하여 더했더니 $1\frac{3}{14}$이 되었습니다. 바르게 계산하면 얼마인지 풀이 과정을 쓰고, 답을 구하세요.
_{27 유사} [서술형]

풀이

답

16 한 변의 길이가 $6\frac{1}{2}$ cm인 정사각형이 있습니다. 이 정사각형의 가로는 $\frac{7}{13}$로 줄이고, 둘레는 변하지 않게 하여 직사각형을 만들었습니다. 만든 직사각형의 넓이는 몇 cm²인가요?
_{29 유사}

(   )

17 곱셈식이 쓰여 있는 종이가 찢어져서 분수 한 개가 보이지 않습니다. 찢어진 부분에 알맞은 기약분수를 구하세요.
_{31 유사}

$$\times 2\frac{5}{7} \times \frac{4}{5} = 1$$

(   )

01 어느 동물원의 성인 1명의 입장료는 4000원인데 10명 이상 단체인 경우 할인하여 전체 입장료의 $\frac{7}{8}$ 만큼만 내면 됩니다. **성인 13명이 단체로 입장하는 데 내야 하는 입장료**는 얼마인지 풀이 과정을 쓰고, 답을 구하세요.

(01 유사)

❶ 성인 13명의 할인하기 전 전체 입장료 구하기

(풀이)

❷ 성인 13명이 단체로 입장하는 데 내야 하는 입장료 구하기

(풀이)

(답)

02 어느 공원의 자전거 대여료가 소인은 3500원이고 대인은 소인의 $1\frac{2}{5}$ 만큼입니다. **대인 2명과 소인 2명인 한 가족이 모두 자전거를 타려면 얼마**를 내야 하는지 풀이 과정을 쓰고, 답을 구하세요.

(03 유사)

(풀이)

(답)

03 하루에 $\frac{5}{14}$ 분씩 느려지는 시계가 있습니다. 이 시계를 오늘 오후 3시에 정확하게 맞추어 놓았다면 **28일 후 오후 3시에 이 시계가 가리키는 시각**은 오후 몇 시 몇 분인지 풀이 과정을 쓰고, 답을 구하세요.

(04 유사)

❶ 28일 동안 느려지는 시간 구하기

(풀이)

❷ 28일 후 오후 3시에 시계가 가리키는 시각 구하기

(풀이)

(답)

04 하루에 $1\frac{5}{6}$ 분씩 빨라지는 시계가 있습니다. 이 시계를 오늘 오전 10시에 정확하게 맞추어 놓았다면 **7일 후 오전 10시에 이 시계가 가리키는 시각**은 오전 몇 시 몇 분 몇 초인지 풀이 과정을 쓰고, 답을 구하세요.

(06 유사)

 7일 후 →

(풀이)

(답)

05 **색칠한 부분의 넓이**는 몇 cm²인지 풀이 과정을 쓰고, 답을 구하세요.

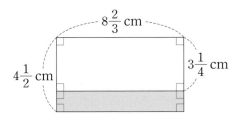

❶ 색칠한 부분의 세로 구하기

(풀이)

❷ 색칠한 부분의 넓이 구하기

(풀이)

(답)

06 **도형의 넓이**는 몇 cm²인지 풀이 과정을 쓰고, 답을 구하세요.

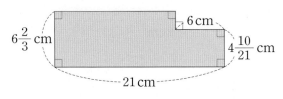

(풀이)

(답)

07 물통의 바닥에 구멍이 뚫려 물이 1분에 $4\frac{4}{5}$ L씩 일정하게 빠져나가고 있습니다. 이 물통에 들어 있던 물이 6분 15초 동안 모두 빠져나갔다면 **처음 물통에 들어 있던 물**은 몇 L인지 풀이 과정을 쓰고, 답을 구하세요.

❶ 6분 15초를 분 단위로 나타내기

(풀이)

❷ 처음 물통에 들어 있던 물의 양 구하기

(풀이)

(답)

08 자전거를 타고 태희는 1분에 $\frac{9}{14}$ km를 가고, 영진이는 1분에 $\frac{3}{8}$ km를 갑니다. 두 사람이 이와 같은 빠르기로 한 곳에서 반대 방향으로 동시에 출발하여 3분 20초 동안 갔다면 **두 사람 사이의 거리**는 몇 km인지 풀이 과정을 쓰고, 답을 구하세요. (단, 두 사람은 일직선 방향으로 갑니다.)

(풀이)

(답)

1 점선을 따라 잘랐을 때 만들어지는 두 도형이 서로 합동인 것을 모두 고르세요. (   )

①

②

③

④
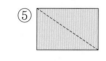
⑤

2 두 사각형은 서로 합동입니다. 물음에 답하세요.

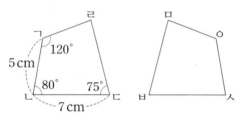

(1) 변 ㅇㅅ은 몇 cm인가요?
(   )

(2) 각 ㅁㅂㅅ은 몇 도인가요?
(   )

3 직선 ㄱㄴ을 대칭축으로 하는 선대칭도형입니다. □ 안에 알맞은 수를 써넣으세요.

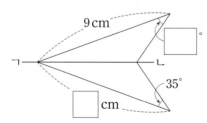

4 직선 ㅈㅊ을 대칭축으로 하는 선대칭도형입니다. 선분 ㄴㅂ은 몇 cm인가요?

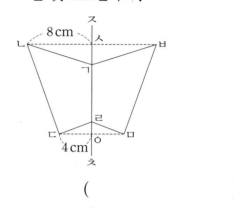

(   )

5 점 ㅇ을 대칭의 중심으로 하는 점대칭도형입니다. 선분 ㄷㅂ은 몇 cm인가요?

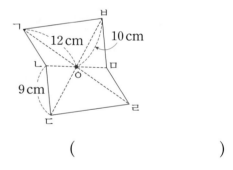

(   )

6 점대칭도형을 완성하세요.

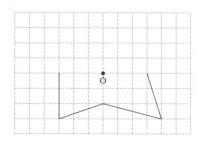

01 두 도형은 합동이 아닙니다. 그 이유를 설명하 세요.
[02 유사]
[서술형]

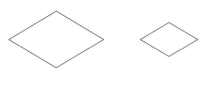

(이유) _____

_____

_____

04 삼각형 ㄱㄴㄷ과 삼각형 ㄹㄷㄴ은 서로 합동 입니다. 각 ㄱㄷㄴ은 몇 도인가요?
[08 유사]

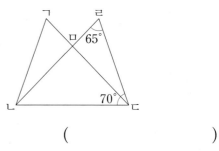

(   )

02 삼각형 ㄱㄴㄷ과 삼각형 ㄹㅁㄷ은 서로 합동 입니다. 선분 ㅁㄱ은 몇 cm인가요?
[05 유사]

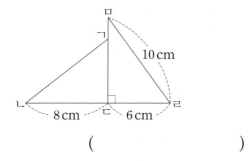

(   )

05 두 삼각형은 서로 합동입니다. 각 ㄱㄴㄷ은 몇 도인가요?
[09 유사]

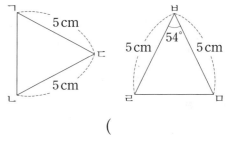

(   )

03 두 사각형은 서로 합동입니다. 사각형 ㄱㄴㄷㄹ 의 둘레가 32 cm일 때, 사각형 ㅁㅂㅅㅇ의 넓이는 cm²인가요?
[06 유사]

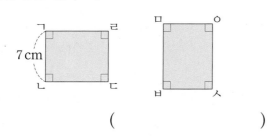

(   )

06 직선 ㄱㄴ을 대칭축으로 하는 선대칭도형을 완 성하세요.
[11 유사]

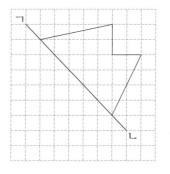

07 직선 ㅅㅇ을 대칭축으로 하는 선대칭도형입니다. 각 ㅁㄹㄷ은 몇 도인가요?
(유사 14)

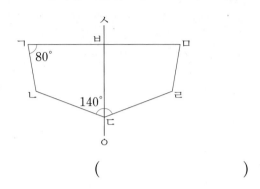

( )

08 직선 ㄱㄴ을 대칭축으로 하는 선대칭도형입니다. ㉠은 몇 도인지 구하세요.
(유사 15)

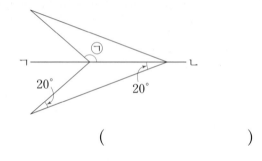

( )

09 직선 ㅅㅇ을 대칭축으로 하는 선대칭도형입니다. 선분 ㄱㅂ의 길이와 각 ㄱㄴㄷ의 크기를 각각 구하세요.
(유사 17)

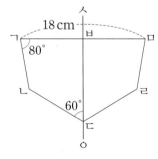

선분 ㄱㅂ의 길이 ( )

각 ㄱㄴㄷ의 크기 ( )

10 점대칭도형을 모두 고르세요. ( )
(유사 20)
① 직각삼각형 ② 정사각형
③ 정오각형 ④ 정육각형
⑤ 이등변삼각형

11 오른쪽 그림에 있는 점을 대칭의 중심으로 하는 점대칭도형을 완성하세요.
(유사 21)

12 점 ㅇ을 대칭의 중심으로 하는 점대칭도형입니다. 각 ㄱㄴㄷ은 몇 도인가요?
(유사 23)

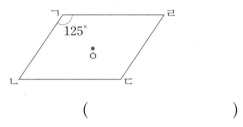

( )

13 점 ㅇ을 대칭의 중심으로 하는 점대칭도형입니다. 각 ㅁㄹㅂ은 몇 도인가요?
(유사 24)

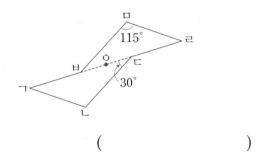

( )

14 사각형 ㄱㄴㄷㄹ은 점 ㅇ을 대칭의 중심으로 하는 점대칭도형입니다. 사각형 ㄱㄴㄷㄹ의 두 대각선의 길이의 합이 34 cm일 때 선분 ㄱㅇ은 몇 cm인가요?

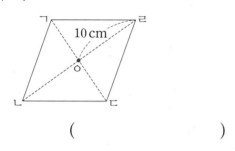

(   )

17 선대칭도형이면서 점대칭도형인 알파벳은 모두 몇 개인지 풀이 과정을 쓰고, 답을 구하세요. [서술형]

풀이

답

15 점 ㅇ을 대칭의 중심으로 하는 점대칭도형입니다. 선분 ㅂㅇ은 몇 cm인가요?

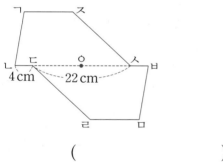

(   )

18 선분 ㄱㄹ을 대칭축으로 하는 선대칭도형입니다. 삼각형 ㄱㄴㄷ의 둘레가 32 cm일 때, 변 ㄱㄷ은 몇 cm인가요?

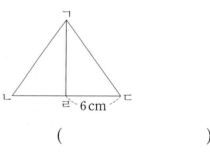

(   )

16 선대칭도형도 되고 점대칭도형도 되는 숫자들의 합을 구하세요.

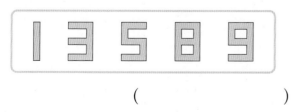

(   )

19 점 ㅇ을 대칭의 중심으로 하는 점대칭도형입니다. 이 점대칭도형의 둘레는 몇 cm인가요?

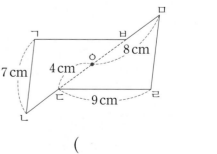

(   )

01 삼각형 ㄱㄴㄷ과 삼각형 ㄹㄷㄴ은 서로 합동
[01 유사] 입니다. 삼각형 ㄴㄷㄹ의 둘레가 35 cm일 때
변 ㄹㄷ은 몇 cm인지 풀이 과정을 쓰고, 답을
구하세요.

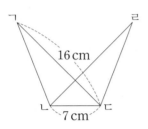

16 cm
7 cm

❶ 변 ㄹㄴ의 길이 구하기

풀이

❷ 변 ㄹㄷ의 길이 구하기

풀이

답

02 삼각형 ㄱㄴㅁ과 삼각형 ㄷㅂㅁ이 서로 합동이
[03 유사] 되도록 직사각형 모양의 종이를 접었습니다.
삼각형 ㄱㄴㅁ의 넓이는 몇 cm²인지 풀이 과
정을 쓰고, 답을 구하세요.

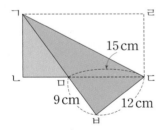

15 cm
9 cm   12 cm

풀이

답

03 직사각형 모양의 종이를 접었습니다. ㈀은 **몇**
[04 유사] **도**인지 풀이 과정을 쓰고, 답을 구하세요.

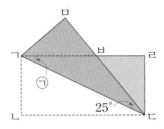

25°

❶ 각 ㄷㄱㅁ의 크기 구하기

풀이

❷ ㈀의 크기 구하기

풀이

답

04 삼각형 ㄱㄴㄷ과 삼각형 ㅂㄹㄷ은 서로 합동
[06 유사] 입니다. ㈀은 **몇 도**인지 풀이 과정을 쓰고, 답
을 구하세요.

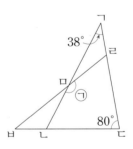

38°
80°

풀이

답

05
07 유사
점 ㅇ을 대칭의 중심으로 하는 점대칭도형입니다. **각 ㄱㄴㄹ은 몇 도**인지 풀이 과정을 쓰고, 답을 구하세요.

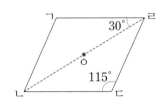

❶ 각 ㄴㄱㄹ의 크기 구하기

풀이

❷ 각 ㄱㄴㄹ의 크기 구하기

풀이

답

06
09 유사
점 ㅇ을 대칭의 중심으로 하는 점대칭도형입니다. **각 ㅂㄱㄹ은 몇 도**인지 풀이 과정을 쓰고, 답을 구하세요.

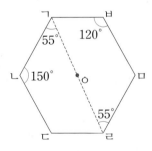

풀이

답

07
10 유사
직선 ㅅㅇ을 대칭축으로 하는 선대칭도형의 일부분입니다. **선대칭도형을 완성했을 때 선대칭도형의 넓이**는 몇 cm^2인지 풀이 과정을 쓰고, 답을 구하세요.

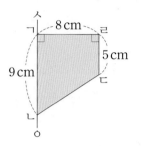

❶ 주어진 도형의 넓이 구하기

풀이

❷ 완성한 선대칭도형의 넓이 구하기

풀이

답

08
12 유사
점 ㅇ을 대칭의 중심으로 하는 점대칭도형의 일부분입니다. **점대칭도형을 완성했을 때 점대칭도형의 둘레**는 몇 cm인지 풀이 과정을 쓰고, 답을 구하세요.

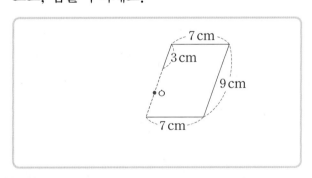

풀이

답

3
단원

한 번 더 **개념 완성하기**

⊙ 정답 52쪽

1 빈 곳에 알맞은 수를 써넣으세요.

$\times$

0.5	7
2.4	6
3.17	4

2 어림하여 계산 결과가 4보다 작은 것에 ○표 하세요.

2.13×2 0.83×4

( ) ( )

3 준상이는 매일 우유를 1.25 L씩 마십니다. 준상이가 일주일 동안 마신 우유는 몇 L인가요?

$1.25 \times \boxed{} = \boxed{}$ (L)

4 계산 결과를 찾아 선으로 이으세요.

(1) 48×0.3 • • ㉠ 14.4

(2) 62×1.37 • • ㉡ 45

(3) 25×1.8 • • ㉢ 84.94

5 어림하여 계산 결과가 6보다 큰 것을 찾아 기호를 쓰세요.

㉠ 5의 0.67 ㉡ 3×2.14

( )

6 노란색 리본의 길이는 42 cm이고, 빨간색 리본의 길이는 노란색 리본의 길이의 2.3배입니다. 빨간색 리본의 길이는 몇 cm인가요?

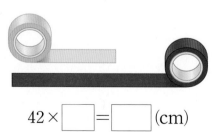

$42 \times \boxed{} = \boxed{}$ (cm)

01 ★이 자연수일 때 계산 결과가 ★보다 작은 것을 모두 찾아 기호를 쓰세요.

> ㉠ ★×3.12 　 ㉡ ★×0.97
> ㉢ ★×0.68 　 ㉣ ★×1.53

(　　　　　　　　　)

02 계산 결과를 잘못 말한 사람의 이름을 쓰고, 잘못 말한 부분을 옳게 고치세요. (서술형)

경희
> 32와 8의 곱은 약 240이니까
> 0.32×8은 0.24 정도가 돼.

호진
> 0.62×5는 0.6과 5의 곱으로
> 어림할 수 있으니까 결과는 3 정도야.

답 _____

옳게 고치기 _____

03 잘못 계산한 곳을 찾아 옳게 고치세요.

$$4 \times 0.65 = 4 \times \frac{65}{100} = \frac{4 \times 65}{100} = \frac{260}{100} = 26$$

4×0.65

04 계산을 하여 곱이 작은 것부터 차례로 ○ 안에 번호를 써넣으세요.

$$\begin{array}{r} 7.2 \\ \times\ \ \ 3 \\ \hline \end{array}$$

$$\begin{array}{r} 2.1\,6 \\ \times\ \ \ 1\,4 \\ \hline \end{array}$$

$$\begin{array}{r} 4\,3 \\ \times\ 0.8 \\ \hline \end{array}$$

05 계산 결과가 큰 것부터 차례로 기호를 쓰려고 합니다. 풀이 과정을 쓰고, 답을 구하세요. (서술형)

> ㉠ 33×0.5 　 ㉡ 0.74×24
> ㉢ 52×1.3 　 ㉣ 1.18×12

풀이 _____

_____

_____

_____

답 _____

06 어느 학교 급식의 이번 주 간식표입니다. 이번 주에 준비해야 할 주스는 모두 몇 L인가요?

시간표

월	화	수	목	금
주스 0.5 L	우유 0.4 L	주스 0.5 L	주스 0.5 L	우유 0.4 L
감자 2개	빵 1개	고구마 1개	빵 1개	삶은 달걀 4개

(　　　　　　　　　)

07 [교과 역량]
(12 유사) 은지네 가족은 필리핀으로 여행을 가기 위해 환전을 하려고 합니다. 환전하는 날의 환율은 1페소가 24.56원일 때, 필리핀 돈 6000페소만큼 환전하려면 우리나라 돈으로 얼마를 내야 하나요? (단, 환전할 때 발생하는 수수료는 생각하지 않습니다.) ●페소는 필리핀의 화폐 단위입니다.

(   )

08 [교과 역량]
(14 유사) 수성에서 잰 몸무게는 지구에서 잰 몸무게의 약 0.38배입니다. 지구에서 몸무게가 42 kg인 사람이 수성에서 몸무게를 재면 약 몇 kg인지 식을 쓰고, 답을 구하세요.

식

답

09
(15 유사) 택시는 한 시간에 82 km를 가고, 버스는 한 시간에 68 km를 갑니다. 각각 일정한 빠르기로 1시간 30분 동안 간다면 택시는 버스보다 몇 km 더 가나요?

(   )

10
(17 유사) 밑변이 8 m이고 높이가 5.26 m인 평행사변형의 넓이는 몇 m²인가요?

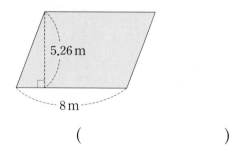

(   )

11
(18 유사) 직사각형 모양의 공원이 있습니다. 이 공원의 가로는 25 m이고 세로는 가로의 0.68배입니다. 공원의 둘레는 몇 m인가요?

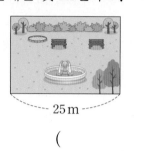
25 m

(   )

12 [서술형]
(20 유사) ㉠의 곱셈식의 곱보다 작고, ㉡의 곱셈식의 곱보다 큰 자연수는 모두 몇 개인지 풀이 과정을 쓰고, 답을 구하세요.

㉠ 1.3×22 ㉡ 26×0.95

풀이

답

13
(22 유사) 1분에 0.06 L의 물이 일정하게 나오는 수도가 있습니다. 이 수도에서 하루에 3시간씩 일주일 동안 물을 받았다면 받은 물의 양은 모두 몇 L인가요?

(   )

한번더 **개념 완성하기**

🔗 진도북[098~101쪽]의 **기본 유형 문제 복습**

4. 소수의 곱셈

▶ **정답** 52쪽

1 다음 식의 계산 결과는 어느 것인가요?
( )

$$0.2 \times 0.19$$

① 38　　　② 3.8　　　③ 0.38
④ 0.038　　⑤ 0.0038

2 크기를 비교하여 ○ 안에 >, =, <를 알맞게 써넣으세요.

(1) 0.7×0.34 ○ 0.382

(2) 25.4 ○ 4.16×5.7

3 서진이의 연필의 길이는 은아의 연필의 길이의 1.4배입니다. 은아의 연필의 길이가 8.6 cm라면 서진이의 연필의 길이는 몇 cm인가요?

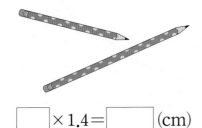

☐ $\times 1.4 =$ ☐ (cm)

4 곱이 0.87인 것은 어느 것인가요? ( )
① 870×0.01　　② 8.7×10
③ 87×0.001　　④ 0.087×10
⑤ 8.7×0.01

5 ☐ 안에 알맞은 수를 써넣으세요.

$$4900 \times \boxed{} = 4.9$$
$$0.49 \times \boxed{} = 49$$

6 농구공 한 개의 무게를 재어 보니 0.625 kg 입니다. 농구공의 무게가 모두 같을 때 농구공 10개, 100개, 1000개의 무게는 각각 몇 kg인지 구하세요.

$0.625 \times 10 =$ ☐ (kg)

$0.625 \times 100 =$ ☐ (kg)

$0.625 \times 1000 =$ ☐ (kg)

4. 소수의 곱셈 ● **29**

01 가장 큰 수와 가장 작은 수의 곱을 구하세요.
[02 유사]

| 7.99 | 35.8 | 0.54 | 9.6 |

( )

02 ㉠과 ㉡의 계산 결과의 차는 얼마인지 풀이 과 [서술형]
[03 유사] 정을 쓰고, 답을 구하세요.

㉠ 5.47 × 4.3   ㉡ 6.1 × 2.8

풀이

답

03 곱이 가장 큰 것은 어느 것인가요? ( )
[05 유사]
① 0.9 × 6.8   ② 1.3 × 1.6
③ 5.4 × 1.1   ④ 4.8 × 0.7
⑤ 1.2 × 2.1

04 계산 결과가 작은 순서대로 기호를 쓰세요.
[06 유사]

㉠ 3.01 × 2.2   ㉡ 9.11 × 0.3
㉢ 4.52 × 1.5   ㉣ 7.3 × 1.4

( )

05 계산 결과가 나머지와 다른 하나를 찾아 기호
[08 유사] 를 쓰세요.

㉠ 235 × 0.01   ㉡ 0.235 × 10
㉢ 23.5 × 0.1   ㉣ 2.35 × 100

( )

06 계산 결과가 소수 두 자리 수인 것을 모두 고
[09 유사] 르세요. ( )
① 3532 × 0.01   ② 7460 × 0.001
③ 248 × 0.1   ④ 194 × 0.001
⑤ 670 × 0.01

07 우체국에서 도서관까지의 거리는 1.2 km이고,
[11 유사] 도서관에서 약국까지의 거리는 우체국에서 도
서관까지의 거리의 0.9배입니다. 도서관에서 약
국까지의 거리는 몇 km인가요?

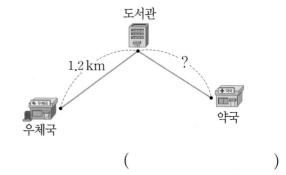

( )

08 일정한 빠르기로 한 시간에 105.2 km를 운항
12 하는 여객선이 있습니다. 이 여객선이 1시간
유사 45분 동안 운항한 거리는 몇 km인지 풀이 과
정을 쓰고, 답을 구하세요. (단, 물의 빠르기는
생각하지 않습니다.) [서술형]

풀이

답

09 정사각형과 직사각형의 넓이의 합은 몇 m²인
14 가요?
유사

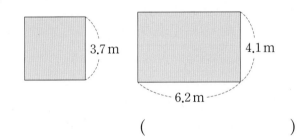

3.7 m   4.1 m
6.2 m

(   )

10 서현이가 몬드리안의 작품을 보고 그린 그림 [교과 역량]
15 입니다. 노란색 정사각형과 빨간색 직사각형의
유사 넓이의 차는 몇 cm²인가요?

• 네덜란드의 화가

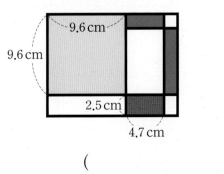

9.6 cm
9.6 cm
2.5 cm
4.7 cm

(   )

11 □ 안에 알맞은 수가 다른 하나를 찾아 기호
17 를 쓰려고 합니다. 풀이 과정을 쓰고, 답을 구하
유사 세요. [서술형]

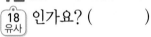

㉠ $163 \times \square = 16.3$
㉡ $84 \times \square = 0.84$
㉢ $2570 \times \square = 25.7$

풀이

답

12 □ 안에 알맞은 수가 가장 작은 것은 어느 것
18 인가요? (   )
유사

① $\square \times 9.45 = 0.945$

② $33.72 \times \square = 337.2$

③ $\square \times 20 = 0.2$

④ $0.618 \times \square = 618$

⑤ $\square \times 114 = 0.114$

13 어느 쇼핑몰에서는 산 금액의 0.001만큼을 포
20 인트로 적립해 줍니다. 이슬이가 이 쇼핑몰에
유사 서 12000원짜리 물건을 샀다면 이번에 적립
한 포인트는 몇 점인가요?

(   )

14 승연이는 선물 상자를 꾸미는 데 32.6 cm짜
21 유사 리 하늘색 리본 10장과 7.4 cm짜리 분홍색 리
본 100장을 준비했습니다. 승연이가 준비한
하늘색 리본과 분홍색 리본의 길이의 합은 몇
m인가요?

( )

15 375×16=6000임을 이용하여 □ 안에 알맞
23 유사 은 수를 써넣으세요.

$$3.75 \times \boxed{} = 6$$

16 57×14=798임을 이용하여 5.7×1.4의 값
24 유사 과 57×0.14의 값을 각각 구하고, 두 값을 비
교하세요.

서술형

답 5.7×1.4 , 57×0.14

비교

17 길이가 9.8 cm인 종이 25장을 0.5 cm씩 겹
26 유사 치게 한 줄로 이어 붙였습니다. 이어 붙인 종
이의 전체 길이는 몇 cm인가요?

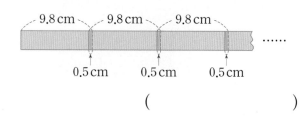

( )

18 색칠한 부분의 넓이는 몇 cm²인가요?
28 유사

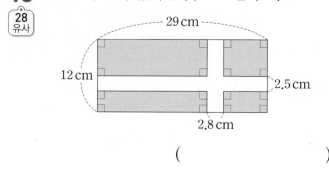

( )

19 ㉠의 값보다 크고 ㉡의 값보다 작은 자연수를
30 유사 모두 구하세요.

㉠ 3.2×1.6×0.85
㉡ 4.7×0.5×3.6

( )

20 민우는 3장의 수 카드를 한 번씩 모두 사용하
32 유사 여 대분수를 만들었고, 정아는 4장의 카드를 한
번씩 모두 사용하여 소수 두 자리 수를 만들었
습니다. 민우와 정아가 만든 두 수의 곱이 가
장 클 때의 곱을 소수로 구하세요.

( )

01 어머니의 몸무게는 이모의 몸무게의 1.1배이고,
이모의 몸무게는 주희의 몸무게의 1.3배입니
다. 주희의 몸무게가 38.4 kg일 때 **어머니의 몸
무게**는 몇 kg인지 풀이 과정을 쓰고, 답을 구
하세요.

❶ 이모의 몸무게 구하기

풀이

❷ 어머니의 몸무게 구하기

풀이

답

02 어느 목장에서 키우는 양의 무게는 사슴의 무
게의 0.6배보다 13 kg 더 무겁고, 말의 무게
는 사슴의 무게의 4.2배입니다. 사슴의 무게가
96.5 kg일 때 **양의 무게와 말의 무게의 합**은
몇 kg인지 풀이 과정을 쓰고, 답을 구하세요.

풀이

답

03 428.6에 어떤 수를 곱했더니 0.4286이 되었습
니다. **어떤 수에 720을 곱한 값**은 얼마인지 풀
이 과정을 쓰고, 답을 구하세요.

❶ 어떤 수 구하기

풀이

❷ 어떤 수에 720을 곱한 값 구하기

풀이

답

04 어떤 수에 8.2를 곱해야 할 것을 잘못하여 어
떤 수를 2.8로 나누었더니 7.25가 되었습니다.
바르게 계산하면 얼마인지 풀이 과정을 쓰고,
답을 구하세요.

풀이

답

4
단원

05 둘레가 76 cm인 정사각형을 가로는 0.7로 줄
유사 이고, 세로는 1.34로 늘여 직사각형을 만들었
습니다. **새로 만든 직사각형의 넓이**는 몇 cm²
인지 풀이 과정을 쓰고, 답을 구하세요.

❶ 정사각형의 한 변의 길이를 구하여 새로 만든 직사각형
의 가로, 세로 각각 구하기

풀이

❷ 새로 만든 직사각형의 넓이 구하기

풀이

답

06 가로가 16 cm, 세로가 28 cm인 직사각형이
유사 있습니다. 이 직사각형의 가로와 세로를 각각
1.3배 한 길이를 더하여 새로운 직사각형을
만들었습니다. **늘어난 부분의 넓이**는 몇 cm²
인지 풀이 과정을 쓰고, 답을 구하세요.

풀이

답

07 어떤 자동차가 1 km를 가는 데 0.06 L의 휘
유사 발유가 필요합니다. 이 자동차가 일정한 **빠르**
기로 한 시간에 82 km를 갈 때, **2시간 30분**
동안 가려면 휘발유가 몇 L 필요한지 풀이 과
정을 쓰고, 답을 구하세요.

❶ 2시간 30분을 시간 단위로 나타내어 자동차가 2시간
30분 동안 갈 수 있는 거리 구하기

풀이

❷ 필요한 휘발유의 양 구하기

풀이

답

08 1분에 0.72 km를 일정한 빠르기로 가는 기
유사 차가 터널을 완전히 통과하는 데 4분 30초가
걸렸습니다. 기차의 길이가 165 m일 때 **터널**
의 길이는 몇 km인지 풀이 과정을 쓰고, 답
을 구하세요.

풀이

답

1 정육면체를 보고 표를 완성하세요.

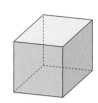

면의 수	모서리의 수	꼭짓점의 수

2 ◯ 안에 바르게 설명한 것은 ◯표, 그렇지 않은 것은 ×표 하세요.

(1) 직사각형 6개로 둘러싸인 도형을 직육면체라고 합니다. ◯

(2) 정육면체의 면은 모두 정사각형입니다. ◯

(3) 직육면체는 정육면체라고 할 수 있습니다. ◯

3 그림에서 빠진 부분을 그려 넣어 직육면체의 겨냥도를 완성하세요.

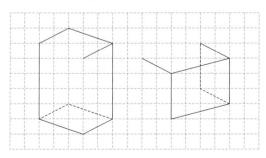

4 직육면체에서 면 ㄱㄴㄷㄹ과 평행한 면과 수직인 면을 각각 모두 찾아 쓰세요.

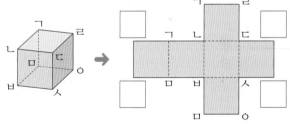

(평행한 면) _____

(수직인 면) _____

5 정육면체의 모서리를 잘라서 정육면체의 전개도를 만들었습니다. ☐ 안에 알맞은 기호를 써넣으세요.

6 직육면체의 전개도입니다. ☐ 안에 알맞은 수를 써넣으세요.

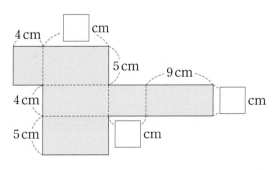

5
단원

01 석현이의 말이 잘못된 이유를 쓰세요. 〔서술형〕

02 유사

직육면체의 모서리는 8개야.

석현

이유 _____

_____

02 직육면체의 꼭짓점의 개수와 정육면체의 모서
03 유사 리의 개수의 차는 몇 개인가요?

( )

03 직육면체의 겨냥도를 잘못 그린 것입니다. 그 〔서술형〕
05 유사 이유를 쓰고, 옳게 그리세요.

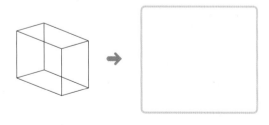

이유 _____

_____

04 직육면체의 겨냥도를 보고 ㉠과 ㉡에 알맞은
06 유사 수의 합을 구하세요.

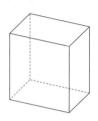

• 보이는 면은 ㉠개입니다.
• 보이지 않는 꼭짓점은 ㉡개입니다.

( )

05 직육면체에서 보이는 모서리의 길이의 합은 몇
08 유사 cm인가요?

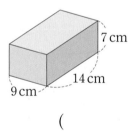

7 cm
14 cm
9 cm

( )

06 정육면체 모양의 주사위입니다. 이 주사위의 모
09 유사 든 모서리의 길이의 합은 몇 cm인가요?

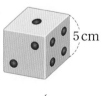

5 cm

( )

07 직육면체와 정육면체에 대한 설명으로 <u>틀린</u> 것을 모두 고르세요. (   )

① 직육면체와 정육면체의 면은 모두 정사각형입니다.

② 정육면체는 모서리의 길이가 모두 같습니다.

③ 직육면체의 꼭짓점의 개수는 정육면체의 꼭짓점의 개수보다 많습니다.

④ 직육면체와 정육면체는 면의 개수가 서로 같습니다.

⑤ 정육면체는 직육면체라고 할 수 있습니다.

08 두 면 사이의 관계가 다른 하나를 찾아 기호를 쓰세요.

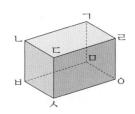

㉠ 면 ㄴㅂㅅㄷ과 면 ㄱㅁㅇㄹ

㉡ 면 ㅁㅂㅅㅇ과 면 ㄱㄴㄷㄹ

㉢ 면 ㄱㅁㅇㄹ과 면 ㅁㅂㅅㅇ

㉣ 면 ㄷㅅㅇㄹ과 면 ㄴㅂㅁㄱ

(   )

09 직육면체에서 면 ㄱㅁㅂㄴ과 면 ㄱㄴㄷㄹ에 동시에 수직인 면을 모두 쓰세요.

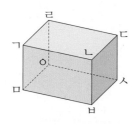

(   )

서술형

10 직육면체의 전개도를 잘못 그린 사람의 이름을 쓰고, 그 이유를 설명하세요.

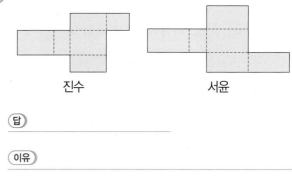

진수   서윤

답)

이유)

11 다음은 잘못 그려진 정육면체의 전개도입니다. 면 1개를 옮겨 올바른 전개도로 고치세요.

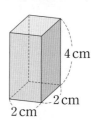

12 직육면체를 보고 전개도를 그리세요.

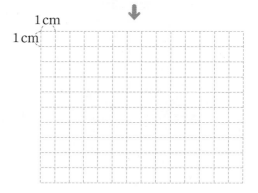

13 전개도를 접었을 때 선분 ㅊㅈ과 만나는 선분
(23 유사) 을 찾아 쓰세요.

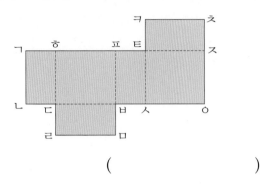

(   )

14 전개도를 접었을 때 점 ㅎ과 만나는 점을 모두
(24 유사) 찾아 쓰세요.

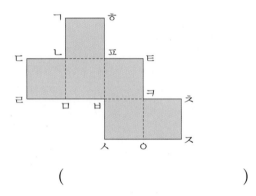

(   )

15 다음은 어느 정육면체의 전개도인지 찾아 기호
(26 유사) 를 쓰세요. (단, 무늬의 방향은 생각하지 않습
니다.)

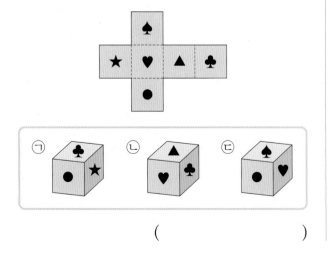

(   )

16 직육면체의 모든 모서리의 길이의 합과 정육면
(28 유사) 체의 모든 모서리의 길이의 합이 같습니다. 정
육면체의 한 모서리의 길이는 몇 cm인지 풀이
과정을 쓰고, 답을 구하세요.

[서술형]

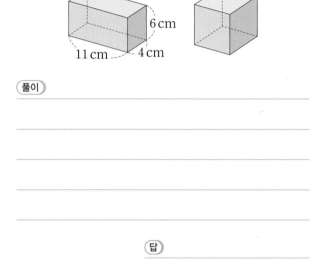

(풀이)

_____

_____

_____

(답) _____

17 다음은 정육면체 모양 주사위의 전개도입니다.
(30 유사) 주사위의 마주 보는 면의 눈의 수의 합은 7입
니다. 면 ㉠과 면 ㉡의 눈의 수의 합은 얼마인
지 구하세요.

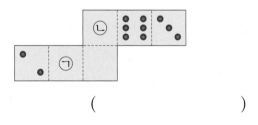

(   )

18 직육면체의 전개도에 선을 그었습니다. 전개도
(32 유사) 를 접어서 직육면체를 만들었을 때 직육면체에
선이 지나간 자리를 나타내세요.

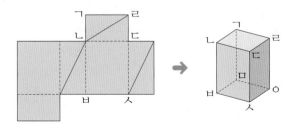

STEP 3

한번더 **서술형 해결하기**

5. 직육면체

01 직육면체의 **모든 모서리의 길이의 합**은 몇 cm
01
유사 인지 풀이 과정을 쓰고, 답을 구하세요.

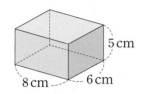

5 cm
8 cm ---- 6 cm

❶ 길이가 같은 모서리가 몇 개씩 있는지 구하기

풀이

❷ 모든 모서리의 길이의 합 구하기

풀이

답

02 정육면체의 겨냥도에서 보이지 않는 모서리의
03
유사 길이의 합이 18 cm일 때, 정육면체의 **모든 모
서리의 길이의 합**은 몇 cm인지 풀이 과정을
쓰고, 답을 구하세요.

풀이

답

03 직육면체 모양의 상자를 끈으로 묶었습니다.
04
유사 매듭으로 사용한 끈의 길이가 19 cm일 때, **상
자를 묶는 데 사용한 끈의 전체 길이**는 몇 cm
인지 풀이 과정을 쓰고, 답을 구하세요.

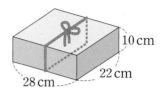

10 cm
28 cm ---- 22 cm

❶ 세로와 높이를 둘러싼 끈의 횟수와 매듭으로 사용한 끈
의 길이 구하기

풀이

❷ 상자를 묶는 데 사용한 끈의 전체 길이 구하기

풀이

답

04 정육면체 모양의 상자를 리본으로 묶었습니다.
06
유사 매듭으로 사용한 리본의 길이가 21 cm일 때,
상자를 묶는 데 사용한 리본의 전체 길이는 몇
cm인지 풀이 과정을 쓰고, 답을 구하세요.

12 cm

풀이

답

5
단원

05 직육면체의 전개도에서 **선분 ㄴㅊ은 몇 cm**인
(07 유사) 지 풀이 과정을 쓰고, 답을 구하세요.

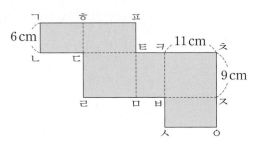

❶ 각 선분의 길이 구하기

(풀이)

❷ 선분 ㄴㅊ의 길이 구하기

(풀이)

(답) _____

06 직육면체의 전개도입니다. **전개도의 둘레**는 몇
(09 유사) cm인지 풀이 과정을 쓰고, 답을 구하세요.

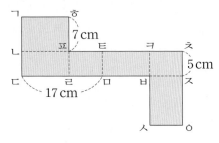

(풀이)

(답) _____

07 각 면에 1부터 6까지의 숫자가 쓰인 정육면체
(10 유사) 를 세 방향에서 본 것입니다. **전개도의 빈 곳에
알맞은 숫자**는 무엇인지 풀이 과정을 쓰고, 답
을 구하세요. (단, 숫자의 방향은 생각하지 않
습니다.)

❶ 3이 쓰인 면과 평행한 면에 쓰인 숫자 구하기

(풀이)

❷ 평행한 면에 쓰인 숫자를 구하여 전개도에 숫자 써넣기

(풀이)

(답)
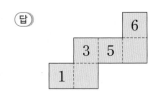

08 정육면체의 각 면에 가, 나, 다, 라, 마, 바를
(12 유사) 써넣고 여러 방향에서 본 것입니다. **바가 쓰인
면과 평행한 면에 쓰인 글자**는 무엇인지 풀이
과정을 쓰고, 답을 구하세요. (단, 글자의 방향
은 생각하지 않습니다.)

(풀이)

(답) _____

STEP 1

한 번 더 개념 완성하기

● 정답 57쪽

[1~2] 현서네 모둠과 민우네 모둠의 턱걸이 기록을 나타낸 표입니다. 물음에 답하세요.

현서네 모둠

이름	턱걸이(회)
현서	6
태원	4
민주	5
석현	5

민우네 모둠

이름	턱걸이(회)
민우	3
나영	4
혜지	0
현수	6
경진	2

1 현서네 모둠과 민우네 모둠의 턱걸이 기록의 평균은 각각 몇 회인가요?

현서네 모둠 ⬜/4 = ⬜(회)

민우네 모둠 ⬜/5 = ⬜(회)

2 어느 모둠이 턱걸이를 더 많이 했다고 볼 수 있나요?

( )

3 준희가 한 윗몸 일으키기 기록입니다. 준희의 윗몸 일으키기 기록의 평균은 몇 회인가요?

| 43회 | 46회 | 43회 | 40회 |

( )

4 영은이가 찬 제기차기 기록을 나타낸 표입니다. 영은이가 5회 동안 찬 제기차기 기록의 평균은 몇 개인가요?

영은이가 찬 제기차기 기록

회	1회	2회	3회	4회	5회
기록(개)	7	3	4	6	10

( )

[5~6] 정석이네 반과 효주네 반의 단체 줄넘기 기록을 나타낸 표입니다. 물음에 답하세요.

정석이네 반의 기록

회	1회	2회	3회	4회
넘은 횟수(회)	15	19	13	17

효주네 반의 기록

회	1회	2회	3회	4회
넘은 횟수(회)	14	18	16	20

5 정석이네 반과 효주네 반의 단체 줄넘기 기록의 평균은 각각 몇 회인가요?

정석이네 반 ( )

효주네 반 ( )

6 정석이네 반과 효주네 반 중에서 단체 줄넘기 기록의 평균이 더 좋은 반은 어느 반인가요?

( )

6단원

[7~8] 동우네 모둠이 수학 공부를 한 시간을 나타낸 표입니다. 수학 공부를 한 시간의 평균이 35분일 때, 물음에 답하세요.

수학 공부를 한 시간

이름	동우	미진	태영	희은	연아
시간(분)	43	35		29	30

7 동우네 모둠이 수학 공부를 한 시간을 모두 더하면 몇 분인가요?

$$\boxed{} \times 5 = \boxed{} \text{(분)}$$

8 태영이가 수학 공부를 한 시간은 몇 분인가요?

(   )

9 5일 동안 어느 눈썰매장에 입장한 사람 수를 나타낸 표입니다. 요일별로 눈썰매장에 입장한 사람 수의 평균이 90명일 때, 수요일에 입장한 사람은 몇 명인가요?

눈썰매장에 입장한 사람 수

요일	월	화	수	목	금
사람 수(명)	72	95		84	110

$$\boxed{} - (72 + 95 + 84 + 110) = \boxed{} \text{(명)}$$

10 일이 일어날 가능성을 찾아 선으로 이으세요.

(1) 동전을 던져 숫자 면이 나올 가능성 ·   · ㉠ 불가능하다

(2) 주사위를 던져 7이 나올 가능성 ·   · ㉡ 반반이다

(3) 1월 다음이 2월일 가능성 ·   · ㉢ 확실하다

11 제비뽑기 상자에 제비가 4개 들어 있고, 그중 3개가 당첨 제비입니다. 상자에서 제비 1개를 뽑을 때 당첨 제비를 뽑을 가능성을 ↓로 나타내세요.

```
├──────────────┼──────────────┤
0              1/2             1
```

12 찬우네 반과 영준이네 반이 축구를 하려고 합니다. 윷을 던져서 윗면이 나온 반이 먼저 공격을 할 때, 찬우네 반이 먼저 공격을 하게 될 가능성을 수로 표현하세요. (단, '불가능하다'이면 0, '반반이다'이면 $\frac{1}{2}$, '확실하다'이면 1로 표현합니다.)

(   )

진도북[148~149쪽]의 확인, 강화 문제 복습

6. 평균과 가능성

정답 57쪽

01 현수의 일주일 피아노 연습 시간을 나타낸 표입니다. 현수의 하루 피아노 연습 시간의 평균은 몇 분인지 두 가지 방법으로 구하세요.
(03 유사)

일주일 피아노 연습 시간

요일	월	화	수	목	금	토	일
연습 시간 (분)	31	37	29	39	38	30	34

방법 1

방법 2

02 채연이가 지난 1년 동안 저금한 돈은 모두 얼마인가요?
(05 유사)

지난 1년 동안 한 달에 저금한 돈은 평균 7000원이야.

채연

( )

03 어느 인형 공장에서 토끼 인형을 하루에 평균 280개 만듭니다. 3월 1일부터 4월 30일까지 하루도 쉬지 않고 만든다면 토끼 인형을 모두 몇 개 만들 수 있나요?
(06 유사)

( )

04 어느 수영장에 5일 동안 입장한 사람 수를 나타낸 표입니다. 수영장에서는 입장한 사람 수가 지난 5일 동안 입장한 사람 수의 평균보다 많았던 요일에 안전 요원을 추가로 배정하려고 합니다. 안전 요원을 추가로 배정해야 하는 요일을 모두 쓰세요.
(09 유사)

입장한 사람 수

요일	월	화	수	목	금
사람 수(명)	146	144	152	139	149

( )

05 준우와 승수의 팔 굽혀 펴기 기록을 나타낸 표입니다. 누구의 팔 굽혀 펴기 기록의 평균이 몇 회 더 많은지 차례로 구하세요.
(11 유사)

팔 굽혀 펴기 기록

회	1회	2회	3회	4회
준우의 기록(회)	14	10	20	16
승수의 기록(회)	16	15	13	12

( ), ( )

06 멀리뛰기 대회 참가권 1장을 받기 위해 주미, 찬희, 연아가 멀리뛰기를 했습니다. 기록의 평균이 좋은 사람이 참가권을 받는다고 할 때 기록을 보고 참가권을 받게 될 사람을 구하세요.
(12 유사)

멀리뛰기 기록

기록 \ 회	1회	2회	3회	4회
주미의 기록(cm)	203	205	210	206
찬희의 기록(cm)	207	202	196	215
연아의 기록(cm)	204	210	208	206

( )

6 단원

07 현무네 학교에서 실시하는 훌라후프 돌리기 대회는 반 평균이 25회 이상 되어야 학년별 경기에 참가할 수 있습니다. 5학년 2반의 훌라후프 돌리기 기록을 보고 2반이 학년별 경기에 참가하려면 마지막에 적어도 몇 회를 돌려야 하는지 구하세요.
(유사 15)

| 27 | 22 | 18 | 25 | □ |

( )

08 어느 배구 팀이 경기를 4번 했을 때 받은 반칙 수를 나타낸 표입니다. 이 배구 팀이 다섯 경기 동안 받은 반칙 수의 평균이 네 경기 동안 받은 반칙 수의 평균보다 낮아졌다면 다섯 번째 경기에서 받은 반칙 수는 많아야 몇 개인가요?
(유사 17)

받은 반칙 수

경기	첫 번째	두 번째	세 번째	네 번째
받은 반칙 수(개)	15	14	18	17

( )

09 민우네 모둠의 국어 점수입니다. 모둠에 새로운 학생 한 명이 더 들어와서 평균 점수가 1점 높아졌다면 새로운 학생의 국어 점수는 몇 점인가요?
(유사 18)

| 93 | 87 | 90 | 92 | 88 |

( )

10 일이 일어날 가능성이 '확실하다'인 경우를 찾아 기호를 쓰세요.
(유사 20)

> ㉠ 내일 친구가 지각하지 않을 가능성
> ㉡ 일요일 다음이 월요일일 가능성
> ㉢ 해가 서쪽에서 뜰 가능성

( )

11 다음 카드 중에서 한 장을 뽑을 때 ♥의 카드를 뽑을 가능성을 0부터 1까지의 수로 표현하세요.
(유사 22)

| ♥ | ♥ | ♥ | ♥ | ♥ |

( )

서술형

12 윤미가 공깃돌 개수 맞히기를 하고 있습니다. 공깃돌 6개가 들어 있는 상자에서 1개 이상의 공깃돌을 꺼낼 때 꺼낸 공깃돌의 개수가 짝수일 가능성을 0부터 1까지의 수로 표현하려고 합니다. 풀이 과정을 쓰고, 답을 구하세요.
(유사 23)

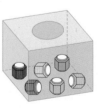

풀이

_____

_____

답

진도북[150~153쪽]의 확인, 강화 문제 복습

▶ 정답 57쪽

13 회전판을 돌릴 때 화살이 빨간색에
25 유사 멈출 가능성을 ↓로 나타내세요.

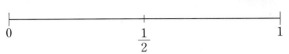

14 일이 일어날 가능성에 알맞게 □ 안에 기호를
26 유사 써넣으세요.

> ㉠ 한 명의 아이가 태어날 때 여자 아이일
>   가능성
> ㉡ 강아지가 하늘을 날 수 있는 가능성
> ㉢ 검은색 바둑돌만 들어 있는 주머니에서
>   검은색 바둑돌을 꺼낼 가능성
> ㉣ 이번 주에 일주일 내내 우박이 올 가능성
> ㉤ 12월에 10월보다 눈이 자주 올 가능성

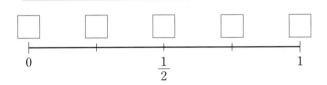

15 1부터 6까지의 눈이 그려진 주사위를 한 번 굴
28 유사 릴 때 일이 일어날 가능성이 높은 순서대로 기
호를 쓰세요.

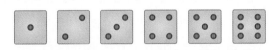

> ㉮ 주사위의 눈의 수가 홀수로 나올 가능성
> ㉯ 주사위의 눈의 수가 5의 약수로 나올 가
>   능성
> ㉰ 주사위의 눈의 수가 7 이하인 자연수로
>   나올 가능성
> ㉱ 주사위의 눈의 수가 9의 배수로 나올 가
>   능성

(   )

서술형

16 나윤이네 모둠 남학생과 여학생의 몸무게의
30 유사 평균을 나타낸 표입니다. 나윤이네 모둠의 몸
무게의 평균은 몇 kg인지 풀이 과정을 쓰고,
답을 구하세요.

몸무게의 평균

남학생 3명	42 kg
여학생 4명	38.5 kg

(풀이)

_____

_____

_____

(답)

17 민수와 은정이가 이번 주에 운동한 시간을 나
32 유사 타낸 표입니다. 두 사람의 운동 시간의 평균이
같을 때, 은정이가 수요일에 운동한 시간은 몇
분인가요?

민수가 운동한 시간

요일	시간(분)
월	40
화	30
목	40
금	50

은정이가 운동한 시간

요일	시간(분)
월	35
화	40
수	
목	45
금	30

(   )

6
단원

01 어느 지역 농장 14곳의 당근 생산량의 평균을
01 유사 나타낸 표입니다. 이 지역을 윗마을과 아랫마을로 구분할 때 **윗마을에 있는 농장 7곳의 당근 생산량의 평균**은 몇 t인지 풀이 과정을 쓰고, 답을 구하세요.

당근 생산량의 평균

전체 농장 14곳의 당근 생산량의 평균	32 t
아랫마을에 있는 농장 7곳의 당근 생산량의 평균	36 t

❶ 전체 농장의 당근 생산량의 합과 아랫마을에 있는 농장의 당근 생산량의 합 각각 구하기

풀이

❷ 윗마을에 있는 농장의 당근 생산량의 평균 구하기

풀이

답

02 정우네 모둠 14명의 키의 평균은 150.5 cm입
03 유사 니다. 여학생 6명의 키의 평균이 152.5 cm일 때, **남학생의 키의 평균**은 몇 cm인지 풀이 과정을 쓰고, 답을 구하세요.

풀이

답

03 지역별 의료 기관 수를 나타낸 표입니다. 나 지
04 유사 역의 의료 기관 수가 라 지역의 의료 기관 수보다 38군데 더 많을 때, **라 지역의 의료 기관은 몇 군데**인지 풀이 과정을 쓰고, 답을 구하세요.

의료 기관 수

지역별	가	나	다	라	평균
의료 기관 수(군데)	41		17		43

❶ 네 지역의 의료 기관 수의 합 구하기

풀이

❷ 라 지역의 의료 기관 수 구하기

풀이

답

04 제과점별 하루 동안의 빵 판매량을 나타낸 표
06 유사 입니다. 가 제과점의 빵 판매량이 다 제과점의 빵 판매량의 2배일 때, **가 제과점의 빵 판매량**은 몇 개인지 풀이 과정을 쓰고, 답을 구하세요.

빵 판매량

제과점	가	나	다	라	마	평균
판매량(개)		158		163	170	172

풀이

답

01 45 초과인 수를 모두 찾아 쓰세요.

| 47 | 42.5 | 31 | 45 | 50 | 39.4 |

( )

02 수의 범위를 수직선에 바르게 나타낸 것을 찾아 기호를 쓰세요.

8 이상 12 미만인 수

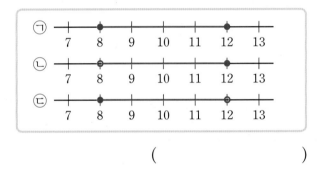

( )

03 67이 포함되는 수의 범위를 모두 찾아 기호를 쓰세요.

㉠ 68 이상인 수   ㉡ 67 초과인 수
㉢ 67 이하인 수   ㉣ 68 미만인 수

( )

04 19 초과 25 이하인 자연수는 모두 몇 개인지 구하세요.

( )

05 버림하여 십의 자리까지 나타내면 800이 되는 수를 모두 고르세요. ( )

① 851   ② 796   ③ 800
④ 804   ⑤ 901

06 수를 올림하여 백의 자리까지 나타낸 것입니다. 잘못 나타낸 사람은 누구인가요?

• 예원: 5180 ➡ 5200
• 민성: 4602 ➡ 4600
• 근우: 2978 ➡ 3000

( )

07 미세 먼지 농도 기준표입니다. 미세 먼지 농도가 '보통'인 지역을 모두 쓰세요.

구분	좋음	보통	나쁨	매우 나쁨
농도 범위 (μg/m^3)	30 이하	30 초과 80 이하	80 초과 150 이하	150 초과

(출처: 미세 먼지 환경 기준, 환경부, 2018.)

지역별 미세 먼지 농도 (단위: μg/m^3)

지역	서울	수원	춘천	세종	제주
농도	157	127	80	150	76

( )

단원 평가지

08 3.478을 반올림하여 소수 첫째 자리까지 나타낸 수와 소수 둘째 자리까지 나타낸 수를 각각 구하세요.

소수 첫째 자리 (   )

소수 둘째 자리 (   )

09 올림, 버림, 반올림하여 십의 자리까지 나타낸 수가 모두 같은 것을 찾아 쓰세요.

| 843 | 697 | 530 |

(   )

10 어느 공원에서 수직선에 나타낸 나이의 범위에 해당하는 사람은 입장료를 받지 않습니다. 입장료를 내야 하는 나이의 범위를 이상과 미만으로 나타내세요.

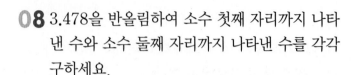

(   )

11 빵을 한 개 만드는 데 밀가루 100 g이 필요합니다. 밀가루 980 g으로 빵을 몇 개까지 만들 수 있나요?

(   )

12 예진이는 무게가 2.4 kg인 소포와 5 kg인 소포를 각각 보내려고 합니다. 소포를 보내는 데 필요한 요금은 얼마인가요?

무게별 택배 요금

무게(kg) 범위	금액(원)
1 이하	3500
1 초과 3 이하	4000
3 초과 5 이하	4500
5 초과 7 이하	5000
7 초과 10 이하	6000

(   )

13 어느 주차장의 주차 요금을 나타낸 것입니다. 이 주차장에 78분 동안 주차했다면 내야 할 주차 요금은 얼마인가요? (단, 추가 요금은 1시간 초과 시 올림을 적용합니다.)

주차 요금
• 기본 1시간 요금: 3000원
• 1시간 초과 시 10분마다 800원씩 추가

(   )

14 반올림하여 백의 자리까지 나타내면 2300이 되는 자연수 중에서 가장 큰 수와 가장 작은 수를 각각 구하세요.

가장 큰 수 (   )

가장 작은 수 (   )

15 카드 5장을 한 번씩 모두 사용하여 가장 큰 소수 세 자리 수를 만들었습니다. 만든 수를 올림하여 소수 첫째 자리까지 나타낸 수와 버림하여 소수 둘째 자리까지 나타낸 수의 합은 얼마인가요?

| 2 | 9 | 7 | 1 | . |

( )

16 연지네 마을 사람들이 여행을 가려면 정원이 45명인 버스가 적어도 3대 필요합니다. 연지네 마을 사람들은 몇 명 이상 몇 명 이하인가요? (단, 운전자의 수는 생각하지 않습니다.)

( )

17 어느 승강기의 탑승 가능 무게는 800 kg 미만입니다. 이 승강기에 몸무게가 80 kg인 사람이 3명, 65 kg인 사람이 4명 타고 있을 때 무게가 40 kg인 상자를 몇 개까지 실을 수 있나요?

( )

18 반올림하여 백의 자리까지 나타낸 수가 나머지와 다른 하나를 찾으려고 합니다. 풀이 과정을 쓰고, 답을 구하세요.

| 6179 | 6234 | 6248 | 6149 |

(풀이)

(답)

19 두 조건을 모두 만족하는 자연수는 모두 몇 개인지 풀이 과정을 쓰고, 답을 구하세요.

㉠ 41 이상 50 이하인 수
㉡ 46 초과 57 미만인 수

(풀이)

(답)

20 어느 문구점에서 색종이를 10장 묶음으로 팔고, 1묶음에 500원입니다. 색종이 142장을 사려면 최소 얼마가 필요한지 풀이 과정을 쓰고, 답을 구하세요.

(풀이)

(답)

단원 평가지

01 □ 안에 알맞은 수를 써넣으세요.

$$1\frac{1}{5} \times 2 = (1 \times 2) + \left(\frac{\square}{\square} \times 2\right)$$

$$= 2 + \frac{2}{\square} = \square\frac{2}{\square}$$

04 계산 결과를 찾아 선으로 이으세요.

(1) $\dfrac{1}{2} \times \dfrac{1}{8}$ ·   · ㉠ $\dfrac{1}{15}$

(2) $\dfrac{1}{5} \times \dfrac{1}{3}$ ·   · ㉡ $\dfrac{1}{16}$

(3) $\dfrac{1}{7} \times \dfrac{1}{4}$ ·   · ㉢ $\dfrac{1}{28}$

02 보기 와 같은 방법으로 계산하세요.

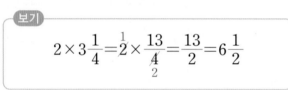

보기

$$2 \times 3\frac{1}{4} = \overset{1}{2} \times \frac{13}{\underset{2}{4}} = \frac{13}{2} = 6\frac{1}{2}$$

$$4 \times 2\frac{7}{8}$$

05 계산 결과를 비교하여 ○ 안에 >, =, <를 알맞게 써넣으세요.

$$3\frac{3}{7} \times 1\frac{5}{6} \bigcirc 1\frac{4}{5} \times 3\frac{1}{3}$$

06 빈 곳에 알맞은 수를 써넣으세요.

$$\frac{5}{8} \quad \times 1\frac{1}{3} \quad \times \frac{7}{10} \quad \boxed{}$$

03 계산 결과가 다른 하나를 찾아 기호를 쓰세요.

㉠ $\dfrac{5}{9} + \dfrac{5}{9}$ ㉡ $\dfrac{5 \times 2}{9}$

㉢ $\dfrac{2}{9} + \dfrac{2}{9}$ ㉣ $\dfrac{5}{9} \times 2$

(   )

07 가장 큰 수와 가장 작은 수의 곱을 구하세요.

$$\frac{8}{15} \qquad 9 \qquad \frac{4}{5} \qquad 12$$

(   )

08 1 L의 페인트로 $\dfrac{14}{15}$ m²의 벽을 칠할 수 있습니다. $\dfrac{4}{7}$ L의 페인트로 칠할 수 있는 벽은 몇 m²인가요?

( )

09 ☐ 안에 알맞은 수의 합을 구하세요.

> • 1시간의 $\dfrac{1}{6}$ 은 ☐분입니다.
>
> • 1 cm의 $\dfrac{1}{5}$ 은 ☐mm입니다.
>
> • 1 L의 $\dfrac{1}{8}$ 은 ☐mL입니다.

( )

10 계산 결과가 큰 것부터 차례로 기호를 쓰세요.

> ㉠ $3\dfrac{3}{4} \times 2$ ㉡ $5 \times \dfrac{4}{9}$
>
> ㉢ $2\dfrac{7}{10} \times 1\dfrac{5}{9}$ ㉣ $2\dfrac{1}{3} \times \dfrac{6}{11} \times 1\dfrac{2}{7}$

( )

11 승아는 하루에 우유는 $\dfrac{9}{10}$ L씩 마시고, 물은 우유의 $2\dfrac{1}{2}$ 배만큼 마십니다. 승아가 하루에 마시는 우유와 물은 모두 몇 L인가요?

( )

12 정사각형 가와 직사각형 나가 있습니다. 어느 것의 넓이가 몇 cm² 더 넓은지 구하세요.

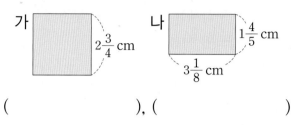

가 $2\dfrac{3}{4}$ cm   나 $1\dfrac{4}{5}$ cm $3\dfrac{1}{8}$ cm

( ), ( )

13 민우는 구슬을 180개 가지고 있었습니다. 그 중 $\dfrac{1}{5}$ 을 쓰고, 나머지의 $\dfrac{3}{4}$ 을 동생에게 주고, 동생에게 주고 난 나머지의 $\dfrac{2}{3}$ 를 형에게 주었습니다. 민우에게 남은 구슬은 몇 개인가요?

( )

14 어느 극장 어린이 1명의 평일 관람료는 8000원입니다. 주말에는 평일 관람료의 $1\dfrac{1}{4}$ 만큼을 내야 합니다. 주말에 어린이 3명이 영화를 보기 위해 내야 하는 관람료는 얼마인가요?

( )

15 수 카드를 한 번씩만 사용하여 진분수 3개를 만들어 곱하려고 합니다. 곱이 가장 작을 때의 값을 구하세요. (단, 분모와 분자에 각각 한 장의 카드만 사용합니다.)

| 2 | 3 | 4 | 5 | 6 | 7 | 8 | 9 |

(   )

16 색칠한 부분의 넓이는 몇 m^2인가요?

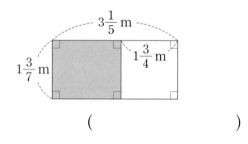

$3\dfrac{1}{5}$ m

$1\dfrac{3}{4}$ m

$1\dfrac{3}{7}$ m

(   )

17 희주와 동우가 자전거를 타고 있습니다. 희주는 한 시간에 $10\dfrac{2}{3}$ km를 가고, 동우는 한 시간에 $9\dfrac{5}{7}$ km를 갑니다. 두 사람이 같은 빠르기로 한 곳에서 반대 방향으로 동시에 출발하여 2시간 15분 동안 자전거를 타고 간다면 두 사람 사이의 거리는 몇 km인지 구하세요.
(단, 두 사람은 일직선 방향으로 갑니다.)

(   )

18 옳게 계산한 사람은 누구인지 풀이 과정을 쓰고, 답을 구하세요.

- 채연: $1\dfrac{5}{6} \times 10 = 10\dfrac{5}{6}$

- 선우: $4 \times 5\dfrac{1}{6} = 20\dfrac{2}{3}$

풀이

답

19 □ 안에 들어갈 수 있는 자연수는 모두 몇 개인지 풀이 과정을 쓰고, 답을 구하세요.

$$2\dfrac{2}{5} \times 2\dfrac{1}{3} > \square\dfrac{1}{5}$$

풀이

답

20 어떤 수에 $\dfrac{3}{8}$을 곱해야 할 것을 잘못하여 뺐더니 $1\dfrac{5}{12}$가 되었습니다. 바르게 계산하면 얼마인지 풀이 과정을 쓰고, 답을 구하세요.

풀이

답

01 왼쪽 도형과 서로 합동인 도형을 찾아 기호를 쓰세요.

 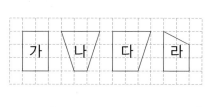

(　　　　　　)

[02~04] 두 삼각형은 서로 합동입니다. 물음에 답하세요.

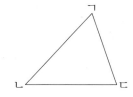 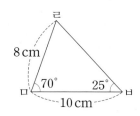

02 점 ㄴ의 대응점을 쓰세요.

(　　　　　　)

03 변 ㄱㄷ은 몇 cm인가요?

(　　　　　　)

04 각 ㄱㄴㄷ은 몇 도인가요?

(　　　　　　)

05 선대칭도형을 모두 고르세요. (　　　　)

① 　② 　③

④ 　⑤

06 점대칭도형인 글자를 모두 찾아 ○표 하세요.

ㄱ ㄷ ㄹ ㅅ ㅍ

07 선대칭도형을 완성하세요.

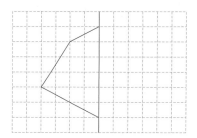

08 점대칭도형을 완성하세요.

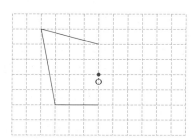

단원 평가지

09 다음 선대칭도형에서 찾을 수 있는 대칭축은 모두 몇 개인가요?

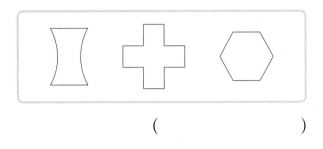

(   )

10 점 ㅇ을 대칭의 중심으로 하는 점대칭도형입니다. □ 안에 알맞은 수를 써넣으세요.

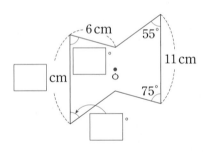

11 직선 ㅈㅊ을 대칭축으로 하는 선대칭도형입니다. 선분 ㄷㄹ은 몇 cm인가요?

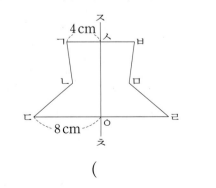

(   )

12 점 ㅇ을 대칭의 중심으로 하는 점대칭도형입니다. 이 점대칭도형의 둘레는 몇 cm인가요?

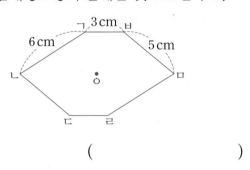

(   )

13 두 사각형은 서로 합동입니다. 사각형 ㄱㄴㄷㄹ의 둘레가 39 cm일 때 변 ㅁㅂ은 몇 cm인가요?

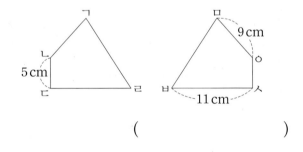

(   )

14 선분 ㄱㄹ을 대칭축으로 하는 선대칭도형입니다. 각 ㄷㄱㄹ은 몇 도인가요?

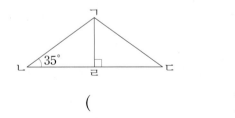

(   )

15 점 ㅇ을 대칭의 중심으로 하는 점대칭도형입니다. 각 ㄱㄴㄷ은 몇 도인가요?

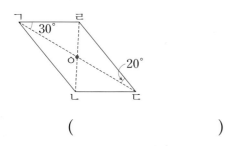

(   )

16 삼각형 ㄱㄴㅁ과 삼각형 ㄷㅂㅁ이 서로 합동이 되도록 직사각형 모양의 종이를 접었습니다. 삼각형 ㄱㄴㄷ의 넓이는 몇 cm²인가요?

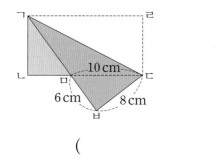

(   )

17 직선 ㄱㄴ을 대칭축으로 하는 선대칭도형의 일부분입니다. 선대칭도형을 완성했을 때 선대칭도형의 넓이는 몇 cm²인가요?

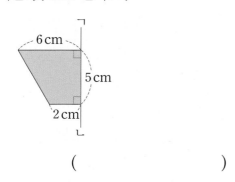

(   )

18 오른쪽 도형이 선대칭도형인지 아닌지 쓰고, 그 이유를 설명하세요.

답 _____

이유 _____

_____

19 두 사각형은 서로 합동입니다. 사각형 ㄱㄴㄷㄹ의 둘레가 28 cm일 때, 사각형 ㅁㅂㅅㅇ의 넓이는 몇 cm²인지 풀이 과정을 쓰고, 답을 구하세요.

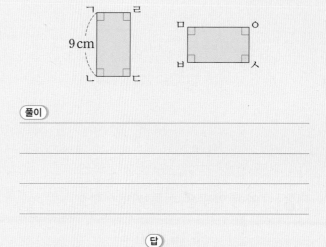

풀이 _____

_____

_____

_____

답

20 점 ㅇ을 대칭의 중심으로 하는 점대칭도형입니다. 각 ㄱㅇㄴ은 몇 도인지 풀이 과정을 쓰고, 답을 구하세요.

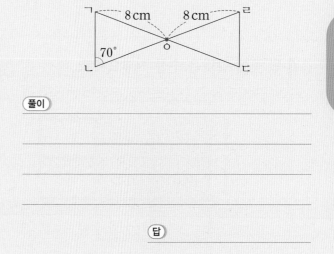

풀이 _____

_____

_____

답

단원 평가지

01 보기와 같이 계산하세요.

> 보기
>
> $$0.2 \times 7 = \frac{2}{10} \times 7 = \frac{2 \times 7}{10} = \frac{14}{10} = 1.4$$

0.9×4

02 ☐ 안에 알맞은 수를 써넣으세요.

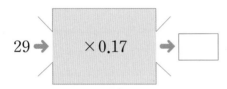

$29 \rightarrow \boxed{\times 0.17} \rightarrow \boxed{}$

03 ☐ 안에 알맞은 수를 써넣으세요.

$5.16 \times 10 = \boxed{}$

$5.16 \times 100 = \boxed{}$

$5.16 \times 1000 = \boxed{}$

04 빈 곳에 알맞은 수를 써넣으세요.

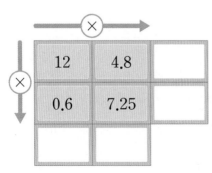

05 계산 결과를 비교하여 곱이 더 큰 사람의 이름을 쓰세요.

난 97×0.1을 계산했어.

난 0.97×100을 계산했어.

민재   다혜

(   )

06 평행사변형의 넓이는 몇 cm^2인가요?

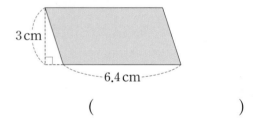

3 cm

6.4 cm

(   )

07 근희는 하루에 $0.9\,L$씩 물을 마십니다. 근희가 일주일 동안 마신 물은 모두 몇 L인지 식을 쓰고, 답을 구하세요.

식

답

08 가장 큰 수와 가장 작은 수의 곱을 구하세요

| 5.8 | 4.26 | 9.1 | 3.07 |

(   )

09 계산 결과가 큰 것부터 차례로 기호를 쓰세요.

㉠ 1.8×6   ㉡ 16×0.42
㉢ 0.09×100   ㉣ 11.7×0.5

(   )

10 ㉠은 ㉡의 몇 배인가요?

96.14×㉠=961.4
728×㉡=7.28

(   )

11 어떤 수를 4.8로 나누었더니 15가 되었습니다. 어떤 수를 구하세요.

(   )

12 ☐ 안에 들어갈 수 있는 가장 작은 자연수를 구하세요.

4.7×6<☐

(   )

13 색칠한 부분의 넓이는 몇 cm²인가요?

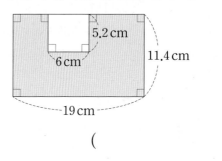

(   )

14 기찬이의 키는 156 cm입니다. 새롬이의 키는 기찬이의 키의 0.95배이고, 현민이의 키는 새롬이의 키의 1.05배입니다. 현민이의 키는 몇 cm인가요?

(   )

15 길이가 14.4 cm인 종이테이프 8장을 그림과 같이 2.6 cm씩 겹치게 한 줄로 이어 붙였습니다. 이어 붙인 종이테이프의 전체 길이는 몇 cm인가요?

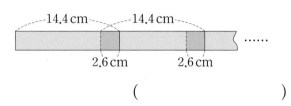

( )

16 땅에 닿으면 떨어진 높이의 0.5배만큼 튀어 오르는 공이 있습니다. 이 공을 6 m 높이에서 떨어뜨렸을 때, 세 번째로 튀어 오른 공의 높이는 몇 m인가요? (단, 공은 땅에서 수직으로 튀어 오릅니다.)

( )

17 1분에 0.82 km를 일정한 빠르기로 가는 기차가 터널을 완전히 통과하는 데 2분 45초가 걸렸습니다. 기차의 길이가 170 m일 때 터널의 길이는 몇 km인가요?

( )

18 계산 결과가 더 큰 것을 찾아 기호를 쓰려고 합니다. 풀이 과정을 쓰고, 답을 구하세요.

$\bigcirc$ 3.7 × 24 $\bigcirc$ 18 × 0.65

풀이

답

19 한 시간에 0.06 m씩 일정한 빠르기로 타는 초가 있습니다. 이 초가 15분 동안 타는 길이는 몇 m인지 소수로 나타내려고 합니다. 풀이 과정을 쓰고, 답을 구하세요.

풀이

답

20 카드 4 , 5 , 2 , . 을 한 번씩 모두 사용하여 소수 두 자리 수를 만들려고 합니다. 만들 수 있는 가장 큰 소수 두 자리 수와 가장 작은 소수 두 자리 수의 곱은 얼마인지 풀이 과정을 쓰고, 답을 구하세요.

풀이

답

01 직육면체를 모두 고르세요. (   )

① 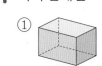   ②   ③

④   ⑤

02 직육면체에서 색칠한 면과 평행한 면을 찾아 색칠하세요.

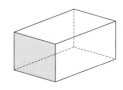

03 정육면체를 보고 □ 안에 알맞은 수를 써넣으세요.

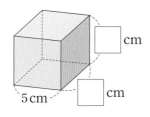

□ cm
□ cm
5 cm

04 직육면체의 겨냥도를 완성하세요.

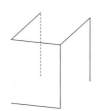

05 직육면체에서 면 ㄴㅂㅁㄱ과 수직인 면이 <u>아닌</u> 것은 어느 것인가요? (   )

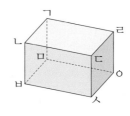

① 면 ㄱㄴㄷㄹ
② 면 ㄷㅅㅇㄹ
③ 면 ㄱㅁㅇㄹ
④ 면 ㅁㅂㅅㅇ
⑤ 면 ㄴㅂㅅㄷ

06 직육면체의 전개도를 찾아 기호를 쓰세요.

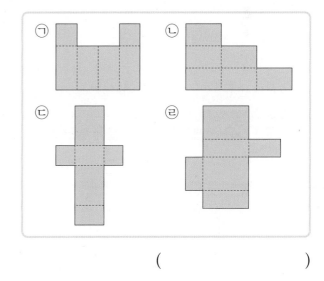

(   )

07 직육면체에 대한 설명으로 틀린 것을 모두 찾아 기호를 쓰세요.

> ㉠ 면은 모두 직사각형입니다.
> ㉡ 모서리의 길이가 모두 같습니다.
> ㉢ 서로 마주 보는 면은 서로 평행합니다.
> ㉣ 직육면체는 정육면체라고 할 수 있습니다.

(   )

단원 평가지

08 정육면체를 보고 전개도를 그리세요.

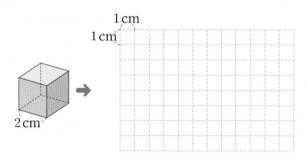

09 직육면체의 면의 수, 모서리의 수, 꼭짓점의 수를 더하면 모두 몇 개인가요?

( )

[10~11] 다음 전개도를 보고 물음에 답하세요.

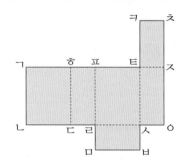

10 전개도를 접었을 때 점 ㄷ과 만나는 점을 찾아 쓰세요.

( )

11 전개도를 접었을 때 선분 ㄱㅎ과 만나는 선분을 찾아 쓰세요.

( )

12 전개도를 접었을 때 면 라와 수직인 면을 모두 찾아 쓰세요.

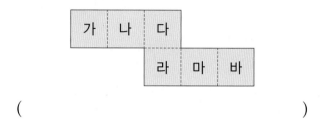

( )

13 다음 직육면체에서 보이지 않는 모서리의 길이의 합은 몇 cm인가요?

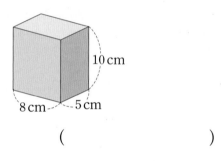

( )

14 다음 직육면체의 모든 모서리의 길이의 합과 정육면체의 모든 모서리의 길이의 합이 같습니다. 정육면체의 한 모서리의 길이는 몇 cm인가요?

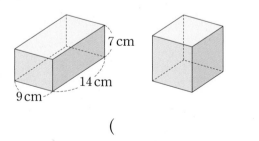

( )

15 다음 직육면체의 모든 모서리의 길이의 합이 92 cm일 때 ☐ 안에 알맞은 수를 구하세요.

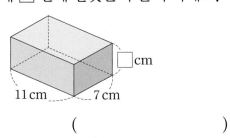

☐cm
11 cm   7 cm

(   )

16 다음은 정육면체 모양 주사위의 전개도입니다. 주사위의 마주 보는 면의 눈의 수의 합이 7일 때, 면 ㉡과 면 ㉣에 공통으로 수직인 면의 눈의 수의 합은 얼마인가요?

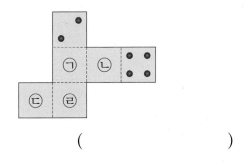

(   )

17 각 면에 1부터 6까지의 숫자가 쓰인 정육면체를 세 방향에서 본 것입니다. 5가 쓰인 면과 평행한 면에 쓰인 숫자를 구하세요. (단, 숫자의 방향은 생각하지 않습니다.)

(   )

18 다음 도형이 직육면체가 아닌 이유를 쓰세요.

이유
_____
_____

19 모든 모서리의 길이의 합이 108 cm인 정육면체의 한 모서리의 길이는 몇 cm인지 풀이 과정을 쓰고, 답을 구하세요.

풀이
_____
_____
_____

답 (   )

20 오른쪽과 같이 직육면체 모양의 상자를 리본으로 묶었습니다. 매듭으로 사용한 리본의 길이가 20 cm 일 때, 상자를 묶는 데 사용한 리본의 전체 길이는 몇 cm인지 풀이 과정을 쓰고, 답을 구하세요.

6 cm
10 cm
12 cm

풀이
_____
_____
_____

답 (   )

단원 평가지

5. 직육면체 ● 61

[01~02] 소연이네 가족의 나이를 나타낸 표입니다. 물음에 답하세요.

소연이네 가족의 나이

가족	아버지	어머니	소연	동생
나이(살)	43	38	12	7

01 소연이네 가족의 나이를 모두 더하면 몇 살인가요?

( )

02 소연이네 가족의 나이는 평균 몇 살인가요?

( )

03 일이 일어날 가능성이 '확실하다'인 것에 ○표 하세요.

내일 아침에 서쪽에서 해가 뜰 가능성	사탕만 있는 봉지에서 사탕을 꺼낼 가능성

( ) ( )

04 빨간색 구슬 1개와 파란색 구슬 3개가 들어 있는 주머니에서 빨간색 구슬을 꺼낼 가능성을 ↓로 나타내세요.

0 ──────── $\frac{1}{2}$ ──────── 1

05 1, 2, 3, 4가 각각 쓰인 카드 4장 중에서 짝수를 뽑을 가능성을 0부터 1까지의 수로 표현하세요.

( )

06 회전판을 돌릴 때 화살이 빨간색에 멈출 가능성이 가장 높은 것의 기호를 쓰세요.

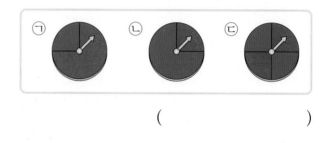

( )

07 연우와 혜미가 4주일 동안 받은 용돈의 합은 얼마인가요?

나는 4주일 동안 일주일에 받은 평균 용돈이 3000원이야. 연우

나는 4주일 동안 일주일에 받은 평균 용돈이 2500원이야. 혜미

( )

08 준상이와 서윤이의 공 던지기 기록입니다. 누구의 공 던지기 평균이 몇 m 더 먼가요?

준상	서윤
42 m, 10 m, 39 m, 37 m	38 m, 33 m, 28 m

( ), ( )

[09~10] 보미네 모둠의 운동 종목별 기록을 보고 물음에 답하세요.

보미네 모둠의 운동 종목별 기록

운동 종목 이름	오래 매달리기	멀리뛰기
보미	20초	209 cm
도연	15초	172 cm
성훈		183 cm
현경	21초	180 cm

09 보미네 모둠의 오래 매달리기 기록의 평균은 18초입니다. 성훈이의 오래 매달리기 기록은 몇 초인가요?

(   )

10 ☐ 안에 알맞은 수를 써넣으세요.

> 전학생 1명이 보미네 모둠이 되었습니다. 이 전학생의 멀리뛰기 기록이 191 cm일 때, 전학생의 기록을 포함한 보미네 모둠의 멀리뛰기 기록의 평균은 ☐ cm입니다.

11 일이 일어날 가능성이 높은 순서대로 기호를 쓰세요.

> ㉠ 흰색 공 3개와 검은색 공 1개가 들어 있는 주머니에서 흰색 공을 꺼낼 가능성
> ㉡ 흰색 공과 검은색 공이 2개씩 들어 있는 주머니에서 노란색 공을 꺼낼 가능성
> ㉢ 검은색 공이 4개 들어 있는 주머니에서 검은색 공을 꺼낼 가능성

(   )

12 미란이가 1분씩 6회 동안 기록한 맥박 수를 나타낸 표입니다. 미란이가 기록한 맥박 수의 평균이 81회일 때, 미란이의 맥박 수가 가장 빠른 때는 몇 회인가요?

맥박 수

회	1회	2회	3회	4회	5회	6회
맥박 수(회)	75	80		85	81	82

(   )

13 3장의 수 카드를 한 번씩 모두 사용하여 세 자리 수를 만들려고 합니다. 만들 수 있는 모든 세 자리 수의 평균은 얼마인가요?

☐ 2 ☐   ☐ 7 ☐   ☐ 4 ☐

(   )

14 어느 여행 동아리 회원의 나이입니다. 새로운 회원 한 명이 더 들어와서 나이가 평균 1살 늘어났습니다. 새로운 회원은 몇 살인가요?

20	22	23	21	24

(   )

단원 평가지

15 어느 버스가 3시간 동안 195 km를 간 후에 2시간 동안 140 km를 더 갔습니다. 이 버스는 한 시간 동안 평균 몇 km를 갔나요?

( )

16 상호네 모둠 남학생 3명과 여학생 2명의 키의 평균을 나타낸 표입니다. 상호네 모둠의 키의 평균은 몇 cm인가요?

키의 평균

남학생 3명	154 cm
여학생 2명	149 cm

( )

17 씨름 선수들의 몸무게를 나타낸 표입니다. 연석이의 몸무게가 동수의 몸무게보다 35 kg 더 무거울 때, 동수의 몸무게는 몇 kg인가요?

씨름 선수들의 몸무게

선수	연석	민홍	동수	정태	평균
몸무게 (kg)		90		89	96

( )

18 새롬이는 9월 한 달 동안 매일 줄넘기를 했습니다. 하루에 평균 160회를 했다면 한 달 동안 한 줄넘기는 모두 몇 회인지 풀이 과정을 쓰고, 답을 구하세요.

풀이

답

19 어떤 일이 일어날 가능성을 0부터 1까지의 수로 표현할 때 ㉠과 ㉡의 합은 얼마인지 풀이 과정을 쓰고, 답을 구하세요.

> ㉠ 어떤 수에 1을 곱했을 때 어떤 수가 나올 가능성
> ㉡ 어떤 수에 0을 곱했을 때 0이 나올 가능성

풀이

답

20 수지의 기말고사 점수를 나타낸 표입니다. 네 과목의 점수의 평균이 85점일 때 수학 점수는 몇 점인지 풀이 과정을 쓰고, 답을 구하세요.

기말고사 점수

과목	국어	수학	사회	과학
점수(점)	80		95	90

풀이

답

동아출판

초고필로 중학교 성적이 바뀐다!

초등 고학년을 위한 중학교 필수 영역 초고필

국어
비문학 독해 1·2 / 문학 독해 1·2 / 국어 어휘 / 국어 문법

수학
유리수의 사칙연산 / 방정식 / 도형의 각도

한국사
한국사 1권 / 한국사 2권

큐브
수학
실력

매칭북   5·2

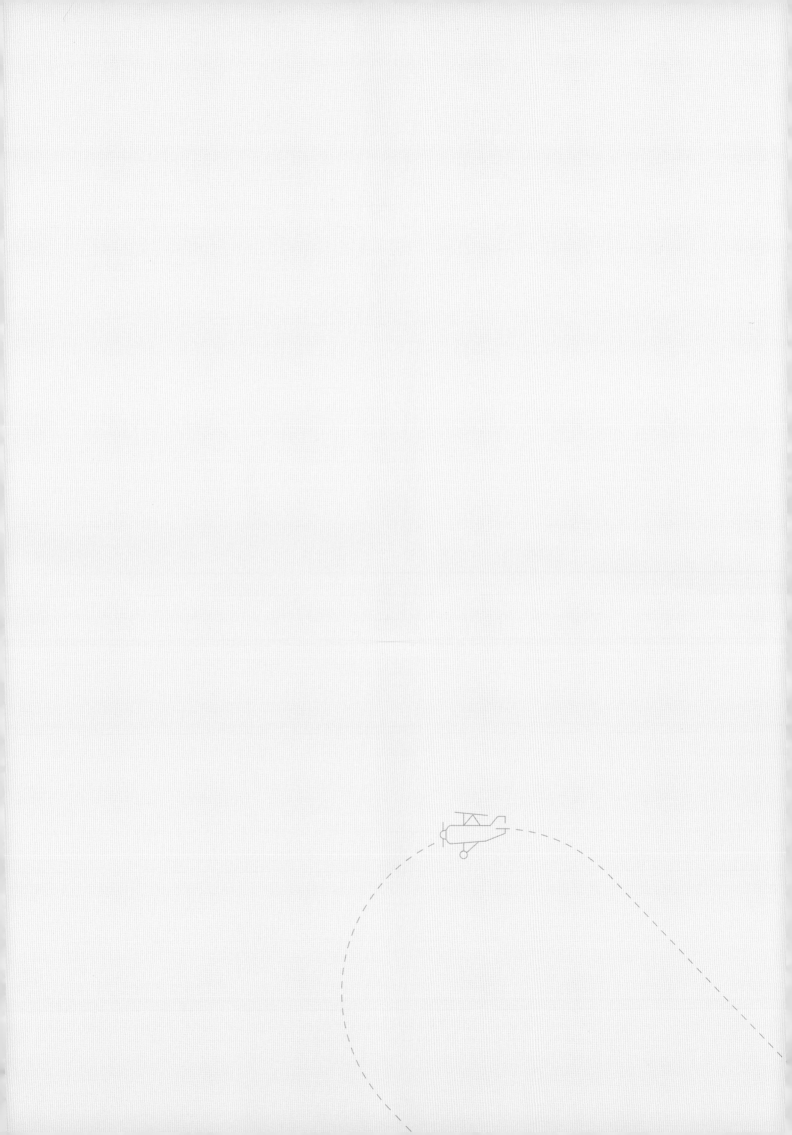

엄마 매니저의
큐브수학
STORY

🔍 초등수학 문제집 추천 ▾

닉네임
사*

3년째 큐브수학 개념으로 엄마표 수학 완성!

4학년부터 개념은 큐브수학으로 시작했는데요. 설명이 쉽게 되어 있어서 접근하기가 좋더라고요. 기초개념만 제대로 잡히면 그다음 단계로 올라가는 건 어렵지 않아요. 처음부터 너무 어려우면 부담스러워 피하기도 하는데 아이가 쉽게 잘 풀어나가는게 효과가 아주 좋았어요. **기초 잡기에는 큐브수학 개념이 제일 만족스러웠어요.**

닉네임
그**

쉽고 재미있게 개념도 탄탄하게!

큐브수학 개념을 계속해서 선택한 이유는 **기초 수학을 체계적으로 풀어가면서 수학 실력을 쌓을 수 있기 때문이에요.** 무료 스마트러닝 개념 동영상 강의도 쉽고 재미나서 혼자서도 충실하게 잘 듣더라고요! 수학 익힘 문제, 더 확장된 문제들까지 다양하게 풀어 볼 수 있어서 좋았어요. 큐브수학만큼 만족도가 큰 문제집은 없는 것 같네요.

닉네임
매****

무료 동영상 강의로 빈틈 없는 홈스쿨링

엄마표 수학을 진행하고 있기 때문에 아이가 잘 따라올 수 있는 수준의 문제집을 고르려고 해요. **특히 홈스쿨링으로 예습을 할 때 가장 좋은 건 동영상 강의예요.** QR코드를 찍으면 바로 동영상을 볼 수 있고, 선생님이 제가 알려주는 것보다 더 알기 쉽게 알려주세요. 부족한 학습은 동영상을 통해 채워줄 수 있어서 정말 좋아요. 혼자서도 언제 어느 때나 강의를 들을 수 있다는 점이 최고!

큐브
수학
실력

정답 및 풀이

모바일
쉽고 편리한
빠른 정답

5·2

동아출판

정답 및 풀이

| 모바일 빠른 정답 |

QR코드를 찍으면 **정답 및 풀이**를 쉽고 빠르게 확인할 수 있습니다.

1. 수의 범위와 어림하기

STEP ① 개념 완성하기　008~009쪽

1 18, 31　　　　　　　　**2** ⑤
3 25, 27.6, 38에 ○표 / 9, 10에 △표
4 <수직선 그림> 19 20 21 22 23 24 25 26　　**5** ㉢
6 ⑴ 51 이하인 수 ⑵ 22 초과인 수
7 태진　　　　**8** 4개　　　**9** ㉡
10 ⑴ 2학년 ⑵ 4학년, 6학년

---

5 ㉠ 63 이상인 수　　　　㉡ 64 미만인 수

8 43 이상인 수: 43과 같거나 큰 수
→ 57.6, 64.7, 43.0, 76.3

9 10 미만인 수: 10보다 작은 수

10 ⑴ 100명과 같거나 적은 학년: 2학년(97명)
⑵ 113명보다 많은 학년:
4학년(124명), 6학년(117명)

STEP ① 개념 완성하기　010~011쪽

1 32, 33, 34에 ○표
2 <수직선 그림> 47 48 49 50 51 52 53 54
3 ⑴ ㉡ ⑵ ㉠
4 ⑴ 이상, 이하 ⑵ 이상, 미만 ⑶ 초과, 이하
5 ②, ④　　　　　　**6** × / ○
7 ㉢　　　　　　　**8** 페더급
9 <수직선 그림> 32 33 34 35 36 37 38 39 40

---

5 37 초과 42 미만인 수: 37과 42는 포함되지 않습니다.

7 ㉠ <수직선> 87 88 89 90 91 92 93 94 ... 91 포함.
㉡ <수직선> 87 88 89 90 91 92 93 94 ... 91 포함.
㉢ <수직선> 87 88 89 90 91 92 93 94 ... 91 포함되지 않음.

8 38.1 kg은 36 초과 39 이하인 수의 범위에 속하므로 페더급입니다.

STEP ② 실력 다지기　012~017쪽

01 44.1, 53　　　　　　**02** 3개
03 예 ❶ 36 이상 47 미만인 수의 범위에 해당하는 자연수는 36과 같거나 크고 47보다 작은 자연수입니다. ▶3점
❷ 따라서 36, 37, 38……45, 46으로 모두 11개입니다. ▶2점 / 11개
04 ④　　　　　　　　　**05** 8개
06 $36\frac{2}{5}$, 35, 35.8, 32에 ○표　　**07** 85
08 예 ❶ 13 이상 87 이하인 수는 13과 같거나 크고 87과 같거나 작은 수입니다. ▶3점
❷ 가장 큰 수는 87이고, 가장 작은 수는 13입니다.
→ 87+13=100 ▶2점 / 100
09 67　　　　**10** 63　　　　**11** 50
12 ㉠　　　　**13** ㉠, ㉢　　　**14** 이상, 이하
15 예 ❶ ㉠ 이상인 수는 ㉠을 포함하고 ㉡ 미만인 수는 ㉡을 포함하지 않습니다. ▶2점
❷ 수의 범위에 포함되는 자연수가 20, 21, 22, 23이므로 20 이상 24 미만인 자연수입니다.
따라서 ㉠=20, ㉡=24입니다. ▶3점 / 20, 24
16 이상, 이하, 초과, 미만 **17** 65, 75, 초과, 이하
18 39, 53　　**19** 승호　　**20** 서울, 대전
21 해인, 효서　**22** 다　　**23** 양궁, 태권도
24 6000원　　　　　**25** 32, 33
26 예 ❶ 27 초과 35 이하인 자연수는 28, 29, 30, 31……34, 35입니다. ▶1점
❷ 30 이상 38 미만인 자연수는 30, 31……36, 37입니다. ▶1점
❸ 두 조건을 모두 만족하는 자연수는 30, 31, 32, 33, 34, 35이므로 30 이상 36 미만인 자연수입니다. ▶3점 / 30 이상 36 미만인 자연수
27 38　　**28** 37　　**29** 109개 이상 120개 이하
30 181명 이상 225명 이하　　　**31** 7598
32 예 ❶ 자연수 부분이 될 수 있는 수는 7 이상 9 이하인 수이므로 7, 8, 9입니다. ▶2점
❷ 소수 첫째 자리 숫자가 될 수 있는 수는 5 이상 6 이하인 수이므로 5, 6입니다. ▶2점
❸ 만들 수 있는 소수 한 자리 수는 7.5, 7.6, 8.5, 8.6, 9.5, 9.6으로 모두 6개입니다. ▶1점 / 6개

03

채점 기준	❶ 수의 범위 구하기	3점
	❷ 수의 범위에 해당하는 자연수는 모두 몇 개인 지 구하기	2점

04 28 이상 32 이하인 수 ➡ 28과 32가 포함됩니다.

05 14 초과 22 이하인 자연수
➡ 15, 16, 17, 18, 19, 20, 21, 22(8개)

06 37 이하인 수 ➡ 37과 같거나 작은 수

08

채점 기준	❶ 수의 범위 구하기	3점
	❷ 가장 큰 수와 가장 작은 수의 합 구하기	2점

09 62, 63, 64, 65, 67 ➡ 67과 같거나 작은 수
□ 안에는 67, 68, 69……가 들어갈 수 있으므로 가장 작은 자연수는 67입니다.

10 19 초과 22 이하인 자연수: 20, 21, 22
➡ (수의 합)=20+21+22=63

11 11 이상 15 미만인 자연수: 11, 12, 13, 14
➡ (수의 합)=11+12+13+14=50

12 ㉠ 8 초과 14 미만인 자연수: 9, 10, 11, 12, 13
➡ (수의 합)=9+10+11+12+13=55
㉡ 9 이하인 자연수: 1, 2, 3, 4, 5, 6, 7, 8, 9
➡ (수의 합)=1+2+3+4+5+6+7+8+9
=45

13 ㉠ 64와 같거나 크고 65보다 작은 수 ➡ 64
㉡ 64보다 크고 65와 같거나 작은 수 ➡ 65
㉢ 63보다 크고 66보다 작은 수 ➡ 64, 65
㉣ 60과 같거나 크고 63과 같거나 작은 수
➡ 60, 61, 62, 63

14 46과 같거나 크고 50과 같거나 작은 수입니다.

15

채점 기준	❶ 이상, 미만의 범위 알기	2점
	❷ ㉠, ㉡에 알맞은 수 각각 구하기	3점

16 • 주어진 수의 범위에 37과 41이 포함되므로 37 이상 41 이하인 자연수입니다.
• 주어진 수의 범위에 36과 42가 포함되지 않으므로 36 초과 42 미만인 자연수입니다.

17 65는 포함되고 75는 포함되지 않습니다.

18 40 이상 54 미만인 자연수: 40, 41……52, 53

20 미세 먼지 농도가 80보다 높고 150과 같거나 낮은 지역: 서울(86), 대전(92)

21 3등급: 50회 이상 99회 이하

22 자동차의 높이를 m 단위로 바꾸어 알아봅니다.

자동차	가	나	다	라	마
높이(m)	1.47	1.65	2.61	1.99	2.04

2.3 m보다 높은 자동차인 다는 통과할 수 없습니다.

23 메달이 3개보다 많은 종목: 양궁(5개), 태권도(5개)

24 (물건과 상자의 무게의 합)=3.1+0.6=3.7(kg)
➡ 2 kg 초과 5 kg 이하이므로 6000원입니다.

25 약점 포인트 　　　　　　정답률 70%

먼저 두 수직선에 나타낸 수의 범위를 알아봅니다.

• 28 이상 34 미만인 자연수: 28, 29, 30, 31, 32, 33
• 31 초과 39 이하인 자연수: 32, 33, 34, 35, 36, 37, 38, 39
➡ 공통으로 포함되는 자연수: 32, 33

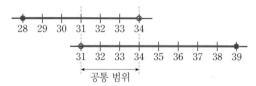

26

채점 기준	❶ 27 초과 35 이하인 자연수 구하기	1점
	❷ 30 이상 38 미만인 자연수 구하기	1점
	❸ ❶과 ❷를 모두 만족하는 수의 범위를 이상과 미만으로 나타내기	3점

27 약점 포인트 　　　　　　정답률 70%

초과는 기준이 되는 수를 포함하지 않고, 이하는 기준이 되는 수를 포함합니다.

■는 자연수이므로 24 초과 ■ 이하인 자연수:
25, 26……■
➡ 가장 큰 수: ■, 가장 작은 수: 25
➡ ■+25=63, ■=63-25=38

28 수직선에 나타낸 수의 범위는 ㉮ 이상 52 미만인 수입니다. 52 미만인 수에는 52가 포함되지 않으므로 51부터 거꾸로 세어 수를 15개를 씁니다.
➡ 51, 50, 49, 48, 47, 46, 45, 44, 43, 42, 41, 40, 39, 38, 37
㉮는 수의 범위에 포함되므로 ㉮에 알맞은 자연수는 37입니다.

29 약점 포인트 　　　　　　정답률 65%

마지막 상자에는 사과를 1개부터 12개까지 담을 수 있으므로 사과의 수가 가장 적은 경우와 가장 많은 경우로 나누어 생각합니다.

- 사과의 수가 가장 적은 경우: 상자 9개에 12개씩
모두 담고, 사과가 1개 더 있는 경우
  ➡ (전체 사과의 수)$=12×9+1=109$(개)
- 사과의 수가 가장 많은 경우: 상자 10개에 12개씩
모두 담은 경우
  ➡ (전체 사과의 수)$=12×10=120$(개)
따라서 사과는 109개 이상 120개 이하입니다.

30
- 학생 수가 가장 적은 경우: 버스 4대에 45명씩 모두
타고, 학생이 1명 더 있는 경우
  ➡ (전체 학생 수)$=45×4+1=181$(명)
- 학생 수가 가장 많은 경우: 버스 5대에 45명씩 모두
탄 경우 ➡ (전체 학생 수)$=45×5=225$(명)
따라서 5학년 학생은 181명 이상 225명 이하입니다.

31 약점 포인트　　　　　　　　　　　　정답률 70%

조건에 따라 차례로 각 자리의 수를 구합니다.

- 네 자리 수 ➡ ☐☐☐☐
- 7000 초과 8000 미만인 수이므로 천의 자리 숫자는
7 ➡ 7☐☐☐
- 백의 자리 숫자는 4 초과 5 이하인 수이므로 5
  ➡ 75☐☐
- 십의 자리 숫자는 9 이상인 수이므로 9 ➡ 759☐
- 일의 자리 숫자는 2로 나누어떨어지는 수 중에서 가
장 큰 수이므로 8 ➡ 7598

32

채점 기준	❶ 자연수 부분이 될 수 있는 수 구하기	2점
	❷ 소수 첫째 자리 숫자가 될 수 있는 수 구하기	2점
	❸ 만들 수 있는 소수 한 자리 수는 모두 몇 개인 지 구하기	1점

STEP ❶ 개념 완성하기　　　　　　018~019쪽

1 (1) 400　(2) 900　(3) 1700　(4) 2100
2 (1) 170　(2) 720　(3) 6200　(4) 5190
3 (위에서부터) 6250, 6300 / 21570, 21600
/ 72340, 72400
4 (위에서부터) 2900, 2000 / 49200, 49000
/ 58700, 58000
5 (1) 0.54　(2) 4.9　　**6** (1) 2.4　(2) 6.47
7 은성　　　　　　**8** 1260, 1300, <
9 2600, 2000, >

7 은성: 4709 → 4800
8 ㉠ 1254 → 1260, ㉡ 1245 → 1300
  ➡ 1260 < 1300
9 ㉠ 2692 → 2600, ㉡ 2801 → 2000
  ➡ 2600 > 2000

STEP ❶ 개념 완성하기　　　　　　020~021쪽

1 (1) 500　(2) 200　(3) 8000　(4) 6800
2 (위에서부터) 5580, 5600 / 34920, 34900
/ 74500, 74500
3 3 cm　　　　　　**4** (1) 2.1　(2) 4.51
5 34600 / 34500 / 34600
6 9000 m　　　　　**7** 145 / 151 / 147
8 (1) 올림　(2) 6000원　**9** (1) 버림　(2) 8개

3 클립의 길이는 3.4 cm입니다. 3.4를 반올림하여 일
의 자리까지 나타내면 소수 첫째 자리 숫자가 4이므
로 버림하여 3이 됩니다. ➡ 3 cm

6 8848 → 9000 ➡ 9000 m

7 찬영: 145.3 ➡ 145　　　종인: 150.7 ➡ 151
성운: 146.5 ➡ 147

8 버림이나 반올림하여 5000원을 내면 모자라므로 올
림하여 최소 6000원을 내야 합니다.

9 100 cm씩 8개를 포장하고 남은 32 cm로는 선물
상자를 포장할 수 없으므로 버림합니다. ➡ 8개

STEP ❷ 실력 다지기　　　　　　022~027쪽

01 세훈　　　　　　　　**02** ③
03 예 ❶ 73860을 올림하여 만의 자리까지 나타내면
73860 ➡ 80000입니다. ▶2점
❷ 73860을 올림하여 백의 자리까지 나타내면
73860 ➡ 73900입니다. ▶2점
❸ 따라서 어림한 두 수의 차는
80000－73900=6100입니다. ▶1점 / 6100
04 7301, 7399　　　　**05** 6100, 6001
06 9개　　　　　　　　**07** ㉡

08 나연   **09** ⑤   **10** ③, ④

11 (예) ❶ 버림하여 백의 자리까지 나타내면 1200이 되는 자연수는 1200부터 1299까지입니다. ▶3점
❷ 따라서 가장 큰 수는 1299입니다. ▶2점 / 1299

12 8   **13** ( )(×)( )

14 70000 / 40000 / 40000 / 40000

15 ②   **16** ㉠, ㉣

17 (예) ❶ 34□18을 반올림하여 천의 자리까지 나타낸 수는 35000으로 천의 자리 숫자가 5가 되었으므로 백의 자리에서 올림한 것입니다. ▶3점
❷ 따라서 □ 안에 들어갈 수 있는 수는 5, 6, 7, 8, 9입니다. ▶2점 / 5, 6, 7, 8, 9

18 ┼┼┼┼┼┼┼╇┼┼┼┼┼┼┼┼╇┼┼┼┼┼┼┼ , 445, 455
440   450   460

19 16900   **20** ②, ③

21 371, 372, 373, 374

22 39개   **23** 25000원

24 (예) ❶ 266 cm는 50 cm씩 5묶음과 16 cm가 더 필요합니다. 리본을 5묶음만 사면 16 cm가 모자라므로 올림하여 6묶음을 사야 합니다. ▶3점
❷ (리본을 사는 데 필요한 돈)
 $=300 \times 6 = 1800$(원) ▶2점 / 1800원

25 310개   **26** 48장

27 705000원   **28** 17만 원

29 (예) ❶ (섬의 인구)$=335519+331167$
 $=666686$(명) ▶2점
❷ 반올림하여 만의 자리까지 나타내려면 천의 자리에서 반올림합니다. 666686 ➡ 670000이므로 섬의 인구를 반올림하여 만의 자리까지 나타내면 67만 명입니다. ▶3점 / 67만 명

30 20 km   **31** ㉡

32 버림 / 올림 / 반올림   **33** 공장, 55000원

34 (예) ❶ 10개씩 넣을 때 팔 수 있는 지우개는 9610개이므로 961 상자이고, 판 금액은
 $1500 \times 961 = 1441500$(원)입니다. ▶2점
❷ 100개씩 넣을 때 팔 수 있는 지우개는 9600개이므로 96상자이고, 판 금액은
 $12000 \times 96 = 1152000$(원)입니다. ▶2점
❸ 따라서 지우개를 한 상자에 10개씩 넣을 때와 100개씩 넣을 때 판 금액의 차는
 $1441500-1152000=289500$(원)입니다. ▶1점
 / 289500원

01 • 수호: 67821 → 67830(×)
• 정연: 26888 → 26890(×)

03

채점기준		
❶ 올림하여 만의 자리까지 나타낸 수 구하기	2점
❷ 올림하여 백의 자리까지 나타낸 수 구하기	2점
❸ 어림한 두 수의 차 구하기	1점

04 7301 → 7400, 7449 → 7500, 7399 → 7400, 7402 → 7500, 7257 → 7300

05 올림하여 백의 자리까지 나타내면 6100이 되는 자연수는 6001부터 6100까지입니다.
➡ 가장 큰 수는 6100, 가장 작은 수는 6001

06 주어진 네 자리 수를 올림하여 백의 자리까지 나타내면 43□0 → 4400인데 일의 자리 숫자가 0이므로 □ 안에는 1부터 9까지의 수가 들어갈 수 있습니다. ➡ 9개

07 • 버림하여 일의 자리까지 나타낸 수: 9.183 → 9(㉠)
• 버림하여 소수 첫째 자리까지 나타낸 수:
 9.183 → 9.1(㉡)
• 올림하여 소수 첫째 자리까지 나타낸 수 또는 반올림하여 소수 첫째 자리까지 나타낸 수:
 9.183 → 9.2 또는 9.183 → 9.2(㉢)
• 버림하여 소수 둘째 자리까지 나타낸 수:
 9.183 → 9.18(㉣)

08 정민: 21657 → 21000   준면: 21004 → 21000
나연: 20997 → 20000

09 ① 6450 → 6400   ② 6495 → 6400
③ 6500 → 6500   ④ 6540 → 6500
⑤ 6688 → 6600

10 ① 7.002 → 7.0(=7)   ② 7.198 → 7.1
③ 7.201 → 7.2   ④ 7.211 → 7.2
⑤ 7.425 → 7.4

11

채점기준		
❶ 버림하여 백의 자리까지 나타내면 1200이 되는 자연수의 범위 구하기	3점
❷ 가장 큰 수 구하기	2점

12 거꾸로 문제를 해결합니다.
① 버림하기 전의 자연수의 범위 ➡ 버림하여 십의 자리까지 나타내면 60이므로 60부터 69까지의 수
② 8을 곱한 수
 ➡ 60부터 69까지의 수 중에서 8의 배수: 64
③ 처음에 생각한 자연수 ➡ 64÷8=8

13 • 38940 → 39000   • 38387 → 38000
• 39476 → 39000

14 반올림하여 만의 자리까지 나타내므로 천의 자리에서 올림하거나 버림합니다.
상암: 66704 → 70000　　전주: 42256 → 40000
대전: 40535 → 40000　　울산: 43554 → 40000

15 ① 630480　② 630500　③ 630000
④ 630000　⑤ 600000

16 ㉠ 23581 → 24000　　㉡ 24500 → 25000
㉢ 23399 → 23000　　㉣ 24197 → 24000

17

채점기준	❶ □ 안에 들어갈 수 있는 수의 범위 구하기	3점
	❷ □ 안에 들어갈 수 있는 수 모두 구하기	2점

18 어떤 수를 반올림하여 십의 자리까지 나타낸 수 450은 일의 자리에서 올림하거나 버림하여 만들 수 있습니다.
① 일의 자리에서 올림한 경우의 수의 범위: 445 이상
② 일의 자리에서 버림한 경우의 수의 범위: 455 미만
➡ ①과 ②를 동시에 만족하는 수의 범위:
　445 이상 455 미만

19 ㉠ 15894 → 15900　　㉡ 15894 → 15000
㉢ 15894 → 16000
➡ ㉠－㉡＋㉢＝15900－15000＋16000
　　　　　　＝16900

20 ① 올림: 35600, 반올림: 35500
② 올림: 36100, 반올림: 36100
③ 올림: 34200, 반올림: 34200
④ 올림: 30100, 반올림: 30000
⑤ 올림: 32100, 반올림: 32000

21 ① 올림하여 십의 자리까지 나타내면 380이 되는 수의 범위
② 반올림하여 십의 자리까지 나타내면 370이 되는 수의 범위

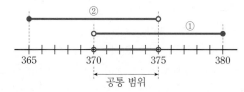

➡ 두 범위에 공통인 자연수: 371, 372, 373, 374

22 384명이 의자 한 개당 10명씩 앉는다면 의자 38개에 10명씩 앉고 남은 4명도 앉아야 하므로 올림해야 합니다. 따라서 의자가 1개 더 필요하므로 의자는 최소 38＋1＝39(개)가 필요합니다.

23 (책값)＝9800＋14500＝24300(원)
버림이나 반올림하여 24000원을 내면 300원이 모자라므로 올림해야 합니다.
24300을 올림하여 천의 자리까지 나타내면
24300 → 25000이므로 최소 25000원을 내야 합니다.

24

채점기준	❶ 필요한 리본은 몇 묶음인지 구하기	3점
	❷ 리본을 사는 데 필요한 금액 구하기	2점

25 사과 315개를 한 상자에 10개씩 담으면 31상자를 포장하고 5개가 남습니다. 남은 5개는 10개가 안 되어 포장할 수 없으므로 버림해야 합니다.
➡ (포장할 수 있는 사과)＝10×31＝310(개)

26 저금통에 들어 있는 동전의 금액을 알아봅니다.
100원짜리 432개 ➡ 43200원
50원짜리　90개 ➡ 　4500원
10원짜리　63개 ➡ 　　630원
　　　　　　　　　48330원
48330원을 1000원짜리 지폐로 바꿀 때 1000원이 안 되는 금액은 바꿀 수 없으므로 버림해야 합니다.
따라서 48000원만 바꿀 수 있으므로 1000원짜리 지폐로 최대 48장까지 바꿀 수 있습니다.

27 고구마 477 kg을 한 상자에 10 kg씩 담으면 47상자에 담고 7 kg이 남습니다.
남은 7 kg은 팔 수 없으므로 버림하면 판 고구마는 47상자입니다.
➡ (고구마를 판 돈)＝15000×47＝705000(원)

28 반올림하여 '몇만 원'으로 나타내려면 천의 자리에서 반올림합니다.
172420 → 170000이므로 모금액을 반올림하여 만의 자리까지 나타내면 17만 원입니다.

29

채점기준	❶ 섬의 인구수 구하기	2점
	❷ 섬의 인구를 반올림하여 만의 자리까지 나타내기	3점

30 (집에서 도서관까지의 거리)
＋(도서관에서 체육관까지의 거리)
＝8.9＋12.7＝21.6 (km)
21.6을 반올림하여 십의 자리까지 나타내면
21.6 → 20입니다.
따라서 집에서 도서관을 지나 체육관까지의 거리를 반올림하여 십의 자리까지 나타내면 20 km입니다.

31 약점 포인트   정답률 70%

올림, 버림, 반올림의 방법이 생활에서 이용되는 경우를 생각해 봅니다.
올림: 예 물건 포장 시 끈을 모자라지 않게 사야 하는 경우
버림: 예 동전을 지폐로 바꾸는 경우
반올림: 예 사람 수를 어림하는 경우

㉠ 동전을 10000원짜리 지폐로 바꿔야 하므로 10000원이 안 되는 돈은 바꿀 수 없습니다.
    ➡ 버림
㉡ 몸무게를 1 kg 단위로 가까운 쪽을 읽어야 합니다.
    ➡ 반올림
㉢ 감을 10개씩 꿰므로 10개가 안 되면 꿸 수 없습니다. ➡ 버림
따라서 어림하는 방법이 다른 하나는 ㉡입니다.

32 서우: 17200 → 17000, 15300 → 15000,
      5600 → 5000으로 어림했으므로 버림하여 천의 자리까지 나타낸 것입니다.
재혁: 17200 → 18000, 15300 → 16000,
      5600 → 6000으로 어림했으므로 올림하여 천의 자리까지 나타낸 것입니다.
석원: 17200 → 17000, 15300 → 15000,
      5600 → 6000으로 어림했으므로 반올림하여 천의 자리까지 나타낸 것입니다.

33 약점 포인트   정답률 65%

① 필요한 공책 수를 구합니다.
② 마트에서 살 때 사야 하는 공책 수를 구합니다.
③ 공장에서 살 때 사야 하는 공책 수를 구합니다.
④ ②와 ③의 값을 비교합니다.

(필요한 공책 수)$=2\times452=904$(권)
① 마트: 10권씩 묶음으로 팔므로 올림하여 십의 자리까지 나타내면 $904 \rightarrow 910$에서 91묶음을 사야 합니다.
   (필요한 금액)$=5000\times91=455000$(원)
② 공장: 100권씩 상자로 팔므로 올림하여 백의 자리까지 나타내면 $904 \rightarrow 1000$에서 10상자를 사야 합니다.
   (필요한 금액)$=40000\times10=400000$(원)
➡ 공장에서 사는 것이 55000원 더 쌉니다.

34

채점 기준		
❶ 10개씩 넣을 때 판 금액 구하기		2점
❷ 100개씩 넣을 때 판 금액 구하기		2점
❸ 두 경우의 판 금액의 차 구하기		1점

STEP ❸ 서술형 해결하기   028~031쪽

01 ❶ 1, 19, 올림에 ○표, 20, 20 ▸3점
   ❷ $3000+700\times2=3000+1400$
               $=4400$(원) ▸2점 / 4400원

02 예 ❶ 1시간 초과 시 10분마다 추가 요금을 내므로 148분$=60$분$+88$분$=1$시간 88분에서 88을 올림하여 십의 자리까지 나타내면 90입니다. 따라서 기본 1시간 요금에 90분의 추가 요금을 내야 합니다. ▸3점
   ❷ (주차 요금)$=$(기본요금)$+$(추가 요금)
              $=1500+500\times9=1500+4500$
              $=6000$(원) ▸2점 / 6000원

03 예 ❶ 1시간 초과 시 10분마다 추가 요금을 내므로 105분$=60$분$+45$분$=1$시간 45분에서 45를 올림하여 십의 자리까지 나타내면 50입니다. 따라서 기본 1시간 요금에 50분의 추가 요금을 내야 합니다. ▸3점
   ❷ (이용 요금)$=$(기본요금)$+$(추가 요금)
              $=2000+700\times5=2000+3500$
              $=5500$(원) ▸2점 / 5500원

04 ❶ 12, 12 ▸3점   ❷ 12 ▸2점 / 12

05 예 ❶ 지하철 요금을 내지 않는 사람의 나이의 범위: 만 6세보다 적거나 만 65세와 같거나 많은 나이 ▸2점
   ❷ 지하철 요금을 내야 하는 사람의 나이의 범위: 만 6세와 같거나 많고 만 65세보다 적은 나이
   ➡ 만 6세 이상 만 65세 미만 ▸3점
   / 만 6세 이상 만 65세 미만

06 예 ❶ 입장료를 내지 않는 사람의 나이의 범위: 13세보다 적거나 60세보다 많은 나이 ▸2점
   ❷ 입장료를 내야 하는 사람의 나이의 범위: 13세와 같거나 많고 60세와 같거나 적은 나이
   ➡ 13세 이상 60세 이하 ▸3점
   / 13세 이상 60세 이하

07 ❶ 245, 254, 245, 254 ▸3점   ❷ 254 ▸2점 / 254개

08 예 ❶ 올림하여 십의 자리까지 나타내면 40이 되는 수의 범위는 31 이상 40 이하인 수이므로 학생 수는 31명부터 40명까지입니다. ▸3점
   ❷ 학생들에게 사탕을 3개씩 나누어 줄 때 사탕이 모자라지 않으려면 학생 수가 가장 많을 때를 생각해야 하므로 사탕을 최소 $3\times40=120$(개) 준비해야 합니다. ▸2점 / 120개

09 **(예)** ❶ 버림하여 백의 자리까지 나타내면 1500이 되는 수의 범위는 1500 이상 1599 이하인 수이므로 학생 수는 1500명부터 1599명까지입니다. ▶3점
❷ 학생들에게 연필을 2자루씩 나누어 줄 때 연필이 모자라지 않으려면 학생 수가 가장 많을 때를 생각해야 하므로 연필을 최소
$2 \times 1599 = 3198$(자루) 준비해야 합니다. ▶2점
/ 3198자루

10 ❶ 7, 6, 5, 2, 7652 ▶1점
❷ 7700, 7600, 7700, 7600, 100 ▶4점
/ 100

11 **(예)** ❶ 수의 크기를 비교하면 $0 < 3 < 4 < 7 < 9$이고, 0은 맨 앞자리에 올 수 없으므로 만들 수 있는 가장 작은 다섯 자리 수는 30479입니다. ▶1점
❷ 30479를 올림하여 백의 자리까지 나타내면 30500이고, 버림하여 십의 자리까지 나타내면 30470입니다. 따라서 어림한 두 수의 차는
$30500 - 30470 = 30$입니다. ▶4점 / 30

12 **(예)** ❶ 수의 크기를 비교하면 $0 < 2 < 6 < 8$이므로 만들 수 있는 가장 작은 소수 세 자리 수는 0.268입니다. ▶1점
❷ 0.268을 버림하여 소수 둘째 자리까지 나타내면 0.26이고, 올림하여 소수 첫째 자리까지 나타내면 0.3입니다. 따라서 어림한 두 수의 차는
$0.3 - 0.26 = 0.04$입니다. ▶4점 / 0.04

01

채점 기준	❶ 기본요금과 추가 요금을 내야 하는 시간 각각 구하기	3점
	❷ 내야 할 주차 요금 구하기	2점

02

채점 기준	❶ 기본요금과 추가 요금을 내야 하는 시간 각각 구하기	3점
	❷ 내야 할 주차 요금 구하기	2점

03

채점 기준	❶ 기본요금과 추가 요금을 내야 하는 시간 각각 구하기	3점
	❷ 내야 할 이용 요금 구하기	2점

04

채점 기준	❶ 영화를 볼 수 있는 사람의 나이의 범위 구하기	3점
	❷ □ 안에 알맞은 수 구하기	2점

05

채점 기준	❶ 지하철 요금을 내지 않는 사람의 나이의 범위 구하기	2점
	❷ 지하철 요금을 내야 하는 사람의 나이의 범위를 이상과 미만으로 나타내기	3점

06 **참고** 입장료를 내지 않음.   입장료를 내지 않음.

13   60

입장료를 내야 함.
13세 이상 60세 이하

채점 기준	❶ 입장료를 내지 않는 사람의 나이의 범위 구하기	2점
	❷ 입장료를 내야 하는 사람의 나이의 범위를 이상과 이하로 나타내기	3점

07

채점 기준	❶ 시사회에 온 사람 수의 범위 구하기	3점
	❷ 준비해야 하는 기념품의 수 구하기	2점

08

채점 기준	❶ 호진이네 반 학생 수의 범위 구하기	3점
	❷ 준비해야 하는 사탕의 수 구하기	2점

09

채점 기준	❶ 세아네 학교 학생 수의 범위 구하기	3점
	❷ 준비해야 하는 연필의 수 구하기	2점

10

채점 기준	❶ 만들 수 있는 가장 큰 네 자리 수 구하기	1점
	❷ 반올림하여 백의 자리까지 나타낸 수와 버림하여 백의 자리까지 나타낸 수의 차 구하기	4점

11

채점 기준	❶ 만들 수 있는 가장 작은 다섯 자리 수 구하기	1점
	❷ 올림하여 백의 자리까지 나타낸 수와 버림하여 십의 자리까지 나타낸 수의 차 구하기	4점

12

채점 기준	❶ 만들 수 있는 가장 작은 소수 세 자리 수 구하기	1점
	❷ 버림하여 소수 둘째 자리까지 나타낸 수와 올림하여 소수 첫째 자리까지 나타낸 수의 차 구하기	4점

단원 마무리   032~034쪽

01 15, 15.9, 16에 ○표
02 이상, 이하   03 5개
04 ──┼──◆──┼──┼──┼──┼──◆──┼──
      90 100 110 120 130 140 150 160
05 40 이상 79 이하   06 주호, 재석
07 16600 / 16500 / 16500
08 ③   09 <
10 ㉠, ㉣   11 13500원
12 ㉢   13 5400, 5301
14 69, 70, 71   15 108000원

16 106개 이상 120개 이하

17 나 문구점, 100원

18 예 ❶ 24 초과 76 이하인 수는 24보다 크고 76과 같거나 작은 수입니다. ▶3점
❷ 가장 큰 수는 76이고, 가장 작은 수는 25이므로 두 수의 합은 76+25=101입니다. ▶2점 / 101

19 예 ❶ 6□29를 반올림하여 천의 자리까지 나타낸 수는 7000으로 천의 자리 숫자가 7이 되었으므로 백의 자리에서 올림한 것입니다. ▶2점
❷ 따라서 □ 안에 들어갈 수 있는 수는 5, 6, 7, 8, 9입니다. ▶3점 / 5, 6, 7, 8, 9

20 예 ❶ 자연수 부분이 될 수 있는 수는 2 이상 4 이하이므로 2, 3, 4입니다. ▶2점
❷ 소수 첫째 자리 숫자가 될 수 있는 수는 5 초과 9 미만이므로 6, 7, 8입니다. ▶2점
❸ 만들 수 있는 가장 큰 소수 한 자리 수는 4.8입니다. 4.8을 반올림하여 일의 자리까지 나타내면 5입니다. ▶1점 / 5

03 59 이상 64 미만인 자연수
➡ 59와 같거나 크고 64보다 작은 자연수
➡ 59, 60, 61, 62, 63(5개)

06 3등급은 22 이상 39 이하이므로 22회와 같거나 많고 39회와 같거나 적은 사람을 모두 찾습니다.
➡ 주호(25회), 재석(31회)

08 24018 → 24000

09 • 17498을 반올림하여 천의 자리까지 나타낸 수:
17498 → 17000
• 18002를 버림하여 천의 자리까지 나타낸 수:
18002 → 18000
➡ 17000<18000

10 자동차의 높이를 m 단위로 바꾸어 알아봅니다.

자동차	㉠	㉡	㉢	㉣	㉤
높이(m)	3.25	4.03	3.5	2	4.5

3.5 m보다 낮은 자동차만 통과할 수 있습니다.

11 12세인 승진이는 어린이 요금으로 1500원, 16세인 누나는 청소년 요금으로 2000원, 아버지와 어머니는 성인 요금으로 각각 5000원, 동생과 할머니는 무료입니다.
➡ (내야 하는 입장료)
=1500+2000+5000+5000=13500(원)

12

수	올림	버림	반올림
㉠ 1720	1720→1800	1720→1700	1720→1700
㉡ 4503	4503→4600	4503→4500	4503→4500
㉢ 8600	8600→8600	8600→8600	8600→8600

13 올림하여 백의 자리까지 나타내면 5400이 되는 자연수는 5301부터 5400까지입니다.
➡ 가장 큰 수: 5400, 가장 작은 수: 5301

14
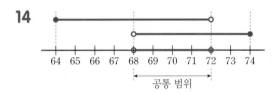

15 달걀 273개를 한 판에 10개씩 담으면 27판에 담고 3개가 남습니다. 10개가 안 되면 팔 수 없으므로 버림해야 합니다.
➡ (달걀을 판 돈)=4000×27=108000(원)

16 • 복숭아 수가 가장 적은 경우: 상자 7개에 15개씩 모두 담고, 복숭아가 1개 더 있는 경우
➡ (전체 복숭아 수)=15×7+1=106(개)
• 복숭아 수가 가장 많은 경우: 상자 8개에 15개씩 모두 담은 경우
➡ (전체 복숭아 수)=15×8=120(개)
따라서 복숭아는 106개 이상 120개 이하입니다.

17 • 가 문구점에서 11개를 사면 17 cm가 모자라므로 올림하여 철사를 11+1=12(개) 사야 합니다.
➡ (철사의 값)=300×12=3600(원)
• 나 문구점에서 4개를 사면 37 cm가 모자라므로 올림하여 철사를 4+1=5(개) 사야 합니다.
➡ (철사의 값)=700×5=3500(원)
따라서 나 문구점에서 사는 것이 3600-3500=100(원) 더 쌉니다.

18
채점 기준	❶ 수의 범위 구하기	3점
	❷ 가장 큰 수와 가장 작은 수의 합 구하기	2점

19
채점 기준	❶ □ 안에 들어갈 수 있는 수의 범위 구하기	2점
	❷ □ 안에 들어갈 수 있는 수 모두 구하기	3점

20
채점 기준	❶ 자연수 부분이 될 수 있는 수 구하기	2점
	❷ 소수 첫째 자리 숫자가 될 수 있는 수 구하기	2점
	❸ 만들 수 있는 가장 큰 소수 한 자리 수를 반올림하여 일의 자리까지 나타내기	1점

2. 분수의 곱셈

1 (1) (앞에서부터) 2, 1, 2, 5, $2\frac{1}{2}$

　　(2) 5, 5, 10, 30, 10, $4\frac{2}{7}$, $14\frac{2}{7}$

2 $\dfrac{7}{12} \times \overset{4}{16} = \dfrac{7 \times \overset{4}{16}}{\underset{3}{12}} = \dfrac{28}{3} = 9\dfrac{1}{3}$

3 (1) $1\frac{3}{7}$ (2) $4\frac{1}{8}$ (3) 77　　**4** $1\frac{2}{5}$

5 (예) $2\frac{1}{4} \times 6 = \dfrac{9}{4} \times 6 = \dfrac{9 \times \overset{3}{6}}{\underset{2}{4}} = \dfrac{27}{2} = 13\dfrac{1}{2}$

6 (예) $2\frac{1}{4} \times 6 = (2 \times 6) + \left(\dfrac{1}{\underset{2}{4}} \times \overset{3}{6}\right) = 12 + \dfrac{3}{2}$

　　　　　　$= 12 + 1\dfrac{1}{2} = 13\dfrac{1}{2}$

7 (1) ㉢ (2) ㉠ (3) ㉡　　**8** >　　**9** $\dfrac{2}{3}$, $4\dfrac{2}{3}$

---

3 (1) $\dfrac{2}{7} \times 5 = \dfrac{2 \times 5}{7} = \dfrac{10}{7} = 1\dfrac{3}{7}$

　　(2) $1\dfrac{3}{8} \times 3 = \dfrac{11}{8} \times 3 = \dfrac{11 \times 3}{8} = \dfrac{33}{8} = 4\dfrac{1}{8}$

　　(3) $3\dfrac{2}{3} \times 21 = \dfrac{11}{\underset{1}{3}} \times \overset{7}{21} = 77$

4 $\dfrac{7}{15} \times 3 = \dfrac{7 \times \overset{1}{3}}{\underset{5}{15}} = \dfrac{7}{5} = 1\dfrac{2}{5}$

7 (1) $\dfrac{3}{\underset{4}{8}} \times \overset{5}{10} = \dfrac{3 \times 5}{4} = \dfrac{15}{4} = 3\dfrac{3}{4}$

　　(2) $1\dfrac{1}{15} \times 3 = \dfrac{16}{\underset{5}{15}} \times \overset{1}{3} = \dfrac{16}{5} = 3\dfrac{1}{5}$

　　(3) $2\dfrac{7}{9} \times 6 = \dfrac{25}{\underset{3}{9}} \times \overset{2}{6} = \dfrac{50}{3} = 16\dfrac{2}{3}$

8 $\dfrac{7}{9} \times 5 = \dfrac{7 \times 5}{9} = \dfrac{35}{9} = 3\dfrac{8}{9}$ ➡ $3\dfrac{8}{9} > 3\dfrac{2}{9}$

9 (컵에 들어 있는 우유의 양) × (컵의 수)

　 $= \dfrac{2}{3} \times 7 = \dfrac{2 \times 7}{3} = \dfrac{14}{3} = 4\dfrac{2}{3}$ (L)

---

1 (1) 2, 8, 24, $2\frac{2}{3}$ (2) 4, 3, 8, 3, $2\frac{2}{3}$

　　(3) 4, 3, 8, 3, $2\frac{2}{3}$

2 2, 1, 10　　**3** (1) $3\frac{3}{4}$ (2) $16\frac{1}{2}$

4 (1) $9\frac{1}{3}$ (2) $20\frac{2}{5}$　　**5** (○) (　　)

　　　　　　　　　　　　　　(△) (○)

6 $17\frac{1}{3}$　　**7** (1) < (2) >

8 선희　　**9** 45, 87

---

5 ・곱하는 수가 1보다 더 크면 곱한 값은 처음 수보다 커집니다.

　　・곱하는 수가 1이면 처음 수와 같습니다.

　　・곱하는 수가 1보다 더 작으면 곱한 값은 처음 수보다 작아집니다.

8 선희: $1\dfrac{2}{9} \times 3 = \dfrac{11}{\underset{3}{9}} \times \overset{1}{3} = \dfrac{11}{3} = 3\dfrac{2}{3}$ (○)

　　희정: $8 \times 2\dfrac{3}{4} = \overset{2}{8} \times \dfrac{11}{\underset{1}{4}} = 22$ (×)

9 (아버지의 몸무게)

　 $=$ (지수의 몸무게) $\times 1\dfrac{14}{15}$

　 $= 45 \times 1\dfrac{14}{15} = \overset{3}{45} \times \dfrac{29}{\underset{1}{15}} = 87$ (kg)

---

01 (위에서부터) $19\frac{1}{2}$, $30\frac{1}{3}$, $7\frac{4}{5}$, $48\frac{3}{4}$

02 $36\frac{2}{3}$　　**03** $6\frac{1}{2}$

04 (예) [방법 1] $10 \times 1\dfrac{3}{5} = \overset{2}{10} \times \dfrac{8}{\underset{1}{5}} = 16$

　　　 [방법 2] $10 \times 1\dfrac{3}{5} = (10 \times 1) + \left(\overset{2}{10} \times \dfrac{3}{\underset{1}{5}}\right)$

　　　　　　　　 $= 10 + 6 = 16$

05 ㉢

06 ❶ 예 대분수를 가분수로 바꾸지 않고 약분하여 계산했습니다. ▸3점

❷ 예 $2\frac{3}{16} \times 8 = \frac{35}{\underset{2}{16}} \times \overset{1}{8} = \frac{35}{2} = 17\frac{1}{2}$ ▸2점

07 (1) $<$ (2) $<$ **08** 찬우

09 ㉣, ㉢, ㉡, ㉠   **10** $28\frac{1}{2}$ m

11 $7\frac{3}{8} \times 36 = 265\frac{1}{2}$, $265\frac{1}{2}$ km

12 예 ❶ (어제 걸은 거리) $= 1\frac{3}{4} \times 3 = \frac{7}{4} \times 3 = \frac{21}{4}$

$= 5\frac{1}{4}$ (km)

(오늘 걸은 거리) $= \frac{4}{5} \times 4 = \frac{16}{5} = 3\frac{1}{5}$ (km) ▸4점

❷ (어제와 오늘 걸은 거리의 합)

$= 5\frac{1}{4} + 3\frac{1}{5} = 5\frac{5}{20} + 3\frac{4}{20} = 8\frac{9}{20}$ (km) ▸1점

/ $8\frac{9}{20}$ km

13 $81\frac{2}{3}$ kg   **14** 6 cm, 4 cm

15 예 ❶ 전체 거리의 $\frac{2}{3}$ 는 버스를 타고 갔으므로 걸은

거리는 전체의 $1 - \frac{2}{3} = \frac{1}{3}$ 입니다. ▸2점

❷ (걸은 거리) $= 5 \times \frac{1}{3} = \frac{5}{3} = 1\frac{2}{3}$ (km) ▸3점

/ $1\frac{2}{3}$ km

16 $2\frac{8}{15} \times 3 = 7\frac{3}{5}$, $7\frac{3}{5}$ cm

17 $50\frac{4}{5}$ cm²

18 가 꽃밭, $2\frac{11}{12}$ m²   **19** $87\frac{1}{2}$ km

20 248 L   **21** 1, 2, 3, 4, 5, 6, 7

22 예 ❶ $\frac{3}{\underset{1}{4}} \times \overset{4}{16} = 12$,

$1\frac{1}{12} \times 18 = \frac{13}{\underset{2}{12}} \times \overset{3}{18} = \frac{39}{2} = 19\frac{1}{2}$ ▸3점

❷ $12 < \square < 19\frac{1}{2}$ 이므로 □ 안에 들어갈 수 있는

자연수는 13, 14, 15, 16, 17, 18, 19로 모두 7개

입니다. ▸2점 / 7개

01 • $\overset{13}{26} \times \frac{3}{\underset{2}{4}} = \frac{39}{2} = 19\frac{1}{2}$

• $26 \times 1\frac{1}{6} = \overset{13}{26} \times \frac{7}{\underset{3}{6}} = \frac{91}{3} = 30\frac{1}{3}$

• $\overset{13}{26} \times \frac{3}{\underset{5}{10}} = \frac{39}{5} = 7\frac{4}{5}$

• $26 \times 1\frac{7}{8} = \overset{13}{26} \times \frac{15}{\underset{4}{8}} = \frac{195}{4} = 48\frac{3}{4}$

02 가장 큰 수: 15, 가장 작은 수: $2\frac{4}{9}$

➔ $15 \times 2\frac{4}{9} = \overset{5}{15} \times \frac{22}{\underset{3}{9}} = \frac{110}{3} = 36\frac{2}{3}$

03 ㉠ $28\frac{1}{2}$ ㉡ 22 ➔ $28\frac{1}{2} - 22 = 6\frac{1}{2}$

04 방법 1 대분수를 가분수로 바꾸어 계산합니다.
방법 2 대분수를 자연수와 진분수의 합으로 보고 계산합니다.

05 ㉢ $4 \times 1\frac{1}{2} = \overset{2}{4} \times \frac{3}{\underset{1}{2}} = 6$

06

채점	❶ 잘못된 이유 쓰기	3점
기준	❷ 옳게 계산하기	2점

07 (1) $\frac{5}{\underset{3}{9}} \times \overset{1}{3} = \frac{5}{3} = 1\frac{2}{3}$

$1\frac{2}{3} \times 2 = \frac{5}{3} \times 2 = \frac{10}{3} = 3\frac{1}{3}$ ⟧ ➔ $1\frac{2}{3} < 3\frac{1}{3}$

(2) $\overset{2}{8} \times \frac{5}{\underset{3}{12}} = \frac{10}{3} = 3\frac{1}{3}$

$4 \times 1\frac{3}{7} = 4 \times \frac{10}{7} = \frac{40}{7} = 5\frac{5}{7}$ ⟧ ➔ $3\frac{1}{3} < 5\frac{5}{7}$

08 유성: $2\frac{1}{4} \times 3 = \frac{9}{4} \times 3 = \frac{27}{4} = 6\frac{3}{4}$

누리: $5 \times 1\frac{2}{5} = \overset{1}{5} \times \frac{7}{\underset{1}{5}} = 7$

찬우: $\frac{5}{\underset{4}{8}} \times \overset{5}{10} = \frac{25}{4} = 6\frac{1}{4}$

➔ $7 > 6\frac{3}{4} > 6\frac{1}{4}$

09 ㉠ $\dfrac{4}{7} \times 3 = \dfrac{12}{7} = 1\dfrac{5}{7}$

㉡ $1\dfrac{1}{2} \times 2 = \dfrac{3}{2} \times \overset{1}{2} = 3$

㉢ $6 \times \dfrac{7}{10} = \overset{3}{6} \times \dfrac{7}{\underset{5}{10}} = \dfrac{21}{5} = 4\dfrac{1}{5}$

㉣ $5 \times 1\dfrac{2}{7} = 5 \times \dfrac{9}{7} = \dfrac{45}{7} = 6\dfrac{3}{7}$

➡ ㉣>㉢>㉡>㉠

10 (선물을 한 개 포장하는 데 필요한 리본의 길이)
×(선물의 수)

$= 1\dfrac{5}{14} \times 21 = \dfrac{19}{\underset{2}{14}} \times \overset{3}{21} = \dfrac{57}{2} = 28\dfrac{1}{2}$ (m)

11 (휘발유 1 L로 갈 수 있는 거리)×(휘발유의 양)

$= 7\dfrac{3}{8} \times 36 = \dfrac{59}{\underset{2}{8}} \times \overset{9}{36} = \dfrac{531}{2} = 265\dfrac{1}{2}$ (km)

12

채점 기준	❶ 어제 걸은 거리와 오늘 걸은 거리 각각 구하기	4점
	❷ 어제와 오늘 걸은 거리의 합 구하기	1점

13 (철근 1 m의 무게)×(철근의 길이)

$= 15 \times 5\dfrac{4}{9} = \overset{5}{15} \times \dfrac{49}{\underset{3}{9}} = \dfrac{245}{3} = 81\dfrac{2}{3}$ (kg)

14 (지름)=(가로)$\times \dfrac{1}{3} = \overset{12}{36} \times \dfrac{1}{\underset{1}{3}} = 12$ (cm)

➡ ㉮=(지름)$\times \dfrac{1}{2} = \overset{6}{12} \times \dfrac{1}{\underset{1}{2}} = 6$ (cm)

㉯=(지름)$\times \dfrac{1}{3} = \overset{4}{12} \times \dfrac{1}{\underset{1}{3}} = 4$ (cm)

15

채점 기준	❶ 걸은 거리는 전체의 몇 분의 몇인지 구하기	2점
	❷ 걸은 거리 구하기	3점

16 (정삼각형의 둘레)=(한 변의 길이)×3

$= 2\dfrac{8}{15} \times 3 = \dfrac{38}{\underset{5}{15}} \times \overset{1}{3} = \dfrac{38}{5}$

$= 7\dfrac{3}{5}$ (cm)

17 (평행사변형의 넓이)

$= 8 \times 6\dfrac{7}{20} = \overset{2}{8} \times \dfrac{127}{\underset{5}{20}} = \dfrac{254}{5} = 50\dfrac{4}{5}$ (cm²)

18 (가 꽃밭의 넓이)

$= 2\dfrac{5}{6} \times 2 = \dfrac{17}{\underset{3}{6}} \times \overset{1}{2} = \dfrac{17}{3} = 5\dfrac{2}{3}$ (m²)

(나 꽃밭의 넓이)

$= \overset{1}{3} \times \dfrac{11}{\underset{4}{12}} = \dfrac{11}{4} = 2\dfrac{3}{4}$ (m²)

➡ 가 꽃밭이 $5\dfrac{2}{3} - 2\dfrac{3}{4} = 4\dfrac{20}{12} - 2\dfrac{9}{12} = 2\dfrac{11}{12}$ (m²)

더 넓습니다.

19 약점 포인트   정답률 75%

1분$=\dfrac{1}{60}$시간을 이용하여 1시간 15분을 시간 단위로 나타내어 봅니다.

1시간 15분$= 1\dfrac{15}{60}$시간$= 1\dfrac{1}{4}$시간

➡ (자동차가 1시간 15분 동안 가는 거리)

$= 70 \times 1\dfrac{1}{4} = \overset{35}{70} \times \dfrac{5}{\underset{2}{4}}$

$= \dfrac{175}{2} = 87\dfrac{1}{2}$ (km)

20 2시간 40분$= 2\dfrac{40}{60}$시간$= 2\dfrac{2}{3}$시간

➡ (2시간 40분 동안 나오는 물의 양)

$= 93 \times 2\dfrac{2}{3} = \overset{31}{93} \times \dfrac{8}{\underset{1}{3}} = 248$ (L)

21 약점 포인트   정답률 75%

① 분수의 곱셈을 계산합니다.

② 대분수의 크기를 비교하는 방법을 이용하여 □ 안에 들어갈 수 있는 자연수를 구합니다.

$\dfrac{5}{\underset{2}{8}} \times \overset{3}{12} = \dfrac{15}{2} = 7\dfrac{1}{2}$

$\square \dfrac{1}{4} < 7\dfrac{1}{2} \left(=7\dfrac{2}{4}\right)$에서 $\dfrac{1}{4} < \dfrac{2}{4}$이므로

□는 7과 같거나 7보다 작습니다.

➡ □ 안에 들어갈 수 있는 자연수: 1, 2, 3, 4, 5, 6, 7

22

채점 기준	❶ 왼쪽 식과 오른쪽 식 각각 계산하기	3점
	❷ □ 안에 들어갈 수 있는 자연수는 모두 몇 개인지 구하기	2점

STEP 1 개념 완성하기
046~047쪽

1 3, 4, 12 **2** 3, 7, 28

3 (1) 3, 20, $\dfrac{3}{20}$ (2) 1, 2, $\dfrac{3}{20}$ (3) 1, 2, $\dfrac{3}{20}$

4 (1) $\dfrac{1}{40}$ (2) $\dfrac{1}{6}$ (3) $\dfrac{10}{21}$

5 (1) > (2) = (3) < (4) =

6 (위에서부터) $\dfrac{3}{25}$, $\dfrac{4}{15}$ **7** 진주

8 ㉠, ㉡, ㉢ **9** $\dfrac{3}{4}$, $\dfrac{3}{10}$

---

5 (3) 분자가 같은 분수는 분모가 작을수록 더 큽니다.

$$\dfrac{2}{7}\times\dfrac{1}{5}=\dfrac{2}{35},\ \dfrac{2}{7}\times\dfrac{1}{3}=\dfrac{2}{21}\ \rightarrow\ \dfrac{2}{35}<\dfrac{2}{21}$$

(4) 곱하는 순서를 바꾸어도 곱은 같습니다.

$$\dfrac{5}{\overset{}{\underset{3}{6}}}\times\dfrac{\overset{1}{2}}{11}=\dfrac{5}{33},\ \dfrac{\overset{1}{2}}{11}\times\dfrac{5}{\overset{}{\underset{3}{6}}}=\dfrac{5}{33}$$

7 진주: $\dfrac{3}{8}\times\dfrac{6}{7}=\dfrac{3\times\overset{3}{6}}{\underset{4}{8}\times7}=\dfrac{9}{28}\ (\bigcirc)$

은율: $\dfrac{5}{12}\times\dfrac{2}{3}=\dfrac{5\times\overset{1}{2}}{\underset{6}{12}\times3}=\dfrac{5}{18}\ (\times)$

8 ㉠ $\dfrac{1}{3}\times\dfrac{1}{9}=\dfrac{1}{27}$
㉡ $\dfrac{1}{8}\times\dfrac{1}{4}=\dfrac{1}{32}$ $\rightarrow \dfrac{1}{27}>\dfrac{1}{32}>\dfrac{1}{35}$
㉢ $\dfrac{1}{5}\times\dfrac{1}{7}=\dfrac{1}{35}$

STEP 1 개념 완성하기
048~049쪽

1 8, 5 / 5, 8, 40, $4\dfrac{4}{9}$ **2** 1, 5, 1, 3

3 (1) 2, 4 (2) 1, 1, 4 (3) 1, 1, 4

4 (1) 2 (2) 7 (3) $\dfrac{4}{35}$ (4) $\dfrac{22}{27}$

5 (1) ㉠ (2) ㉢ (3) ㉡ **6** $9\dfrac{1}{6}$

7 < **8** $3\dfrac{11}{15}$ **9** $1\dfrac{3}{7}$, 4

---

7 $4\dfrac{1}{6}\times1\dfrac{1}{5}=\dfrac{\overset{5}{25}}{\underset{}{6}}\times\dfrac{\overset{1}{6}}{\underset{1}{5}}=5$
$2\dfrac{2}{3}\times2\dfrac{1}{2}=\dfrac{\overset{4}{8}}{3}\times\dfrac{5}{\underset{1}{2}}=\dfrac{20}{3}=6\dfrac{2}{3}$ $\Big] \rightarrow 5<6\dfrac{2}{3}$

8 $1\dfrac{1}{5}\times1\dfrac{1}{6}\times2\dfrac{2}{3}=\dfrac{6}{5}\times\dfrac{7}{\underset{1}{6}}\times\dfrac{8}{3}=\dfrac{56}{15}=3\dfrac{11}{15}$

9 $2\dfrac{4}{5}\times1\dfrac{3}{7}=\dfrac{\overset{2}{14}}{\underset{1}{5}}\times\dfrac{\overset{2}{10}}{\underset{1}{7}}=4\ (cm^2)$

STEP 2 실력 다지기
050~055쪽

01 (위에서부터) $1\dfrac{19}{21}$, $1\dfrac{2}{5}$, $\dfrac{8}{15}$, 5 **02** $2\dfrac{3}{10}$

03 $33\dfrac{39}{40}$ **04** 예 $\dfrac{5}{\underset{4}{12}}\times\dfrac{\overset{1}{3}}{8}=\dfrac{5}{32}$

05 ❶ 예 대분수를 가분수로 바꾸지 않고 약분하여 계산했습니다. ▶3점
❷ 예 $2\dfrac{2}{5}\times1\dfrac{1}{4}=\dfrac{\overset{3}{12}}{\underset{1}{5}}\times\dfrac{\overset{1}{5}}{\underset{1}{4}}=3$ ▶2점

06 수현, 9 **07** $\dfrac{5}{7}\times\dfrac{3}{4}$, $\dfrac{5}{6}\times\dfrac{5}{7}$에 ○표

08 ③ **09** ㉢, ㉠, ㉡, ㉣

10 $\dfrac{7}{10}$ kg **11** $5\dfrac{1}{8}$ L

12 예 ❶ 부엌에 설탕이 $3\dfrac{3}{5}$ kg 있습니다. 소금은 설탕의 $2\dfrac{1}{2}$배만큼 있다면 소금은 몇 kg 있나요? ▶2점
❷ $3\dfrac{3}{5}\times2\dfrac{1}{2}=\dfrac{\overset{9}{18}}{\underset{1}{5}}\times\dfrac{5}{\underset{1}{2}}=9\ (kg)$ ▶3점 / 9 kg

13 4개
14 예 ❶ 왼쪽 식을 먼저 계산합니다.
$3\dfrac{5}{6}\times1\dfrac{5}{7}=\dfrac{23}{\underset{1}{6}}\times\dfrac{\overset{2}{12}}{7}=\dfrac{46}{7}=6\dfrac{4}{7}$ ▶3점
❷ $6\dfrac{4}{7}>\square\dfrac{3}{7}$이므로 □ 안에 들어갈 수 있는 자연수는 1, 2, 3, 4, 5, 6입니다. ▶2점
/ 1, 2, 3, 4, 5, 6

15 6개 **16** $56\frac{1}{4}$ cm² **17** $3\frac{1}{14}$ m²

18 $1\frac{15}{49}$ cm² **19** $\frac{1}{6}\times\frac{2}{5}\times\frac{5}{8}=\frac{1}{24}$, $\frac{1}{24}$

20 $84\frac{9}{32}$ kg **21** 30쪽 **22** 625 cm²

23 50 cm² **24** $9\frac{1}{5}$ **25** $\frac{1}{35}$

26 $3\frac{1}{5}$

27 예 ❶ 어떤 수를 □라 하면 잘못 계산한 식은

$\square+\frac{4}{9}=1\frac{7}{18}$ 이므로

$\square=1\frac{7}{18}-\frac{4}{9}=\frac{25}{18}-\frac{8}{18}=\frac{17}{18}$ 입니다. ▶2점

❷ 바르게 계산하면 $\overset{9}{\underset{}{\frac{17}{18}}}\times\overset{2}{\underset{}{\frac{4}{9}}}=\frac{34}{81}$ 입니다. ▶3점

/ $\frac{34}{81}$

28 $83\frac{1}{3}$ cm²

29 예 ❶ (직사각형의 가로)

$$=10\frac{1}{2}\times\frac{3}{7}=\frac{21}{2}\times\frac{\overset{3}{3}}{\underset{1}{7}}=\frac{9}{2}$$

$$=4\frac{1}{2}\,(\text{cm}) \quad ▶2점$$

❷ (정사각형의 둘레)

$$=10\frac{1}{2}\times4=\frac{21}{\underset{1}{2}}\times\overset{2}{4}=42\,(\text{cm})$$

(둘레)=(가로+세로)×2

➡ (세로)=(둘레)÷2−(가로)

(직사각형의 세로)

$$=42\div2-4\frac{1}{2}=21-4\frac{1}{2}=16\frac{1}{2}\,(\text{cm}) \quad ▶2점$$

❸ (직사각형의 넓이)

$$=4\frac{1}{2}\times16\frac{1}{2}=\frac{9}{2}\times\frac{33}{2}=\frac{297}{4}$$

$$=74\frac{1}{4}\,(\text{cm}^2) \quad ▶1점 / 74\frac{1}{4}\text{ cm}^2$$

30 (1) 5 (2) 26, 52 (3) $5\frac{1}{5}$ **31** $\frac{48}{91}$

02 $\frac{7}{\underset{1}{12}}\times2\frac{2}{5}\times1\frac{9}{14}=\frac{7}{12}\times\frac{\overset{1}{12}}{5}\times\frac{23}{\underset{2}{14}}=\frac{23}{10}=2\frac{3}{10}$

03 ㉠ $\frac{1}{6}\times2\frac{9}{20}\times\frac{3}{7}=\frac{1}{\underset{2}{6}}\times\frac{\overset{7}{49}}{20}\times\frac{\overset{1}{3}}{\underset{1}{7}}=\frac{7}{40}$

㉡ $1\frac{5}{8}\times2\frac{3}{5}\times8=\frac{13}{\underset{1}{8}}\times\frac{13}{5}\times\overset{1}{8}=\frac{169}{5}=33\frac{4}{5}$

➡ ㉠+㉡$=\frac{7}{40}+33\frac{4}{5}=\frac{7}{40}+33\frac{32}{40}=33\frac{39}{40}$

04 분모와 분자를 약분해야 하는데 분모끼리 약분하여 잘못 계산한 것입니다.

05

채점기준		
❶ 잘못된 이유 쓰기	3점
❷ 옳게 계산하기	2점

06 준혁: $4\frac{1}{2}\times1\frac{1}{9}=\frac{9}{\underset{1}{2}}\times\frac{\overset{5}{10}}{\underset{1}{9}}=5\,(○)$

수현: $3\frac{3}{7}\times2\frac{5}{8}=\frac{24}{\underset{1}{7}}\times\frac{\overset{3}{21}}{\underset{1}{8}}=9\,(×)$

07 1보다 작은 수를 곱하면 곱한 값은 처음 수보다 작아집니다. $\frac{5}{7}$에 1보다 작은 수를 곱한 것을 찾습니다.

다른 풀이 $\frac{5}{7}\times4=2\frac{6}{7}$, $\frac{5}{7}\times\frac{3}{4}=\boxed{\frac{15}{28}}$,

$6\times\frac{5}{7}=4\frac{2}{7}$, $\frac{5}{6}\times\frac{5}{7}=\boxed{\frac{25}{42}}$

08 ① $\frac{2}{5}$ ② 6 ③ $7\frac{1}{3}$ ④ $\frac{1}{36}$ ⑤ $6\frac{1}{3}$

➡ $7\frac{1}{3}>6\frac{1}{3}>6>\frac{2}{5}>\frac{1}{36}$

09 ㉠ $2\frac{7}{9}$ ㉡ $3\frac{3}{4}$ ㉢ $\frac{35}{44}$ ㉣ $4\frac{2}{5}$

➡ $\frac{35}{44}<2\frac{7}{9}<3\frac{3}{4}<4\frac{2}{5}$

10 (사용한 찰흙의 양)=(처음에 있던 찰흙의 양)$\times\frac{4}{5}$

$$=\frac{7}{\underset{2}{8}}\times\frac{\overset{1}{4}}{5}=\frac{7}{10}\,(\text{kg})$$

11 (물을 더 부은 후 물통에 들어 있는 물의 양)

$$=2\frac{3}{4}+3\frac{2}{5}=2\frac{15}{20}+3\frac{8}{20}=5\frac{23}{20}=6\frac{3}{20}\,(\text{L})$$

(사용한 물의 양)

$$=6\frac{3}{20}\times\frac{5}{6}=\frac{\overset{41}{123}}{\underset{4}{20}}\times\frac{\overset{1}{5}}{\underset{2}{6}}=\frac{41}{8}=5\frac{1}{8}\,(\text{L})$$

12

채점기준	❶ 곱셈식에 알맞은 문제 만들기	2점
	❷ 만든 문제의 풀이 과정을 쓰고, 답 구하기	3점

13 $8 \times \square < 48$이므로 $\square$ 안에 들어갈 수 있는 1보다 큰 자연수는 2, 3, 4, 5로 모두 4개입니다.

14

채점기준	❶ 주어진 식 계산하기	3점
	❷ $\square$ 안에 들어갈 수 있는 수 모두 구하기	2점

15 $2\frac{3}{8} \times 1\frac{1}{3} = \frac{19}{8} \times \frac{\overset{1}{4}}{3} = \frac{19}{6} = 3\frac{1}{6}$

$3\frac{1}{3} \times 2\frac{4}{5} = \frac{\overset{2}{10}}{3} \times \frac{14}{\underset{1}{5}} = \frac{28}{3} = 9\frac{1}{3}$

$3\frac{1}{6} < \square < 9\frac{1}{3}$이므로 $\square$ 안에 들어갈 수 있는 자연수는 4, 5, 6, 7, 8, 9입니다. ➡ 6개

16 (딱지의 넓이) $= 7\frac{1}{2} \times 7\frac{1}{2} = \frac{15}{2} \times \frac{15}{2}$
$= \frac{225}{4} = 56\frac{1}{4}$ (cm²)

17 (가의 넓이) $= \frac{6}{7} \times 1\frac{2}{3} = \frac{\overset{2}{6}}{7} \times \frac{5}{\underset{1}{3}} = \frac{10}{7} = 1\frac{3}{7}$ (m²)

(나의 넓이) $= 2\frac{1}{4} \times 2 = \frac{9}{\underset{2}{4}} \times \overset{1}{2} = \frac{9}{2} = 4\frac{1}{2}$ (m²)

➡ 나가 $4\frac{1}{2} - 1\frac{3}{7} = 4\frac{7}{14} - 1\frac{6}{14} = 3\frac{1}{14}$ (m²) 더 넓습니다.

18 (가장 큰 정사각형의 넓이)
$= 2\frac{2}{7} \times 2\frac{2}{7} = \frac{16}{7} \times \frac{16}{7} = \frac{256}{49} = 5\frac{11}{49}$ (cm²)
각 변의 한가운데 점을 이어서 작은 정사각형을 만들 때 만든 정사각형의 넓이는 처음 정사각형의 넓이의 $\frac{1}{2}$입니다. 색칠한 부분의 넓이는 가장 큰 정사각형의 넓이의 $\frac{1}{2} \times \frac{1}{2} = \frac{1}{4}$입니다.

➡ (색칠한 부분의 넓이) $= 5\frac{11}{49} \times \frac{1}{4} = \frac{\overset{64}{256}}{49} \times \frac{1}{\underset{1}{4}}$
$= \frac{64}{49} = 1\frac{15}{49}$ (cm²)

19

5학년: (전체 학생)$\times \frac{1}{6}$
남학생: (5학년)$\times \frac{2}{5}$
축구: (남학생)$\times \frac{5}{8}$

➡ $\frac{1}{\underset{3}{6}} \times \frac{\overset{1}{2}}{5} \times \frac{5}{8} = \frac{1}{24}$

20 (아버지의 몸무게)
$=$ (동생의 몸무게)$\times 3\frac{5}{8}$
$=$ (성진이의 몸무게)$\times \frac{3}{5} \times 3\frac{5}{8}$
$= 38\frac{3}{4} \times \frac{3}{5} \times 3\frac{5}{8} = \frac{\overset{31}{155}}{4} \times \frac{3}{\underset{1}{5}} \times \frac{29}{8}$
$= \frac{2697}{32} = 84\frac{9}{32}$ (kg)

21 (3일 동안 읽고 남은 쪽수)
$= \overset{\overset{30}{60}}{240} \times \frac{3}{\underset{1}{4}} \times \frac{1}{\underset{1}{3}} \times \frac{1}{\underset{1}{2}} = 30$ (쪽)

22 (타일을 붙인 부분의 넓이)
$= 6\frac{1}{4} \times 6\frac{1}{4} \times 16 = \frac{25}{\underset{1}{4}} \times \frac{25}{\underset{1}{4}} \times \overset{1}{16}$
$= 625$ (cm²)

23 (전체 정사각형 모양의 종이의 넓이)
$= 20 \times 20 = 400$ (cm²)
➡ (색칠하지 않은 부분의 넓이)
$= \overset{\overset{50}{100}}{400} \times \frac{3}{\underset{1}{4}} \times \frac{1}{\underset{1}{2}} \times \frac{1}{\underset{1}{3}} = 50$ (cm²)

24 약점 포인트   정답률 70%

㉠, ㉡, ㉢이 자연수이고 ㉠<㉡<㉢일 때
가장 큰 대분수: $㉢\frac{㉠}{㉡}$ 가장 작은 대분수: $㉠\frac{㉡}{㉢}$

• 만들 수 있는 가장 큰 대분수: $5\frac{3}{4}$

• 만들 수 있는 가장 작은 대분수: $1\frac{3}{5}$

➡ $5\frac{3}{4} \times 1\frac{3}{5} = \frac{23}{\underset{1}{4}} \times \frac{\overset{2}{8}}{5} = \frac{46}{5} = 9\frac{1}{5}$

25 분모에 큰 수부터 3개를, 분자에 작은 수부터 3개를 놓으면 곱이 가장 작게 됩니다.

$$\to \frac{1 \times \overset{1}{\cancel{2}} \times \overset{1}{\cancel{3}}}{7 \times \underset{\underset{1}{3}}{\cancel{6}} \times 5} = \frac{1}{35}$$

26 약점 포인트   정답률 75%

어떤 수를 □라 하고 나눗셈식을 세운 후 곱셈과 나눗셈의 관계를 이용하여 계산합니다.

어떤 수를 □라 하면 $□ \div 1\frac{1}{3} = 2\frac{2}{5}$,

$$□ = 2\frac{2}{5} \times 1\frac{1}{3} = \frac{\overset{4}{\cancel{12}}}{5} \times \frac{4}{\underset{1}{\cancel{3}}} = \frac{16}{5} = 3\frac{1}{5} \text{ 입니다.}$$

27

채점 기준	❶ 잘못 계산한 식을 세워 어떤 수 구하기	2점
	❷ 바르게 계산한 값 구하기	3점

28 약점 포인트   정답률 70%

① 정사각형의 한 변의 길이 구하기
② 줄인 가로, 세로 각각 구하기
③ 만든 직사각형의 넓이 구하기

(정사각형의 한 변의 길이) $= 60 \div 4 = 15$ (cm)

$$(줄인 가로) = \overset{5}{\cancel{15}} \times \frac{5}{\underset{2}{\cancel{6}}} = \frac{25}{2} = 12\frac{1}{2} \text{ (cm)}$$

$$(줄인 세로) = \overset{5}{\cancel{15}} \times \frac{4}{\underset{3}{\cancel{9}}} = \frac{20}{3} = 6\frac{2}{3} \text{ (cm)}$$

$$\to (직사각형의 넓이) = 12\frac{1}{2} \times 6\frac{2}{3} = \frac{25}{\underset{1}{\cancel{2}}} \times \frac{\overset{10}{\cancel{20}}}{3}$$

$$= \frac{250}{3} = 83\frac{1}{3} \text{ (cm}^2\text{)}$$

29

채점 기준	❶ 직사각형의 가로 구하기	2점
	❷ 둘레를 이용하여 직사각형의 세로 구하기	2점
	❸ 직사각형의 넓이 구하기	1점

30 약점 포인트   정답률 65%

$\frac{5}{13}$와 $\frac{15}{26}$를 각각 곱했을 때 자연수가 되어야 하므로 곱하는 과정에서 분모가 1이 되도록 만듭니다.

(1) $\frac{5}{13}$와 $\frac{15}{26}$에서 분자 5와 15의 공약수 : 1, 5

→ ㉠의 분모가 될 수 있는 수는 5입니다.

(2) $\frac{5}{13}$와 $\frac{15}{26}$에서 분모 13과 26의 공배수 : 26, 52……

(3) ㉠이 가장 작은 분수가 되려면 분자는 13과 26의 최소공배수이고, 분모는 5와 15의 최대공약수이어야 합니다. 따라서 ㉠에 알맞은 가장 작은 분수는 $\frac{26}{5} = 5\frac{1}{5}$입니다.

31 찢어진 부분의 기약분수를 □라 하면

$□ \times \frac{7}{8} \times 2\frac{1}{6} = □ \times \frac{7}{8} \times \frac{13}{6} = 1$이므로 세 분수를 곱하는 과정에서 분자와 분모가 모두 약분되어 각각 1이 되어야 합니다.

$$\to □ = \frac{8 \times 6}{7 \times 13} = \frac{48}{91}$$

STEP ❸ 서술형 해결하기   056~059쪽

01 ❶ 3000, 36000 ▶1점

$$❷ \overset{7200}{\cancel{36000}} \times \frac{4}{\underset{1}{\cancel{5}}} = 28800 \text{(원)}, 28800 \text{ ▶4점}$$

/ 28800원

02 예 ❶ (대인 2명의 금액)
   $= 22500 \times 2 = 45000$(원) ▶2점

❷ (소인 1명의 금액)
$$= \overset{2250}{\cancel{22500}} \times \frac{9}{\underset{1}{\cancel{10}}} = 20250 \text{(원)} \text{ ▶2점}$$

❸ (대인 2명과 소인 1명의 금액의 합)
   $= 45000 + 20250 = 65250$(원) ▶1점 / 65250원

03 예 ❶ (소인 2명의 리프트 이용료)
   $= 48000 \times 2 = 96000$(원) ▶2점

❷ (대인 2명의 리프트 이용료)
$$= 96000 \times 1\frac{3}{4} = \overset{24000}{\cancel{96000}} \times \frac{7}{\underset{1}{\cancel{4}}}$$

$$= 168000 \text{(원)} \text{ ▶2점}$$

❸ (대인 2명과 소인 2명의 리프트 이용료의 합)
   $= 168000 + 96000 = 264000$(원) ▶1점

/ 264000원

04 ❶ $\frac{2}{\underset{1}{\cancel{15}}} \times \overset{2}{\cancel{30}} = 4$(분) ▶3점

❷ 12, 56 ▶2점 / 오후 12시 56분

05 예 ❶ (8일 동안 빨라지는 시간)

$$=1\frac{1}{6}\times 8=\frac{7}{\underset{3}{6}}\times \overset{4}{8}=\frac{28}{3}=9\frac{1}{3} \text{ (분)}$$

$9\frac{1}{3}$분$=9\frac{20}{60}$분 ➡ 9분 20초 ▶3점

❷ 따라서 8일 후 오후 6시에 이 시계가 가리키는 시각은 오후 6시 9분 20초입니다. ▶2점

/ 오후 6시 9분 20초

06 예 ❶ (5일 동안 빨라지는 시간)

$$=1\frac{1}{4}\times 5=\frac{5}{4}\times 5=\frac{25}{4}=6\frac{1}{4} \text{ (분)}$$

$6\frac{1}{4}$분$=6\frac{15}{60}$분 ➡ 6분 15초 ▶3점

❷ 따라서 5일 후 오전 8시에 이 시계가 가리키는 시각은 오전 8시 6분 15초입니다. ▶2점

/ 오전 8시 6분 15초

07 ❶ $7\frac{3}{4}-3\frac{5}{6}=6\frac{21}{12}-3\frac{10}{12}=3\frac{11}{12}$ (cm) ▶1점

❷ $3\frac{11}{12}\times 3\frac{1}{9}=\frac{47}{\underset{3}{12}}\times \frac{\overset{7}{28}}{9}=\frac{329}{27}$

$$=12\frac{5}{27} \text{ (cm}^2\text{)} \text{ ▶4점 } / 12\frac{5}{27} \text{ cm}^2$$

08 예 ❶ (큰 직사각형의 넓이)

$$=11\frac{2}{3}\times 8\frac{2}{5}=\frac{\overset{7}{35}}{\underset{1}{3}}\times \frac{\overset{14}{42}}{\underset{1}{5}}=98 \text{ (cm}^2\text{)} \text{ ▶2점}$$

❷ (작은 직사각형의 넓이)

$$=5\frac{1}{6}\times 4\frac{1}{2}=\frac{31}{\underset{2}{6}}\times \frac{\overset{3}{9}}{2}=\frac{93}{4}$$

$$=23\frac{1}{4} \text{ (cm}^2\text{)} \text{ ▶2점}$$

❸ (색칠한 부분의 넓이)

$$=98-23\frac{1}{4}=74\frac{3}{4} \text{ (cm}^2\text{)} \text{ ▶1점 } / 74\frac{3}{4} \text{ cm}^2$$

09 예 ❶ (직사각형 ①의 넓이) (풀이 컷 참고)

$$=16\times 2\frac{1}{8}=\overset{2}{16}\times \frac{17}{\underset{1}{8}}=34 \text{ (cm}^2\text{)} \text{ ▶2점}$$

❷ (직사각형 ②의 넓이)

$$=(16-5)\times \left(5\frac{3}{4}-2\frac{1}{8}\right)=11\times 3\frac{5}{8}$$

$$=11\times \frac{29}{8}=\frac{319}{8}=39\frac{7}{8} \text{ (cm}^2\text{)} \text{ ▶2점}$$

❸ (도형의 넓이)

$$=34+39\frac{7}{8}=73\frac{7}{8} \text{ (cm}^2\text{)} \text{ ▶1점 } / 73\frac{7}{8} \text{ cm}^2$$

10 ❶ $2\frac{3}{4}$ ▶2점

❷ $1\frac{5}{11}\times 2\frac{3}{4}=\frac{16}{\underset{1}{11}}\times \frac{\overset{1}{11}}{\underset{1}{4}}=4$ (L), 4 ▶3점 / 4 L

11 예 ❶ 3분 30초를 분 단위로 나타내면

3분 30초$=3\frac{30}{60}$분$=3\frac{1}{2}$분입니다. ▶1점

❷ (소라가 달린 거리)

$$=\frac{3}{8}\times 3\frac{1}{2}=\frac{3}{8}\times \frac{7}{2}=\frac{21}{16}=1\frac{5}{16} \text{ (km)}$$

(용준이가 달린 거리)

$$=\frac{4}{9}\times 3\frac{1}{2}=\frac{\overset{2}{4}}{9}\times \frac{7}{\underset{1}{2}}=\frac{14}{9}=1\frac{5}{9} \text{ (km)} \text{ ▶3점}$$

❸ 두 사람이 한 곳에서 같은 방향으로 달렸으므로
(두 사람 사이의 거리)

$$=1\frac{5}{9}-1\frac{5}{16}=1\frac{80}{144}-1\frac{45}{144}$$

$$=\frac{35}{144} \text{ (km)입니다. ▶1점}$$

/ $\frac{35}{144}$ km

12 예 ❶ 5분 40초를 분 단위로 나타내면

5분 40초$=5\frac{40}{60}$분$=5\frac{2}{3}$분입니다. ▶1점

❷ (준기가 간 거리)

$$=\frac{6}{7}\times 5\frac{2}{3}=\frac{6}{7}\times \frac{17}{\underset{1}{3}}=\frac{34}{7}=4\frac{6}{7} \text{ (km)}$$

(소진이가 간 거리)

$$=\frac{9}{11}\times 5\frac{2}{3}=\frac{\overset{3}{9}}{11}\times \frac{17}{\underset{1}{3}}=\frac{51}{11}$$

$$=4\frac{7}{11} \text{ (km)} \text{ ▶3점}$$

❸ 두 사람이 한 곳에서 반대 방향으로 갔으므로
(두 사람 사이의 거리)

$$=4\frac{6}{7}+4\frac{7}{11}=4\frac{66}{77}+4\frac{49}{77}=8\frac{115}{77}$$

$$=9\frac{38}{77} \text{ (km)입니다. ▶1점 } / 9\frac{38}{77} \text{ km}$$

01		
채점 기준	❶ 성인 12명의 할인하기 전 전체 입장료 구하기	1점
	❷ 성인 12명이 단체로 입장하는 데 내야 하는 입장료 구하기	4점

02

채점 기준	❶ 대인 2명의 금액 구하기	2점
	❷ 소인 1명의 금액 구하기	2점
	❸ 대인 2명과 소인 1명의 금액의 합 구하기	1점

03

채점 기준	❶ 소인 2명의 리프트 이용료 구하기	2점
	❷ 대인 2명의 리프트 이용료 구하기	2점
	❸ 대인 2명과 소인 2명의 리프트 이용료의 합 구하기	1점

04

채점 기준	❶ 30일 동안 느려지는 시간 구하기	3점
	❷ 30일 후 오후 1시에 시계가 가리키는 시각 구하기	2점

05

채점 기준	❶ 8일 동안 빨라지는 시간 구하기	3점
	❷ 8일 후 오후 6시에 시계가 가리키는 시각 구하기	2점

06

채점 기준	❶ 5일 동안 빨라지는 시간 구하기	3점
	❷ 5일 후 오후 8시에 시계가 가리키는 시각 구하기	2점

07

채점 기준	❶ 색칠한 부분의 가로 구하기	1점
	❷ 색칠한 부분의 넓이 구하기	4점

08

채점 기준	❶ 큰 직사각형의 넓이 구하기	2점
	❷ 작은 직사각형의 넓이 구하기	2점
	❸ 색칠한 부분의 넓이 구하기	1점

09

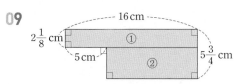

채점 기준	❶ 직사각형 ①의 넓이 구하기	2점
	❷ 직사각형 ②의 넓이 구하기	2점
	❸ 도형의 넓이 구하기	1점

10

채점 기준	❶ 2분 45초를 분 단위로 나타내기	2점
	❷ 처음 수조에 들어 있던 물의 양 구하기	3점

11

채점 기준	❶ 3분 30초를 분 단위로 나타내기	1점
	❷ 3분 30초 동안 두 사람이 달린 거리 각각 구하기	3점
	❸ 3분 30초 후 두 사람 사이의 거리 구하기	1점

12

채점 기준	❶ 5분 40초를 분 단위로 나타내기	1점
	❷ 5분 40초 동안 두 사람이 간 거리 각각 구하기	3점
	❸ 5분 40초 후 두 사람 사이의 거리 구하기	1점

단원 **마무리**

060~062쪽

01 $7 \times 2\frac{2}{3} = (7 \times 2) + \left(7 \times \frac{2}{3}\right) = 14 + \frac{14}{3}$

$= 14 + 4\frac{2}{3} = 18\frac{2}{3}$

02 $2\frac{2}{5}$　　**03** ㉢, ㉣, ㉡, ㉠　　**04** $<$

05 $\frac{20}{21}$　　**06** 이서　　**07** $\frac{3}{8}$ cm^2

08 78 cm　　**09** ④　　**10** $4\frac{1}{2}$

11 $10\frac{1}{16}$ kg　　**12** 1089 cm^2

13 $35 \times \frac{4}{7} \times \frac{3}{5} \times \frac{1}{4} = 3$, 3명

14 7개　　**15** $4\frac{11}{12}$ cm

16 오전 9시 56분 40초　**17** 98 cm^2

18 ❶ ⑩ 대분수를 가분수로 바꾸지 않고 약분하여 계산했습니다. ▸3점

❷ ⑩ $20 \times 2\frac{1}{8} = \overset{5}{20} \times \frac{17}{\underset{2}{8}} = \frac{85}{2} = 42\frac{1}{2}$ ▸2점

19 ⑩ ❶ 2시간 24분 $= 2\frac{24}{60}$시간 $= 2\frac{2}{5}$시간 ▸2점

❷ (2시간 24분 동안 나오는 물의 양)

$= 100 \times 2\frac{2}{5} = \overset{20}{100} \times \frac{12}{\underset{1}{5}} = 240$ (L) ▸3점

/ 240 L

20 ⑩ ❶ 만들 수 있는 가장 큰 대분수: $9\frac{5}{8}$

만들 수 있는 가장 작은 대분수: $1\frac{5}{9}$ ▸2점

❷ (가장 큰 대분수)×(가장 작은 대분수)

$= 9\frac{5}{8} \times 1\frac{5}{9} = \frac{77}{\underset{4}{8}} \times \frac{\overset{7}{14}}{9} = \frac{539}{36} = 14\frac{35}{36}$ ▸3점

/ $14\frac{35}{36}$

02 $\frac{12}{\underset{5}{35}} \times \overset{1}{7} = \frac{12}{5} = 2\frac{2}{5}$

03 ㉠ $\frac{1}{18}$　㉡ $\frac{1}{24}$　㉢ $\frac{1}{49}$　㉣ $\frac{1}{30}$

→ $\frac{1}{49} < \frac{1}{30} < \frac{1}{24} < \frac{1}{18}$

04 $2\frac{1}{4}\times1\frac{2}{3}=\frac{\overset{3}{9}}{4}\times\frac{5}{\underset{1}{3}}=\frac{15}{4}=3\frac{3}{4}$

$1\frac{3}{8}\times3\frac{1}{5}=\frac{11}{\underset{1}{8}}\times\frac{\overset{2}{16}}{5}=\frac{22}{5}=4\frac{2}{5}$

$\Rightarrow 3\frac{3}{4}<4\frac{2}{5}$

05 $\frac{2}{3}\times2\frac{1}{2}\times\frac{4}{7}=\frac{2}{3}\times\frac{5}{\underset{1}{2}}\times\frac{4}{7}=\frac{20}{21}$

06 시진: 1시간의 $\frac{1}{4}$ $\Rightarrow$ $\overset{15}{60}\times\frac{1}{\underset{1}{4}}=15(분)$ ($\times$)

형우: 1 L의 $\frac{1}{2}$ $\Rightarrow$ $\overset{500}{1000}\times\frac{1}{\underset{1}{2}}=500\,(mL)$ ($\times$)

이서: 1 kg의 $\frac{1}{5}$ $\Rightarrow$ $\overset{200}{1000}\times\frac{1}{\underset{1}{5}}=200\,(g)$ ($\bigcirc$)

07 (직사각형의 넓이)$=\frac{\overset{3}{9}}{\underset{2}{14}}\times\frac{\overset{1}{7}}{\underset{4}{12}}=\frac{3}{8}\,(cm^2)$

08 (공을 떨어뜨린 높이)$\times\frac{6}{7}=\overset{13}{91}\times\frac{6}{\underset{1}{7}}=78\,(cm)$

09 ① $\frac{1}{40}$ ② $1\frac{3}{14}$ ③ $\frac{2}{3}$ ④ $4\frac{1}{8}$ ⑤ $\frac{12}{25}$

$\Rightarrow 4\frac{1}{8}>1\frac{3}{14}>\frac{2}{3}>\frac{12}{25}>\frac{1}{40}$

10 ㉠ $2\frac{1}{4}\times1\frac{2}{3}\times\frac{4}{5}=\frac{\overset{3}{9}}{\underset{1}{4}}\times\frac{5}{\underset{1}{3}}\times\frac{\overset{1}{4}}{\underset{1}{5}}=3$

㉡ $\frac{3}{4}\times\frac{4}{7}\times3\frac{1}{2}=\frac{3}{\underset{1}{4}}\times\frac{\overset{1}{4}}{\underset{1}{7}}\times\frac{\overset{1}{7}}{2}=\frac{3}{2}=1\frac{1}{2}$

$\Rightarrow$ ㉠$+$㉡$=3+1\frac{1}{2}=4\frac{1}{2}$

11 (보리의 양)$=$(쌀의 양)$\times3\frac{5}{6}=2\frac{5}{8}\times3\frac{5}{6}$

$=\frac{\overset{7}{21}}{8}\times\frac{23}{\underset{2}{6}}=\frac{161}{16}=10\frac{1}{16}\,(kg)$

12 (타일을 붙인 부분의 넓이)

$=$(타일 한 장의 넓이)$\times$(타일의 수)

$=5\frac{1}{2}\times5\frac{1}{2}\times36=\frac{11}{\underset{1}{2}}\times\frac{11}{\underset{1}{2}}\times\overset{9}{\underset{}{36}}=1089\,(cm^2)$

13 $\overset{\overset{1}{5}}{35}\times\frac{\overset{1}{4}}{\underset{1}{7}}\times\frac{3}{\underset{1}{5}}\times\frac{1}{\underset{1}{4}}=3(명)$

14 $1\frac{4}{5}\times2\frac{2}{3}=4\frac{4}{5}$, $5\frac{5}{8}\times2\frac{2}{27}=11\frac{2}{3}$

$4\frac{4}{5}<\square<11\frac{2}{3}$이므로 $\square$ 안에 들어갈 수 있는 자연수는 5, 6, 7, 8, 9, 10, 11입니다. $\Rightarrow$ 7개

15 (색 테이프 3장의 길이의 합)

$=2\frac{2}{9}\times3=\frac{20}{\underset{3}{9}}\times\overset{1}{3}=\frac{20}{3}=6\frac{2}{3}\,(cm)$

(겹쳐진 부분의 길이의 합)

$=\frac{7}{\underset{4}{8}}\times\overset{1}{2}=\frac{7}{4}=1\frac{3}{4}\,(cm)$

$\Rightarrow$ (이어 붙인 색 테이프의 전체 길이)

$=6\frac{2}{3}-1\frac{3}{4}=5\frac{20}{12}-1\frac{9}{12}=4\frac{11}{12}\,(cm)$

16 (20일 동안 빨라지는 시간)

$=2\frac{5}{6}\times20=\frac{17}{\underset{3}{6}}\times\overset{10}{20}=\frac{170}{3}=56\frac{2}{3}(분)$

$56\frac{2}{3}분=56\frac{40}{60}분$ $\Rightarrow$ 56분 40초

따라서 20일 후 오전 9시에 이 시계가 가리키는 시각은 오전 9시 56분 40초입니다.

17

(①의 넓이)$=8\times2\frac{1}{2}=\overset{4}{8}\times\frac{5}{\underset{1}{2}}=20\,(cm^2)$

(②의 넓이)$=18\times\left(6\frac{5}{6}-2\frac{1}{2}\right)=18\times4\frac{1}{3}$

$=\overset{6}{18}\times\frac{13}{\underset{1}{3}}=78\,(cm^2)$

$\Rightarrow$ (도형의 넓이)$=20+78=98\,(cm^2)$

18

채점기준	❶ 잘못된 이유 쓰기	3점
	❷ 옳게 계산하기	2점

19

채점기준	❶ 2시간 24분을 시간 단위로 나타내기	2점
	❷ 2시간 24분 동안 나오는 물의 양 구하기	3점

20

채점기준	❶ 만들 수 있는 가장 큰 대분수와 가장 작은 대분수 각각 구하기	2점
	❷ 가장 큰 대분수와 가장 작은 대분수의 곱 구하기	3점

3. 합동과 대칭

STEP 1 개념 완성하기 066~067쪽

1 (○) (   ) (   )
2 가와 아, 나와 바   **3** 예
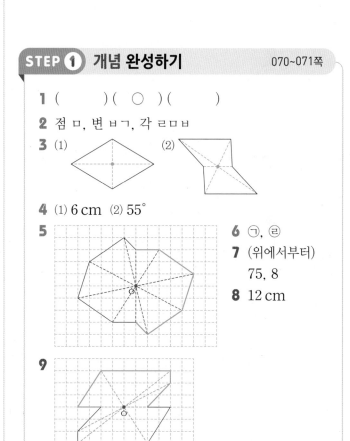
4 (1) 점 ㅅ (2) 변 ㅂㅅ (3) 각 ㅁㅇㅅ
5 3쌍, 3쌍, 3쌍   **6** 4 cm   **7** ③, ⑤
8 40°   **9** (1) 10 cm (2) 110°

4 서로 합동인 두 사각형을 완전히 겹치도록 포개었을 때
(1) 점 ㄷ과 겹치는 점을 찾으면 점 ㅅ입니다.
(2) 변 ㄴㄷ과 겹치는 변을 찾으면 변 ㅂㅅ입니다.
(3) 각 ㄱㄹㄷ과 겹치는 각을 찾으면 각 ㅁㅇㅅ입니다.

5 두 도형은 서로 합동인 삼각형이므로 대응점, 대응변, 대응각이 각각 3쌍 있습니다.

8 합동인 도형에서 대응각의 크기가 서로 같습니다.
➡ (각 ㄱㄷㄴ)=(각 ㄹㅁㅂ)=40°

9 (1) 합동인 도형에서 대응변의 길이가 서로 같습니다.
➡ (변 ㅂㅅ)=(변 ㄷㄴ)=10 cm

STEP 1 개념 완성하기 068~069쪽

1 가, 다, 라, 마   **2** 점 ㄹ, 변 ㄹㄷ, 각 ㅁㄹㄷ
3
4 (1) 3 cm (2) 120°
5 (1)   (2)
6 90°   **7** (위에서부터) 7, 65
8 12 cm   **9** 재훈

4 (2) 선대칭도형에서 대응각의 크기가 서로 같습니다.
➡ (각 ㄹㄷㅂ)=(각 ㄱㄴㅂ)=120°

6 대응점끼리 이은 선분은 대칭축과 수직으로 만납니다.
➡ (각 ㅈㅋㄴ)=90°

8 대칭축은 대응점끼리 이은 선분을 둘로 똑같이 나누므로 각각의 대응점에서 대칭축까지의 거리가 서로 같습니다.
(선분 ㄷㅇ)=(선분 ㅁㅇ)=6 cm
➡ (선분 ㄷㅁ)=6+6=12 (cm)

9 재훈: 선대칭도형은 대칭축을 따라 접으면 완전히 포개어지므로 대응변의 길이가 항상 같습니다.

STEP 1 개념 완성하기 070~071쪽

1 (   ) (○) (   )
2 점 ㅁ, 변 ㅂㄱ, 각 ㄹㅁㅂ
3 (1)   (2)
4 (1) 6 cm (2) 55°
5
6 ㉠, ㉣
7 (위에서부터) 75, 8
8 12 cm
9

4 (1) 점대칭도형에서 대응변의 길이가 서로 같습니다.
➡ (변 ㄹㅁ)=(변 ㄱㄴ)=6 cm
(2) 점대칭도형에서 대응각의 크기가 서로 같습니다.
➡ (각 ㄴㄷㄹ)=(각 ㅁㅂㄱ)=55°

6 ㉠H➡H ㉡M➡W ㉢Q➡O ㉣X➡X
➡ 점대칭도형: ㉠, ㉣

진
도
북

3
단
원

8 점대칭도형에서 대칭의 중심은 대응점끼리 이은 선분을 둘로 똑같이 나누므로 각각의 대응점에서 대칭의 중심까지의 거리가 서로 같습니다.

(선분 ㄴㅇ)=(선분 ㅁㅇ)=6 cm

➡ (선분 ㄴㅁ)=6+6=12 (cm)

9 [점대칭도형 그리기]

① 각 점에서 대칭의 중심을 지나는 직선을 긋습니다.

② 각 점에서 대칭의 중심까지의 길이가 같도록 대응점을 찾아 표시합니다.

③ 각 대응점을 이어 점대칭도형을 완성합니다.

STEP ② 실력 다지기 072~077쪽

01

02 ⑩ 모양은 같지만 크기가 다르므로 두 도형을 포개었을 때 완전히 겹치지 않습니다. 따라서 두 도형은 합동이 아닙니다. ▶5점

03 ⑩

04 32 cm

05 7 cm

06 40 cm²

07 75

08 25°

09 ⑩ ❶ 합동인 도형에서 대응각의 크기가 서로 같습니다. ➡ (각 ㅁㄹㅂ)=(각 ㄴㄱㄷ)=50° ▶2점

❷ 삼각형 ㄹㅁㅂ은 이등변삼각형입니다.
(각 ㄹㅁㅂ)=(각 ㄹㅂㅁ)=(180°−50°)÷2
=65° ▶3점 / 65°

10 ㅂ

11
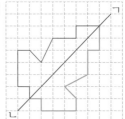

12 주 부

13 56 cm

14 ⑩ ❶ (각 ㅁㄹㄷ)=(각 ㅁㄹㄴ)=85°
(각 ㅁㄴㄷ)=90°
(각 ㄹㅁㄴ)=(각 ㄱㅁㄹ)=210°÷2=105° ▶2점

❷ 사각형 ㅁㅂㄷㄹ의 네 각의 크기의 합은 360°이므로 (각 ㄹㄷㅂ)=360°−(85°+105°+90°)
=80°입니다. ▶3점 / 80°

15 105°　　**16** 15 cm　　**17** 6 cm, 110°

18 85°　　**19** 가, 다 /

20 ㄴ, ㄷ, ㅁ　　**21**

22 32 cm

23 ⑩ ❶ 점대칭도형에서 대응각의 크기가 서로 같습니다. ➡ (각 ㄱㄴㄷ)=(각 ㄷㄹㄱ)=115° ▶2점

❷ (각 ㄴㄱㄹ)=(각 ㄹㄷㄴ)
=(360°−115°−115°)÷2
=65° ▶3점 / 65°

24 35°　　**25** 19 cm　　**26** 5 cm

27 18 cm　　**28** 나　　**29** 9

30 ⑩ ❶ 선대칭도형인 글자: ㅍ, ㄷ, ㅇ, ㅁ ▶2점

❷ 점대칭도형인 글자: ㅍ, ㅇ, ㅁ
따라서 선대칭도형이면서 점대칭도형인 글자는
ㅍ, ㅇ, ㅁ으로 모두 3개입니다. ▶3점 / 3개

31 90 cm²

32 ⑩ ❶ 선분 ㄱㄹ은 변 ㄴㄷ을 둘로 똑같이 나누므로
(변 ㄴㄷ)=4×2=8 (cm)입니다. ▶2점

❷ 삼각형 ㄱㄴㄷ의 둘레가 20 cm이므로
(변 ㄱㄴ)+(변 ㄱㄷ)=20−8=12 (cm)입니다.
(변 ㄱㄴ)=(변 ㄱㄷ)이므로
(변 ㄱㄴ)=12÷2=6 (cm)입니다. ▶3점 / 6 cm

33 6 cm　　**34** 38 cm

---

02 | 채점기준 | 합동이 아닌 이유 설명하기 | 5점 |

03 모양과 크기가 같은 삼각형 4개가 되도록 나눕니다.

05 합동인 도형에서 대응변의 길이가 서로 같습니다.
(변 ㄱㄷ)=(변 ㄹㄷ)=12 cm
(변 ㅁㄷ)=(변 ㄴㄷ)=5 cm
➡ (선분 ㄱㅁ)=12−5=7 (cm)

06 합동인 도형에서 대응변의 길이가 서로 같습니다.
(변 ㅂㅅ)=(변 ㄷㄹ)=8 cm
(변 ㅁㅂ)=(변 ㄴㄷ)=(26÷2)−8=5 (cm)
➡ (사각형 ㅁㅂㅅㅇ의 넓이)=8×5=40 (cm²)

07 합동인 도형에서 대응각의 크기가 서로 같습니다.
→ (각 ㅁㅇㅅ)=(각 ㄹㄱㄴ)=140°
(각 ㅁㅂㅅ)=(각 ㄹㄷㄴ)=65°
사각형의 네 각의 크기의 합은 360°입니다.
→ (각 ㅂㅁㅇ)=360°−(140°+80°+65°)=75°

08 삼각형의 세 각의 크기의 합은 180°입니다.
(각 ㄱㄷㄴ)=(각 ㄹㄴㄷ)
　　　　　=180°−(130°+25°)=25°

09

채점 기준	❶ 각 ㅁㄹㅂ의 크기 구하기	2점
	❷ 각 ㄹㅁㅂ의 크기 구하기	3점

10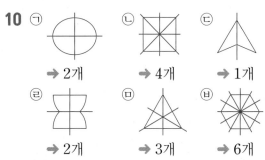
ㄱ → 2개　ㄴ → 4개　ㄷ → 1개
ㄹ → 2개　ㅁ → 3개　ㅂ → 6개

참고 정다각형의 대칭축의 수는 변의 수와 같습니다.

13 (변 ㄱㅂ)=(변 ㄱㄴ)=9 cm
(변 ㅂㅁ)=(변 ㄴㄷ)=11 cm
(변 ㄷㄹ)=(변 ㅁㄹ)=8 cm
→ (도형의 둘레)=(9+11+8)×2=56 (cm)

14

채점 기준	❶ 각 ㅁㄹㄷ, 각 ㅁㅂㄷ, 각 ㄹㅁㅂ의 크기 각각 구하기	2점
	❷ 각 ㄹㄷㅂ의 크기 구하기	3점

15 삼각형의 세 각의 크기의 합은 180°입니다.
→ ㉠=180°−(35°+40°)=105°

16 (선분 ㅁㅂ)=(선분 ㄴㅂ)=7 cm
(선분 ㄷㅅ)=(선분 ㄹㅅ)=8 cm
→ (선분 ㅁㅂ)+(선분 ㄷㅅ)=7+8=15 (cm)

17 (선분 ㄴㅂ)=(선분 ㄷㅂ)=12÷2=6 (cm)
대응점을 이은 선분은 대칭축과 수직으로 만나므로
(각 ㄱㄷㅂ)=90°, (각 ㄴㄴㅂ)=90°입니다.
사각형 ㄱㄴㅂㅁ의 네 각의 크기의 합은 360°입니다.
→ (각 ㄴㄱㅁ)=360°−(70°+90°+90°)=110°

18 대응점을 이은 선분은 대칭축과 수직으로 만나고, 사
각형의 네 각의 크기의 합은 360°입니다.
→ (각 ㄱㄴㄷ)=(각 ㄱㅁㄹ)
　　　　　=360°−(55°+90°+130°)=85°

20 ㄱ　　ㄴ　　ㄷ
ㄹ　　ㅁ　　ㅂ
→ 점대칭도형: ㄴ, ㄷ, ㅁ

23

채점 기준	❶ 각 ㄱㄴㄷ의 크기 구하기	2점
	❷ 각 ㄴㄱㄹ의 크기 구하기	3점

24 점대칭도형에서 대응각의 크기가 서로 같습니다.
(각 ㄱㅂㄷ)=(각 ㄹㄷㅂ)=35°
→ (각 ㄱㄴㄷ)=180°−(110°+35°)=35°

25 점대칭도형에서 대응변의 길이가 서로 같고, 대칭의
중심은 대응점끼리 이은 선분을 둘로 똑같이 나누므
로 각각의 대응점에서 대칭의 중심까지의 거리가 서
로 같습니다.
(변 ㄱㄴ)=(변 ㄷㄹ)=9 cm
(선분 ㄴㅇ)=(선분 ㄹㅇ)=3 cm
→ (삼각형 ㄱㄴㅇ의 둘레)=9+3+7=19 (cm)

26 (선분 ㄴㅇ)=(선분 ㄹㅇ)=9 cm
두 대각선의 길이의 합이 28 cm이므로
(선분 ㄱㄷ)=28−(9×2)=10 (cm)
→ (선분 ㄷㅇ)=(선분 ㄱㅇ)=10÷2=5 (cm)

27 (선분 ㄱㅇ)=(선분 ㄴㅇ)=(24÷2)+6=18 (cm)

28 가: 점대칭도형　　나: 선대칭도형, 점대칭도형
다: 점대칭도형

29 선대칭도형: 0, 3, 8　　점대칭도형: 0, 1, 8
→ 선대칭도형도 되고 점대칭도형도 되는 숫자는
0, 8이므로 합은 1+8=9입니다.

30

채점 기준	❶ 선대칭도형인 글자 찾기	2점
	❷ 선대칭도형이면서 점대칭도형인 글자는 몇 개 인지 구하기	3점

31 약점 포인트　　　　　　　　　정답률 70%

선대칭도형에서 대칭축은 대응점끼리 이은 선분을 둘로
똑같이 나누므로 각각의 대응점에서 대칭축까지의 거리가
서로 같습니다. 선대칭도형은 대칭축을 기준으로 양쪽의 모
양과 크기가 같습니다.

(선분 ㄴㅁ)=(선분 ㄹㅁ)=10÷2=5 (cm)
(삼각형 ㄱㄴㄷ의 넓이)=18×5÷2=45 (cm²)
→ (사각형 ㄱㄴㄷㄹ의 넓이)=45×2=90 (cm²)

32

채점	❶ 변 ㄴㄷ의 길이 구하기	2점
기준	❷ 변 ㄱㄴ의 길이 구하기	3점

33 약점 포인트 정답률 75%

점대칭도형은 각각의 대응변의 길이가 서로 같습니다.

(변 ㄱㄴ)=(변 ㅁㅂ)=5 cm

(변 ㄹㅁ)=(변 ㅈㄱ)=8 cm

(변 ㅅㅈ)=(변 ㄷㄹ)=7 cm

도형의 둘레가 52 cm이므로

(변 ㄴㄷ)+(변 ㅂㅅ)=52−(5×2+8×2+7×2)

　　　　　　　　　　=12 (cm)입니다.

(변 ㄴㄷ)=(변 ㅂㅅ)이므로

(변 ㄴㄷ)=12÷2=6 (cm)입니다.

34 (변 ㄱㄴ)=(변 ㄹㅁ)=6 cm

대칭의 중심은 대응점끼리 이은 선분을 둘로 똑같이 나누므로 각각의 대응점에서 대칭의 중심까지의 거리가 서로 같습니다.

(변 ㄴㄷ)=(변 ㅁㅂ)=8−2=6 (cm)

(변 ㄷㄹ)=(변 ㅂㄱ)=7 cm

➡ (도형의 둘레)=(6+6+7)×2=38 (cm)

STEP ❸ 서술형 해결하기 078~081쪽

01 ❶ ㄹㄴ, 10 ▶2점

❷ 22−10−5=7 (cm) ▶3점 / 7 cm

02 (예) ❶ (각 ㄱㄷㄴ)=(각 ㅁㄷㄹ)=60°

삼각형 ㄱㄴㄷ은 이등변삼각형이므로

(각 ㄷㄱㄴ)=(각 ㄷㄴㄱ)

　　　　　　=(180°−60°)÷2=60°입니다.

따라서 삼각형 ㄱㄴㄷ은 정삼각형이므로

(변 ㄱㄴ)=9 cm입니다. ▶3점

❷ (삼각형 ㄱㄴㄷ의 둘레)=9×3=27 (cm) ▶2점

/ 27 cm

03 (예) ❶ 삼각형 ㄴㅁㅂ과 삼각형 ㄹㄷㅂ이 서로 합동이므로 (선분 ㄷㅂ)=(선분 ㅁㅂ)=6 cm,

(선분 ㄹㄷ)=(선분 ㄴㅁ)=8 cm입니다. ▶2점

❷ 삼각형 ㄹㅂㄷ은 직각삼각형이므로

(삼각형 ㄹㅂㄷ의 넓이)

　　=6×8÷2=24 (cm²)입니다. ▶3점 / 24 cm²

04 ❶ ㄷㄴㄹ, 90, 180°−(20°+90°)=70° ▶2점

❷ 70, 90°−70°=20° ▶3점 / 20°

05 (예) ❶ 삼각형의 세 각의 크기의 합은 180°이므로

(각 ㄱㄷㄴ)=180°−(30°+90°)=60°입니다. ▶2점

❷ 각 ㅁㄷㄹ의 대응각은 각 ㄷㄱㄴ이므로

(각 ㅁㄷㄹ)=(각 ㄷㄱㄴ)=30°입니다.

직선이 이루는 각은 180°이므로

(각 ㄱㄷㅁ)=180°−(60°+30°)=90°입니다. ▶3점

/ 90°

06 (예) ❶ 삼각형의 세 각의 크기의 합은 180°이므로

(각 ㄱㄷㄴ)=180°−(75°+42°)=63°입니다. ▶2점

❷ 각 ㅂㄹㄴ의 대응각은 각 ㄱㄷㄴ이므로

(각 ㅂㄹㄴ)=(각 ㄱㄷㄴ)=63°입니다.

사각형의 네 각의 크기의 합은 360°이므로

㉠=360°−(63°+75°+63°)=159°입니다. ▶3점

/ 159°

07 ❶ ㄷㄴㄱ, 60 ▶2점

❷ 180, 180, 45, 60, 75 ▶3점 / 75°

08 (예) ❶ 선대칭도형에서 대응각의 크기가 서로 같고, 한 직선을 중심으로 한 바퀴 돌린 각의 크기는 360°이므로

(각 ㅁㅂㄹ)=(각 ㄷㅂㄹ)=(360°−120°)÷2

　　　　　　=120°입니다. ▶2점

❷ 삼각형 ㅂㄹㅁ의 세 각의 크기의 합은 180°이므로 ㉠=180°−(35°+120°)=25°입니다. ▶3점

/ 25°

09 (예) ❶ 점대칭도형에서 대응각의 크기가 서로 같으므로 (각 ㅂㄱㄴ)=(각 ㄷㄹㅁ)=140°입니다. ▶2점

❷ 사각형 ㄱㄴㄷㅂ의 네 각의 크기의 합은 360°이므로 (각 ㄴㄷㅂ)=360°−(110°+140°+60°)=50°입니다. ▶3점 / 50°

10 ❶ 2, (4+8)×10÷2=60 (cm²) ▶2점

❷ 60×2=120 (cm²) ▶3점 / 120 cm²

11 (예) ❶ 점대칭도형은 대칭의 중심을 중심으로 180° 돌렸을 때 완전히 겹치므로 완성한 점대칭도형의 넓이는 주어진 도형의 넓이의 2배입니다. 점대칭도형이므로 (선분 ㄷㅇ)=(선분 ㄴㅇ)=4 cm입니다.

(주어진 도형의 넓이)=(4×3÷2)×2

　　　　　　　　　　=12 (cm²) ▶2점

❷ (완성한 점대칭도형의 넓이)

　　=12×2=24 (cm²) ▶3점 / 24 cm² (풀이 컷 참고)

12 (예) ❶ 주어진 도형은 직사각형이고, 점대칭도형에서 각각의 대응점에서 대칭의 중심까지의 거리는 서로 같습니다. ➡ (선분 ㄱㄴ)=8−3=5 (cm) ▶2점

❷ (완성한 점대칭도형의 둘레)
$=8+3+5+3+8+3+5+3=38\,(\text{cm})$ ▶3점
/ 38 cm (풀이 컷 참고)

01	채점 기준	❶ 변 ㄱㄷ의 길이 구하기	2점
		❷ 변 ㄱㄴ의 길이 구하기	3점

02	채점 기준	❶ 변 ㄱㄴ의 길이 구하기	3점
		❷ 삼각형 ㄱㄴㄷ의 둘레 구하기	2점

03	채점 기준	❶ 선분 ㄷㅂ과 선분 ㄹㄷ의 길이 각각 구하기	2점
		❷ 삼각형 ㄹㅂㄷ의 넓이 구하기	3점

04	채점 기준	❶ 각 ㅁㄹㄴ의 크기 구하기	2점
		❷ ㉠의 크기 구하기	3점

05	채점 기준	❶ 각 ㄱㄷㄴ의 크기 구하기	2점
		❷ 각 ㄱㄷㅁ의 크기 구하기	3점

06	채점 기준	❶ 각 ㄱㄷㄴ의 크기 구하기	2점
		❷ ㉠의 크기 구하기	3점

07	채점 기준	❶ 각 ㄱㄹㄷ의 크기 구하기	2점
		❷ 각 ㄱㄷㄹ의 크기 구하기	3점

08	채점 기준	❶ 각 ㅁㅂㄹ의 크기 구하기	2점
		❷ ㉠의 크기 구하기	3점

09	채점 기준	❶ 각 ㅂㄱㄴ의 크기 구하기	2점
		❷ 각 ㄴㄷㅂ의 크기 구하기	3점

10	채점 기준	❶ 주어진 도형의 넓이 구하기	2점
		❷ 완성한 선대칭도형의 넓이 구하기	3점

11

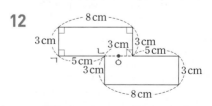

채점 기준	❶ 주어진 도형의 넓이 구하기	2점
	❷ 완성한 점대칭도형의 넓이 구하기	3점

12

 (여백의 도형)

채점 기준	❶ 선분 ㄱㄴ의 길이 구하기	2점
	❷ 완성한 점대칭도형의 둘레 구하기	3점

단원 마무리

082~084쪽

01 가와 마, 다와 라   **02** 5 cm
03 95°   **04** 예

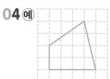

05 ㄴ, ㄹ, ㅂ   **06** ㄱ, ㄴ, ㄷ, ㅂ

07

08 ㄷ, ㄱ, ㄴ
09 ④
10 55°
11 12 cm
12 18 cm
13 95°   **14** 30°   **15** 34 cm
16 30°   **17** 58 cm
18 ❶ ㄷ ▶1점
  ❷ 예 둘레가 같아도 모양이 다를 수 있으므로 둘레가 같은 직사각형이 항상 합동이 되는 것은 아닙니다. ▶4점
19 예 ❶ 선대칭도형인 알파벳: A, O, D, H ▶2점
  ❷ 점대칭도형인 알파벳: O, H
  따라서 선대칭도형이면서 점대칭도형인 알파벳은 O, H로 모두 2개입니다. ▶3점 / 2개
20 예 ❶ (선분 ㄱㅁ)=(선분 ㄷㅁ)=6÷2=3 (cm)
  (삼각형 ㄱㄴㄹ의 넓이)
  $=12×3÷2=18\,(\text{cm}^2)$ ▶2점
  ❷ (사각형 ㄱㄴㄷㄹ의 넓이)
  $=18×2=36\,(\text{cm}^2)$ ▶3점 / 36 cm²

---

05 ㄴ  ㄹ   ㅂ

06 ㄱ   ㄴ   ㄷ   ㅂ

08 ㄱ   ㄴ ㄷ

➡ 5개   ➡ 2개   ➡ 무수히 많음

10 (각 ㄴㄱㄹ)=(각 ㄹㄷㄴ)=125°
  ➡ (각 ㄱㄹㄷ)=(각 ㄷㄴㄱ)
  $=(360°-125°-125°)÷2=55°$

---

11 점대칭도형에서 각각의 대응점에서 대칭의 중심까지의 거리가 서로 같습니다.

(선분 ㄴㅇ)=(선분 ㄹㅇ)=6 cm

➡ (선분 ㄴㄹ)=6+6=12 (cm)

12 합동인 도형에서 대응변의 길이가 서로 같습니다.

(변 ㄷㄹ)=(변 ㅂㅁ)=4 cm

(변 ㄱㄹ)=(변 ㅇㅁ)=5 cm

➡ (사각형 ㄱㄴㄷㄹ의 둘레)

  =3+6+4+5=18 (cm)

13 선대칭도형에서 대응각의 크기가 서로 같고, 사각형의 네 각의 크기의 합은 360°입니다.

➡ ㉠=360°−(125°+60°+80°)=95°

14 (선분 ㄱㅇ)=(선분 ㄷㅇ)=12 cm이므로 삼각형 ㄱㄴㅇ은 이등변삼각형입니다.

(각 ㄱㄴㅇ)=(각 ㄴㄱㅇ)=75°

➡ (각 ㄱㅇㄴ)=180°−(75°+75°)=30°

15 (선분 ㄴㄷ)=(선분 ㄴㄱ)=5 cm

(선분 ㄷㄹ)=(선분 ㄱㅂ)=7 cm

(선분 ㅂㅁ)=(선분 ㄹㅁ)=5 cm

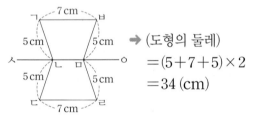

➡ (도형의 둘레)

  =(5+7+5)×2

  =34 (cm)

16 삼각형 ㅁㄴㄹ과 삼각형 ㄷㄴㄹ은 서로 합동입니다.

(각 ㄷㄹㄴ)=(각 ㅁㄹㄴ)=180°−(30°+90°)=60°

➡ ㉠=90°−60°=30°

17 (완성한 점대칭도형의 둘레)

=12+5+7+5+12+5+7+5

=58 (cm)

18

| 채점기준 | ❶ 아닌 것 찾기 | 1점 |
| | ❷ 아닌 이유 쓰기 | 4점 |

19

| 채점기준 | ❶ 선대칭도형인 알파벳 찾기 | 2점 |
| | ❷ 선대칭도형이면서 점대칭도형인 알파벳은 몇 개인지 구하기 | 3점 |

20

| 채점기준 | ❶ 삼각형 ㄱㄴㄹ의 넓이 구하기 | 2점 |
| | ❷ 사각형 ㄱㄴㄷㄹ의 넓이 구하기 | 3점 |

4. 소수의 곱셈

STEP ① 개념 완성하기   090~091쪽

1 0.7, 0.7, 0.7, 3.5

2 (1) $0.6×4=\frac{6}{10}×4=\frac{6×4}{10}=\frac{24}{10}=2.4$

(2) $1.87×2=\frac{187}{100}×2=\frac{187×2}{100}=\frac{374}{100}=3.74$

3 82, 82, 246, 246, 2.46

4 (1) 4.8 (2) 12.8 (3) 20.3 (4) 7.16

5 (1) 6.3 (2) 8.6 (3) 28.8 (4) 13.7

6 <

7 2.4, 40.8, 17.58

8 ㉡

9 6, 14.82

5 (3)
```
   3 6        3.6
 ×   8   ➡  ×   8
 2 8 8      2 8.8
```
(4)
```
   2 7 4         2.7 4
 ×     5   ➡   ×     5
 1 3 7 0       1 3.7
```
중요 소수점 아래 마지막 0은 생략하여 나타냅니다.

6 $7.9×5=39.5$ ➡ $39.5<40$

8 ㉠ $0.85×3$은 1과 3의 곱인 3보다 작습니다.

㉡ $1.52×2$는 1.5와 2의 곱인 3보다 큽니다.

➡ 계산 결과가 3보다 큰 것은 ㉡입니다.

9 (우진이가 6일 동안 달린 거리)

=2.47×6=14.82 (km)

STEP ① 개념 완성하기   092~093쪽

1 2.5

2 (1) $8×0.8=8×\frac{8}{10}=\frac{8×8}{10}=\frac{64}{10}=6.4$

(2) $6×2.3=6×\frac{23}{10}=\frac{6×23}{10}=\frac{138}{10}=13.8$

3 (1) 91, 9.1 (2) 8442, 84.42

4 (1) 4.2 (2) 5.76 (3) 40.5 (4) 143.55

5 32.8, 17.68

6 (1) < (2) >

7 (1) ㉡ (2) ㉢ (3) ㉠

8 ㉡

9 2.5, 85

4 (3)
$$\begin{array}{r} 2\ 7 \\ \times\ 1.5 \\ \hline 4\ 0.5 \end{array}$$

(4)
$$\begin{array}{r} 4\ 5 \\ \times\ 3.1\ 9 \\ \hline 1\ 4\ 3.5\ 5 \end{array}$$

5 $41 \times 8 = 328 \Rightarrow 41 \times 0.8 = 32.8$
$17 \times 104 = 1768 \Rightarrow 17 \times 1.04 = 17.68$

6 (1) $52 \times 0.9 = 46.8 \Rightarrow 46.8 < 50$
(2) $31 \times 1.78 = 55.18 \Rightarrow 55.18 > 33$

7 (1) $12 \times 4 = 48 \Rightarrow 12 \times 0.4 = 4.8$
(2) $63 \times 7 = 441 \Rightarrow 63 \times 0.07 = 4.41$
(3) $38 \times 16 = 608 \Rightarrow 38 \times 1.6 = 60.8$

8 ㉠ 10의 0.94는 10과 1의 곱인 10보다 작습니다.
㉡ 5×2.12는 5와 2의 곱인 10보다 큽니다.
➡ 계산 결과가 10보다 큰 것은 ㉡입니다.

9 (아버지의 몸무게)=(민수의 몸무게)×2.5
$= 34 \times 2.5 = 85$ (kg)

---

10 $1.5 \times 7 = 10.5$, 10.5시간   **11** 12.9 kg
12 309870원   **13** 8.5 cm
14 $38 \times 0.91 = 34.58$, 약 34.58 kg
15 예 ❶ 2시간 30분=2.5시간
　　(기차가 2시간 30분 동안 가는 거리)
　　$= 96 \times 2.5 = 240$ (km)
　　(자동차가 2시간 30분 동안 가는 거리)
　　$= 70 \times 2.5 = 175$ (km) ▶3점
　　❷ 기차가 240-175=65 (km) 더 갑니다. ▶2점
　　/ 65 km
16 $8.6 \times 3 = 25.8$, 25.8 cm
17 29.28 m²   **18** 74 m   **19** 3, 4, 5
20 예 ❶ 지수: $1.4 \times 21 = 29.4$
　　성재: $28 \times 0.95 = 26.6$ ▶3점
　　❷ 26.6<□<29.4이므로 □ 안에 들어갈 수 있는
　　자연수는 27, 28, 29로 모두 3개입니다. ▶2점
　　/ 3개
21 1350 L   **22** 117.6 L

STEP ② 실력 다지기   094~097쪽

01 (위에서부터) 6.4, 9.1, 2.8, 20.8
02 80.88
03 (　)(○)
　　(○)(　)
04 예 방법 1 $8 \times 1.74 = 8 \times \dfrac{174}{100} = \dfrac{8 \times 174}{100}$
$$= \dfrac{1392}{100} = 13.92$$

방법 2 $8 \times 174 \quad = \quad 1392$
$\downarrow \frac{1}{100}$배　　$\downarrow \frac{1}{100}$배
$8 \times 1.74 \quad = \quad 13.92$

05 ❶ 하윤 ▶1점
　　❷ 예 0.81×7은 5.6 정도가 돼. ▶4점
06 $45 \times 0.8 = 45 \times \dfrac{8}{10} = \dfrac{45 \times 8}{10} = \dfrac{360}{10} = 36$
07 희준   **08** 2, 1, 3
09 예 ❶ ㉠ $27 \times 0.8 = 21.6$ ㉡ $1.19 \times 13 = 15.47$
　　㉢ $32 \times 2.4 = 76.8$ ㉣ $0.57 \times 38 = 21.66$ ▶3점
　　❷ 15.47<21.6<21.66<76.8이므로 작은 것부
　　터 차례로 기호를 쓰면 ㉡, ㉠, ㉣, ㉢입니다. ▶2점
　　/ ㉡, ㉠, ㉣, ㉢

---

02 ㉠ $1.08 \times 36 = 38.88$　　㉡ $15 \times 2.8 = 42$
　　➡ ㉠+㉡=38.88+42=80.88

03 ●와 ●×(소수)의 크기 비교
　　• ●×(1보다 작은 소수)<●
　　• ●×(1보다 큰 소수)>●
곱하는 수가 1보다 큰 것을 모두 찾아 ○표 합니다.

04 방법 1 분수의 곱셈으로 계산합니다.
　　방법 2 자연수의 곱셈으로 계산합니다.

05
채점 기준	❶ 잘못 말한 사람의 이름 쓰기	1점
	❷ 옳게 고치기	4점

06 $\dfrac{360}{10} = 36.0$이므로 소수점 아래 마지막 0은 생략하여
36입니다.

07 희준: $0.49 \times 16 = 7.84$, 주미: $31 \times 0.17 = 5.27$
➡ 7.84>5.27이므로 계산 결과가 더 큰 사람은 희준
입니다.

08 $5.2 \times 6 = 31.2$　　　　$73 \times 0.9 = 65.7$
$1.39 \times 14 = 19.46 \Rightarrow 65.7 > 31.2 > 19.46$

09
채점 기준	❶ 식 각각 계산하기	3점
	❷ 계산 결과를 비교하여 작은 것부터 차례로 기호 쓰기	2점

10 30분=0.5시간 ➡ 1시간 30분=1.5시간
(하루에 인라인스케이트를 탄 시간)×(날수)
$=1.5×7=\dfrac{15}{10}×7=\dfrac{105}{10}=10.5$(시간)

11 월요일, 목요일, 금요일에 찰흙이 4.3 kg씩 필요합니다. ➡ (준비해야 할 찰흙의 양)=4.3×3=12.9 (kg)

12 1밧이 34.43원이므로 9000밧만큼 환전하려면
34.43×9000=309870(원)을 내야 합니다.

13 (장수하늘소의 길이)=(사슴벌레의 길이)×1.7
$=5×1.7=8.5$ (cm)

15
채점기준	❶ 2시간 30분 동안 기차와 자동차가 가는 거리 각각 구하기	3점
	❷ 기차가 자동차보다 몇 km 더 가는지 구하기	2점

16 (정삼각형의 둘레)=(한 변의 길이)×3

17 (직사각형의 넓이)=4×7.32=29.28 (m²)

18 (놀이터의 세로)=20×0.85=17 (m)
➡ (놀이터의 둘레)=(20+17)×2=74 (m)

19 약점 포인트   정답률 75%
38×0.14를 계산하여 □ 안에 들어갈 수 있는 수의 범위를 알아봅니다.

38×0.14=5.32
2.3<□<5.32이므로 □ 안에 들어갈 수 있는 자연수는 3, 4, 5입니다.

20
채점기준	❶ 지수와 성재의 곱셈식 각각 계산하기	3점
	❷ 지수와 성재의 계산 결과 사이에 있는 자연수는 모두 몇 개인지 구하기	2점

21 약점 포인트   정답률 70%
① 하루에 아낄 수 있는 물의 양을 구합니다.
② 100일 동안 아낄 수 있는 물의 양을 구합니다.

(하루에 아낄 수 있는 물의 양)
$=1.5×9=13.5$ (L)
➡ (100일 동안 아낄 수 있는 물의 양)
$=13.5×100=1350$ (L)

22 1시간=60분
(1시간 동안 받은 물의 양)=0.07×60=4.2 (L)
(하루 동안 받은 물의 양)=4.2×4=16.8 (L)
➡ (일주일 동안 받은 물의 양)
$=16.8×7=117.6$ (L)

STEP ❶ 개념 완성하기   098~099쪽

1 0.56
2 (1) 3, 52, 156, 0.156 (2) 325, 24, 7800, 7.8
3 168, $\dfrac{1}{100}$, 1.68   **4** 6, 90, 0.9
5 (1) 0.28 (2) 16.35 (3) 0.252 (4) 11.368
6 (1) 0.371 (2) 8.316   **7** ㉡
8 (1) > (2) <   **9** 1.6, 5.76

3 0.8은 8의 $\dfrac{1}{10}$ 배이고, 2.1은 21의 $\dfrac{1}{10}$ 배이므로 계산 결과는 168의 $\dfrac{1}{100}$ 배가 됩니다.

4 $0.6×1.5=\dfrac{6}{10}×\dfrac{15}{10}=\dfrac{90}{100}=0.9$

6 (1) 0.53×0.7=0.371   (2) 2.1×3.96=8.316

7
```
      0. 3 ← 소수 한 자리 수
  ×  0. 1 6 ← 소수 두 자리 수
  0. 0 4 8 ← 소수 세 자리 수
```

8 (1) 0.5×0.35=0.175 ➡ 0.175>0.162
(2) 5.31×2.8=14.868 ➡ 9.92<14.868

9 (민우의 지우개의 길이)
=(연주의 지우개의 길이)×1.6
$=3.6×1.6=5.76$ (cm)

STEP ❶ 개념 완성하기   100~101쪽

1 (1) 1, 240, 24 (2) 1, 240, 2.4
(3) 1, 240, 0.24 (4) 왼쪽에 ○표
2 (1) 38, 380, 3800 (2) 17.2, 1.72, 0.172
3 0.48, 0.048, 0.0048
4 68.29, 682.9, 6829
5 (1) ㉡ (2) ㉢ (3) ㉠   **6** ②
7 0.001, 10   **8** 0.45, 4.5, 45

2 (1) 10, 100, 1000의 0의 수만큼 소수점이 오른쪽으로 옮겨집니다.
(2) 0.1, 0.01, 0.001의 소수점 아래 자리 수만큼 소수점이 왼쪽으로 옮겨집니다.

3 곱하는 두 수의 소수점 아래 자리 수를 더한 것과 결과 값의 소수점 아래 자리 수가 같습니다.

6 ① $0.094×10=0.94$ ② $0.094×100=9.4$
③ $940×0.1=94$ ④ $94×0.01=0.94$
⑤ $940×0.001=0.94$

7 · 6.51은 6510의 0.001배이므로 □ 안에 알맞은 수는 0.001입니다.
· 651은 65.1의 10배이므로 □ 안에 알맞은 수는 10입니다.

8 (골프공 10개의 무게)$=0.045×10=0.45$ (kg)
(골프공 100개의 무게)$=0.045×100=4.5$ (kg)
(골프공 1000개의 무게)$=0.045×1000=45$ (kg)

STEP 2 실력 다지기 102~107쪽

01 (위에서부터) 1.885, 8.932, 3.77, 4.466
02 19.296
03 예 ❶ ㉠ $7.5×3.9=29.25$
㉡ $4.63×6.8=31.484$ ▶3점
❷ ㉠+㉡$=29.25+31.484=60.734$ ▶2점
/ 60.734
04 시진 **05** ①
06 ㉢, ㉣, ㉡, ㉠ **07** 67.2, 6720
08 ㉢ **09** ③
10 $2.3×0.17=0.391$, 0.391 kg
11 1.02 km
12 예 ❶ 1시간 15분$=1\frac{15}{60}$시간$=1\frac{1}{4}$시간
$=1.25$시간 ▶2점
❷ (기차가 1시간 15분 동안 간 거리)
$=215.6×1.25=269.5$ (km) ▶3점
/ 269.5 km
13 $0.85×0.46=0.391$, 0.391 m²
14 41.05 cm² **15** 148.79 cm²
16 ⑴ 0.01 ⑵ 0.1 ⑶ 0.001
17 예 ❶ ㉠ $5160×0.001=5.16$
㉡ $64×0.01=0.64$
㉢ $928×0.001=0.928$ ▶4점
❷ 따라서 □ 안에 알맞은 수가 다른 하나는 ㉡입니다. ▶1점 / ㉡

18 ① **19** 10000배
20 85점 **21** 1.447 kg
22 ⑴ 23.52 ⑵ 2.352 **23** 0.16
24 ❶ 9.18, 9.18 ▶2점
❷ 예 $0.34×27=34×27×\frac{1}{100}$,
$3.4×2.7=34×27×\frac{1}{100}$이므로 두 식 모두
34×27의 값인 918의 $\frac{1}{100}$배인 9.18로 같습니다. ▶3점
25 913.92 cm² **26** 125.4 cm **27** 42 cm²
28 예 ❶ 색칠한 부분을 마주 보는 변끼리 이어 붙이면 색칠한 부분의 넓이는
가로가 $31-6.2=24.8$ (cm),
세로가 $15-4.3=10.7$ (cm)인 직사각형의 넓이와 같습니다. ▶2점
❷ (색칠한 부분의 넓이)
$=24.8×10.7=265.36$ (cm²) ▶3점
/ 265.36 cm²
29 5개
30 예 ❶ ㉠ $2.7×0.8×7.875=17.01$
㉡ $4.3×5.5×0.94=22.231$ ▶3점
❷ ㉠ 17.01<□<㉡ 22.231이므로 ㉠과 ㉡ 사이에 들어갈 수 있는 자연수는 18, 19, 20, 21, 22입니다. ▶2점 / 18, 19, 20, 21, 22
31 0.6808 **32** 9.006

02 가장 큰 수: 26.8 가장 작은 수: 0.72
➡ $26.8×0.72=19.296$

03
채점 기준		
❶ ㉠과 ㉡ 각각 계산하기		3점
❷ ㉠과 ㉡의 합 구하기		2점

04 시진: $0.8×0.26=0.208$, 미혜: $0.47×0.4=0.188$
➡ 0.208>0.188이므로 시진이의 곱이 더 큽니다.

05 ① 2.16 ② 5.46 ③ 4.5 ④ 4.42 ⑤ 3.24
➡ 2.16<3.24<4.42<4.5<5.46

06 ㉠ 3.712 ㉡ 4.81 ㉢ 6.992 ㉣ 5.858
➡ ㉢>㉣>㉡>㉠

07 곱하는 수의 0이 하나씩 늘어날 때마다 곱의 소수점이 오른쪽으로 한 칸씩 옮겨집니다.
➡ $6.72×10=67.2$, $67.2×100=6720$

진도북 4 단원

08 ㉠ 17.2 ㉡ 17.2 ㉢ 172 ㉣ 17.2
→ 계산 결과가 나머지와 다른 하나는 ㉢입니다.

09 ① 27.25 ② 954.2 ③ 6.217 ④ 3.1 ⑤ 7.2

10 (포화 지방 성분의 양)＝(우유 한 통의 양)×0.17

11 (학교에서 지하철역까지의 거리)
＝(세아네 집에서 학교까지의 거리)×0.6
＝1.7×0.6＝1.02 (km)

12
채점 기준	❶ 1시간 15분을 시간 단위로 나타내기	2점
	❷ 기차가 1시간 15분 동안 간 거리 구하기	3점

14 (정사각형의 넓이)＝4.5×4.5＝20.25 (cm²)
(평행사변형의 넓이)＝6.5×3.2＝20.8 (cm²)
→ (두 도형의 넓이의 합)
＝20.25＋20.8＝41.05 (cm²)

15 (빨간색 정사각형의 넓이)
＝12.8×12.8＝163.84 (cm²)
(파란색 직사각형의 넓이)
＝3.5×4.3＝15.05 (cm²)
→ (두 도형의 넓이의 차)
＝163.84－15.05＝148.79 (cm²)

16 곱하는 수의 소수점 아래 자리 수만큼 소수점이 왼쪽으로 옮겨지므로 소수점이 왼쪽으로 한 칸 옮겨지면 0.1, 두 칸 옮겨지면 0.01, 세 칸 옮겨지면 0.001을 곱한 것입니다.

17
채점 기준	❶ ㉠, ㉡, ㉢의 □ 안에 알맞은 수 각각 구하기	4점
	❷ □ 안에 알맞은 수가 다른 하나 구하기	1점

18 ① 1000 ② 0.001 ③ 0.1
④ 100 ⑤ 0.01

19 4.9×100＝490이므로 ㉠＝100입니다.
49×0.01＝0.49이므로 ㉡＝0.01입니다.
→ 100은 0.01의 10000배이므로
㉠은 ㉡의 10000배입니다.

20 8500원의 0.01만큼을 포인트로 적립해 주므로 이번에 적립한 포인트는 8500×0.01＝85(점)입니다.

21 (요구르트 10병의 무게)＝60.5×10＝605 (g)
(초콜릿 100개의 무게)＝8.42×100＝842 (g)
(요구르트와 초콜릿의 무게의 합)
＝605＋842＝1447 (g)
→ 1.447 kg

22 (1) 5.6×4.2의 소수점 아래 자리 수의 합은 2이므로 2352에서 소수점을 왼쪽으로 두 칸 옮깁니다.
(2) 0.56×4.2의 소수점 아래 자리 수의 합은 3이므로 2352에서 소수점을 왼쪽으로 세 칸 옮깁니다.

23 12.5는 125의 0.1배인데 2는 2000의 0.001배이므로 □ 안에 알맞은 수는 16의 0.01배인 0.16입니다.
주의 2＝2.000이므로 2000에서 소수점이 왼쪽으로 세 칸 옮겨진 것입니다.

24
채점 기준	❶ 각각 계산하기	2점
	❷ 구한 값 비교하기	3점

25 **약점 포인트**   정답률 75%
① 타일 한 장의 넓이를 구합니다.
② 타일 16장을 붙인 부분의 넓이를 구합니다.

(타일 한 장의 넓이)
＝8.4×6.8＝57.12 (cm²)
→ (타일을 붙인 부분의 넓이)
＝57.12×16＝913.92 (cm²)

26 (종이 24장의 길이의 합)＝5.8×24＝139.2 (cm)
(겹쳐진 부분의 길이의 합)＝0.6×23＝13.8 (cm)
→ (이어 붙인 종이의 전체 길이)
＝139.2－13.8＝125.4 (cm)

27 **약점 포인트**   정답률 70%
색칠한 부분의 넓이는 직사각형의 넓이에서 삼각형의 넓이를 빼서 구합니다.

(직사각형의 넓이)＝12.5×6.72＝84 (cm²)
(삼각형의 넓이)＝12.5×6.72÷2＝42 (cm²)
→ (색칠한 부분의 넓이)＝84－42＝42 (cm²)

28
채점 기준	❶ 색칠한 부분은 어떤 도형과 넓이가 같은지 알아보기	2점
	❷ 색칠한 부분의 넓이 구하기	3점

29 **약점 포인트**   정답률 70%
주어진 소수의 곱셈식을 각각 계산하여 □ 안에 들어갈 수 있는 수의 범위를 알아봅니다.

6.3×1.4＝8.82, 3.1×4.5＝13.95
8.82<□<13.95이므로 □ 안에 들어갈 수 있는 자연수는 9, 10, 11, 12, 13으로 모두 5개입니다.

30
채점 기준	❶ ㉠과 ㉡ 각각 계산하기	3점
	❷ ㉠과 ㉡ 사이에 들어갈 수 있는 자연수 모두 구하기	2점

31 약점 포인트   정답률 65%

0.㉠㉡×0.㉢㉣이라고 할 때 곱이 크려면 소수 첫째 자리
인 ㉠과 ㉢에 큰 수를 놓습니다.
만들 수 있는 곱셈식 0.94×0.72, 0.92×0.74를 계산
하여 크기를 비교해 봅니다.

높은 자리 숫자가 클수록 곱이 커지므로 소수 첫째 자
리부터 큰 숫자를 놓습니다.
$0.94×0.72=0.6768$, $0.92×0.74=0.6808$이므
로 곱이 가장 큰 곱셈식의 곱은 0.6808입니다.

32 수호가 만든 가장 작은 소수 두 자리 수: 2.37

재민이가 만든 가장 작은 대분수: $3\frac{4}{5}=3.8$

➡ 두 수의 곱: $2.37×3.8=9.006$

STEP ③ 서술형 **해결하기**   108~111쪽

01 ❶ 1.2, $42.6×1.2=51.12$ (kg) ▸2점
   ❷ 1.6, $51.12×1.6=81.792$ (kg) ▸3점
   / 81.792 kg

02 예 ❶ (진구의 몸무게)
       =(소희의 몸무게)×0.9+3
       =40×0.9+3=39 (kg) ▸2점
   ❷ (경수의 몸무게)=(소희의 몸무게)×1.25
                  =40×1.25=50 (kg) ▸2점
   ❸ (경수의 몸무게)−(진구의 몸무게)
       =50−39=11 (kg) ▸1점 / 11 kg

03 예 ❶ (호랑이의 무게)
       =(북극곰의 무게)×0.4+87
       =450.5×0.4+87=267.2 (kg) ▸2점
   ❷ (기린의 무게)=(북극곰의 무게)×2.2
              =450.5×2.2=991.1 (kg) ▸2점
   ❸ (호랑이의 무게)+(기린의 무게)
       =267.2+991.1=1258.3 (kg) ▸1점
   / 1258.3 kg

04 ❶ 0.2165, 원, 두, 0.01 ▸2점
   ❷ $0.01×480=4.8$, 4.8 ▸3점 / 4.8

05 예 ❶ 어떤 수를 □라 하면 잘못 계산한 식은
     □÷8.4=4.25이므로 □=4.25×8.4=35.7입
     니다. ▸2점
   ❷ 따라서 바르게 계산하면
     $35.7×8.3=296.31$입니다. ▸3점 / 296.31

06 예 ❶ 어떤 수를 □라 하면 잘못 계산한 식은
     □÷7.5=3.38이므로 □=3.38×7.5=25.35입
     니다. ▸2점
   ❷ 따라서 바르게 계산하면
     $25.35×5.7=144.495$입니다. ▸3점
   / 144.495

07 ❶ $68÷4=17$ (cm), $17×0.7=11.9$ (cm),
     $17×1.25=21.25$ (cm) ▸3점
   ❷ $11.9×21.25=252.875$ (cm²) ▸2점
   / 252.875 cm²

08 예 ❶ (새로 만든 정사각형의 한 변의 길이)
       =13+13×0.6=13+7.8=20.8 (cm)
     (새로 만든 정사각형의 넓이)
     =20.8×20.8=432.64 (cm²) ▸2점
   ❷ (처음 정사각형의 넓이)
       =13×13=169 (cm²) ▸2점
   ❸ (늘어난 부분의 넓이)
       =(새로 만든 정사각형의 넓이)
        −(처음 정사각형의 넓이)
       =432.64−169=263.64 (cm²) ▸1점
   / 263.64 cm²

09 예 ❶ (새로 만든 직사각형의 가로)
       =24+24×1.7=24+40.8=64.8 (cm)
     (새로 만든 직사각형의 세로)
     =18+18×1.7=18+30.6=48.6 (cm)
     (새로 만든 직사각형의 넓이)
     =64.8×48.6=3149.28 (cm²) ▸2점
   ❷ (처음 직사각형의 넓이)
       =24×18=432 (cm²) ▸2점
   ❸ (늘어난 부분의 넓이)
       =3149.28−432=2717.28 (cm²) ▸1점
   / 2717.28 cm²

10 ❶ 1.5, $95×1.5=142.5$ (km) ▸3점
   ❷ $0.08×142.5=11.4$ (L) ▸2점 / 11.4 L

11 예 ❶ 12분을 시간 단위로 나타내면
     $12분=\frac{12}{60}$시간=0.2시간입니다.
     (양초가 12분 동안 탄 길이)
     =(1시간 동안 타는 길이)×(양초가 탄 시간)
     =0.08×0.2=0.016 (m) ▸3점
   ❷ (타고 남은 양초의 길이)
      =(처음 양초의 길이)−(탄 양초의 길이)
      =0.21−0.016=0.194 (m) ▸2점 / 0.194 m

진도북

4 단원

12 예 ❶ 3분 30초를 분 단위로 나타내면

3분 30초 $=3\dfrac{30}{60}$ 분 $=3.5$분입니다.

(기차가 3분 30초 동안 간 거리)

$=0.86\times3.5=3.01\,(\text{km})$ ▶3점

❷ (기차의 길이)$=175\,\text{m}=0.175\,\text{km}$

(터널의 길이)

$=$(기차가 3분 30초 동안 간 거리)$-$(기차의 길이)

$=3.01-0.175=2.835\,(\text{km})$ ▶2점

/ $2.835\,\text{km}$

01
채점 기준	❶ 언니의 몸무게 구하기	2점
	❷ 아버지의 몸무게 구하기	3점

02
채점 기준	❶ 진구의 몸무게 구하기	2점
	❷ 경수의 몸무게 구하기	2점
	❸ 진구와 경수의 몸무게의 차 구하기	1점

03
채점 기준	❶ 호랑이의 무게 구하기	2점
	❷ 기린의 무게 구하기	2점
	❸ 호랑이와 기린의 무게의 합 구하기	1점

04
채점 기준	❶ 어떤 수를 ■라 하고 식을 세워 어떤 수 구하기	2점
	❷ 어떤 수에 480을 곱한 값 구하기	3점

05
채점 기준	❶ 잘못 계산한 식을 세워 어떤 수 구하기	2점
	❷ 바르게 계산한 값 구하기	3점

06
채점 기준	❶ 잘못 계산한 식을 세워 어떤 수 구하기	2점
	❷ 바르게 계산한 값 구하기	3점

07
채점 기준	❶ 정사각형의 한 변의 길이를 구하여 새로 만든 직사각형의 가로, 세로 각각 구하기	3점
	❷ 새로 만든 직사각형의 넓이 구하기	2점

08
채점 기준	❶ 새로 만든 정사각형의 넓이 구하기	2점
	❷ 처음 정사각형의 넓이 구하기	2점
	❸ 늘어난 부분의 넓이 구하기	1점

09
채점 기준	❶ 새로 만든 직사각형의 넓이 구하기	2점
	❷ 처음 직사각형의 넓이 구하기	2점
	❸ 늘어난 부분의 넓이 구하기	1점

10
채점 기준	❶ 1시간 30분을 시간 단위로 나타내어 자동차가 1시간 30분 동안 갈 수 있는 거리 구하기	3점
	❷ 필요한 휘발유의 양 구하기	2점

11
채점 기준	❶ 12분을 시간 단위로 나타내어 양초가 12분 동안 탄 길이 구하기	3점
	❷ 타고 남은 양초의 길이 구하기	2점

---

12 주의 기차가 터널을 완전히 통과하려면 기차의 뒷부분이 터널을 완전히 빠져나와야 합니다. 기차가 터널을 완전히 통과할 때까지 간 거리는 터널의 길이와 기차의 길이의 합과 같습니다. 기차가 3분 30초 동안 간 거리를 터널의 길이와 같다고 생각하지 않습니다.

채점 기준	❶ 3분 30초를 분 단위로 나타내어 기차가 3분 30초 동안 간 거리 구하기	3점
	❷ 기차의 길이를 km 단위로 나타내어 터널의 길이 구하기	2점

단원 마무리
112~114쪽

01 $12\times0.37=12\times\dfrac{37}{100}=\dfrac{12\times37}{100}=\dfrac{444}{100}=4.44$

02 $108,\ \dfrac{1}{100},\ 1.08$ **03** $8.1,\ 37.08$

04 $<$ **05** $57.18,\ 571.8,\ 5718$

06 $16\times10.8=172.8,\ 172.8\,\text{cm}^2$

07 ④   **08** (1) ㉢ (2) ㉠

09 ㉠, ㉡, ㉣, ㉢   **10** 992만 명

11 100배   **12** $31.5\,\text{m}^2$

13 $1.63\times6.5=10.595,\ 10.595\,\text{km}$

14 $108\,\text{L}$ **15** 3, 4, 5, 6

16 $29.2\,\text{L}$ **17** $456.21\,\text{cm}^2$

18 예 ❶ ㉠ $2.37\times15=35.55$

㉡ $34\times0.9=30.6$ ▶3점

❷ ㉠$-$㉡$=35.55-30.6=4.95$ ▶2점 / 4.95

19 예 $0.28\times19=28\times19\times\dfrac{1}{100}$,

$2.8\times1.9=28\times19\times\dfrac{1}{100}$이므로 두 식 모두

28×19의 $\dfrac{1}{100}$배로 같기 때문입니다. ▶5점

20 예 ❶ 어떤 수를 □라 하면 잘못 계산한 식은

□$\div2.6=6.25$이므로 □$=6.25\times2.6=16.25$

입니다. ▶2점

❷ 따라서 바르게 계산하면 $16.25\times2.6=42.25$입니다. ▶3점 / 42.25

---

06 (직사각형의 넓이)$=16\times10.8=172.8\,(\text{cm}^2)$

07 ① $27\times0.1=2.7$ ② $4.35\times1000=4350$

③ $3\times0.01=0.03$ ④ $0.86\times100=86$

⑤ $7650\times0.001=7.65$

09 ㉠ 5.92 ㉡ 6.032 ㉢ 7.866 ㉣ 6.75
➡ ㉠<㉡<㉣<㉢

10 (2017년 서울시 주민등록 인구수)
  =(1992년 서울시 주민등록 인구수)×0.904
  =1097만×0.904=991.688만 (명) ➡ 992만 명

11 ㉠ 5.1×38=193.8   ㉡ 0.051×38=1.938
  ➡ 193.8은 1.938의 100배입니다.

12 (전체 밭의 넓이)=28×1.5=42 (m²)
  ➡ (고구마를 심은 밭의 넓이)
    =42×0.75=31.5 (m²)

13 6분 30초=6$\frac{30}{60}$분=6.5분
  (자동차가 6분 30초 동안 간 거리)
  =(자동차가 1분 동안 가는 거리)×(간 시간)

14 1시간=60분
  (1시간 동안 받은 물의 양)=0.06×60=3.6 (L)
  (하루 동안 받은 물의 양)=3.6×6=21.6 (L)
  ➡ (5일 동안 받은 물의 양)=21.6×5=108 (L)

15 31×0.09=2.79   2.9×2.21=6.409
  2.79<□<6.409이므로 □ 안에 들어갈 수 있는 자
  연수는 3, 4, 5, 6입니다.

16 2시간 30분=2.5시간
  (트럭이 가는 거리)=73×2.5=182.5 (km)
  (필요한 경유의 양)=0.16×182.5=29.2 (L)

17 (새로 만든 정사각형의 한 변의 길이)
    =15+15×0.74=15+11.1=26.1 (cm)
  (새로 만든 정사각형의 넓이)=26.1×26.1
                 =681.21 (cm²)
  (처음 정사각형의 넓이)=15×15=225 (cm²)
  (늘어난 부분의 넓이)
    =(새로 만든 정사각형의 넓이)
     −(처음 정사각형의 넓이)
    =681.21−225=456.21 (cm²)

18
채점 기준	❶ ㉠과 ㉡ 각각 계산하기	3점
	❷ ㉠과 ㉡의 차 구하기	2점

19
채점 기준	이유 쓰기	5점

20
채점 기준	❶ 잘못 계산한 식을 세워 어떤 수 구하기	2점
	❷ 바르게 계산한 값 구하기	3점

5. 직육면체

STEP ① 개념 완성하기 118~119쪽

1 나, 다   **2** (   ) (   ) (○)
3 (위에서부터) 꼭짓점, 면, 모서리
4 (1) 정사각형 (2) 6, 12, 8
5 (1) ㉠ (2) ㉡, ㉣   **6** 8, 8
7 6 / 12 / 8   **8** 12개
9 (1) × (2) × (3) ○

3 • 면: 선분으로 둘러싸인 부분
  • 모서리: 면과 면이 만나는 선분
  • 꼭짓점: 모서리와 모서리가 만나는 점

5 (2) 직육면체가 되려면 면이 직사각형이어야 하는데
   ㉡, ㉣은 그렇지 않습니다.

8 정육면체의 모서리는 12개이고, 정육면체는 모서리의
   길이가 모두 같으므로 길이가 5 cm인 모서리는 모
   두 12개입니다.

9 (1) 직육면체는 직사각형 6개로 둘러싸인 도형이므로
    면이 정사각형이 아닌 경우도 있습니다.
   (2) 정육면체는 모서리의 길이가 모두 같습니다.

STEP ① 개념 완성하기 120~121쪽

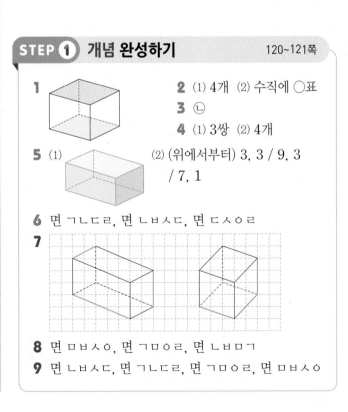

1   **2** (1) 4개 (2) 수직에 ○표
            3 ㉡
            4 (1) 3쌍 (2) 4개
5 (1)   (2) (위에서부터) 3, 3 / 9, 3
                / 7, 1

6 면 ㄱㄴㄷㄹ, 면 ㄴㅂㅅㄷ, 면 ㄷㅅㅇㄹ
7

8 면 ㅁㅂㅅㅇ, 면 ㄱㅁㅇㄹ, 면 ㄴㅂㅁㄱ
9 면 ㄴㅂㅅㄷ, 면 ㄱㄴㄷㄹ, 면 ㄱㅁㅇㄹ, 면 ㅁㅂㅅㅇ

진도북 5단원

1 서로 마주 보는 두 면은 평행합니다. 색칠한 면과 마주 보는 면을 찾아 색칠합니다.

2 (2) 서로 만나는 면은 수직입니다.

3 직육면체의 겨냥도는 직육면체 모양을 잘 알 수 있도록 보이는 모서리는 실선으로, 보이지 않는 모서리는 점선으로 그린 그림입니다.

4 (1) 직육면체에서 서로 마주 보는 3쌍의 면은 각각 평행합니다.
(2) 직육면체에서 한 면과 만나는 면은 모두 4개입니다.

5 (2)

	보이는 부분	보이지 않는 부분
면의 수	3	3
모서리의 수	9	3
꼭짓점의 수	7	1

6 한 꼭짓점에서 만나는 면은 모두 3개입니다.

9 면 ㄷㅅㅇㄹ과 수직인 면은 면 ㄷㅅㅇㄹ과 만나는 면입니다.

2 왼쪽 그림은 접었을 때 겹치는 면이 있으므로 직육면체의 전개도가 될 수 없습니다.

3 색칠한 면과 마주 보는 면이 평행한 면입니다.

4 (2) 전개도에서 평행한 면은 모양과 크기가 서로 같고, 만나는 모서리와 꼭짓점이 없습니다. ➡ 면 ㅂ

6 전개도를 접었을 때 만나는 점끼리 같은 기호를 써넣습니다.

7 전개도를 접었을 때 만나는 모서리의 길이가 같습니다.

8 전개도를 접었을 때 면끼리 겹치지 않아야 하고, 면 6개로 둘러싸여 있어야 하므로 나머지 한 면의 위치는 ③입니다.

STEP ① 개념 완성하기 122~123쪽

1 전개도   **2** ( )(○)

3
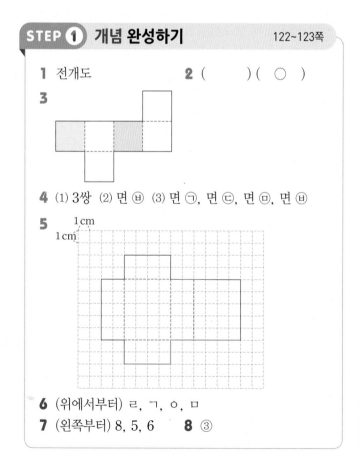

4 (1) 3쌍 (2) 면 ㅂ (3) 면 ㄱ, 면 ㄷ, 면 ㅁ, 면 ㅂ

5

6 (위에서부터) ㄹ, ㄱ, ㅇ, ㅁ
7 (왼쪽부터) 8, 5, 6   **8** ③

STEP ② 실력 다지기 124~129쪽

01 ㉢
02 예 정육면체는 정사각형 6개로 둘러싸인 도형입니다. ▶5점
03 52개
04

05 ❶ 예 보이는 모서리는 실선으로 그려야 하는데 점선으로 그렸습니다. ▶3점
❷
▶2점

06 10   **07** 38 cm   **08** 72 cm
09 84 cm   **10** 주희   **11** ㉠, ㉢
12 ③, ④   **13** 50 cm   **14** ⑤
15 면 ㄱㄴㄷㄹ, 면 ㅁㅂㅅㅇ   **16** ㉣
17 ❶ 선우 ▶1점
❷ 예 전개도를 접었을 때 서로 겹치는 면이 있으므로 직육면체의 전개도를 잘못 그렸습니다. ▶4점
18 예
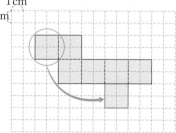

19
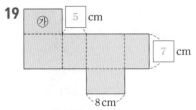

20 예
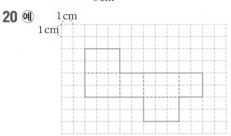

21 예
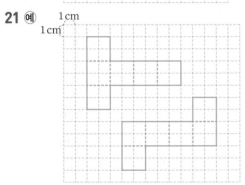

22 면 바

23 선분 ㅅㅂ

24 점 ㄹ, 점 ㅂ

25
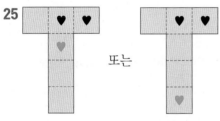

또는

26 ㉡

27 8

28 예 ❶ (직육면체의 모든 모서리의 길이의 합)
= 6×4＋11×4＋7×4＝96 (cm) ▶2점
❷ 정육면체의 한 모서리의 길이를 □ cm라 하면
□×12＝96, □＝96÷12＝8이므로 정육면체의
한 모서리의 길이는 8 cm입니다. ▶3점
/ 8 cm

29 1, 6

30 예 ❶ 주사위는 마주 보는 두 면이 서로 평행합니다.
면 ㉠과 평행한 면의 눈의 수는 3이므로 면 ㉠의
눈의 수는 7－3＝4입니다. ▶2점
❷ 면 ㉡과 평행한 면의 눈의 수는 1이므로 면 ㉡의
눈의 수는 7－1＝6입니다. ▶2점
❸ (면 ㉠과 면 ㉡의 눈의 수의 합)
＝4＋6＝10 ▶1점
/ 10

31
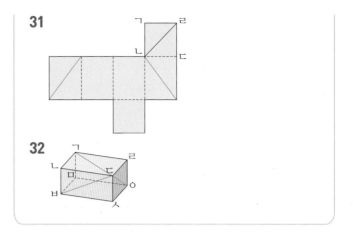

32

02

채점 기준	잘못된 이유 쓰기	5점

03 직육면체와 정육면체는 면, 모서리, 꼭짓점의 개수가
같습니다.
면의 개수: 6개　　　　　　모서리의 개수: 12개
꼭짓점의 개수: 8개
➡ (6＋12＋8)×2＝52(개)

05

채점 기준	❶ 잘못 그린 이유 쓰기	3점
	❷ 겨냥도 옳게 그리기	2점

06 • 보이는 꼭짓점은 7개입니다. ➡ ㉠＝7
• 보이지 않는 모서리는 3개입니다. ➡ ㉡＝3
➡ ㉠＋㉡＝7＋3＝10

07 (색칠한 면의 네 변의 길이의 합)
＝(12＋7)×2＝38 (cm)

08 직육면체에서 보이는 모서리는 9개입니다.
➡ (보이는 모서리의 길이의 합)
＝(10＋6＋8)×3＝72 (cm)

09 정육면체는 길이가 같은 모서리가 12개 있습니다.
➡ (모든 모서리의 길이의 합)＝7×12＝84 (cm)

10 서진: 직육면체의 면은 직사각형이고 직사각형은 정사
각형이라고 할 수 없으므로 직육면체는 정육면
체라고 할 수 없습니다.

11 • 직육면체와 정육면체의 공통점
➡ 면의 수, 모서리의 수, 꼭짓점의 수
• 직육면체와 정육면체의 차이점
➡ 면의 모양, 모서리의 길이

12 ③ 직육면체는 길이가 같은 모서리가 4개씩 3쌍 있
고, 정육면체는 모서리의 길이가 모두 같습니다.
④ 직육면체는 마주 보는 면끼리 서로 합동입니다.

13 직육면체에서 서로 평행한 면은 마주 보는 면으로 모양과 크기가 같습니다. ➡ (18+7)×2=50 (cm)

14 ①, ②, ③, ④ 두 면은 서로 수직입니다.
⑤ 두 면은 서로 평행합니다.

15 면 ㄴㅂㅅㄷ과 수직으로 만나는 면 중 면 ㄷㅅㅇㄹ과 수직으로 만나는 면을 모두 찾으면 면 ㄱㄴㄷㄹ과 면 ㅁㅂㅅㅇ입니다.

16 ㉣ 접었을 때 서로 겹치는 면이 있습니다.

17

채점 기준	❶ 잘못 그린 사람의 이름 쓰기	1점
	❷ 잘못 그린 이유 쓰기	4점

18 접었을 때 겹치는 면을 찾아 겹치지 않도록 위치를 옮겨 그립니다.

19 면 ㉮를 기준으로 각 모서리의 길이를 알아봅니다.

20 직육면체의 모서리를 자르는 방법에 따라 여러 가지 전개도를 그릴 수 있습니다.

21 겹치는 면이 없도록 전개도를 그립니다.

22 서로 평행한 면은 만나지 않습니다. 면 가와 평행한 면은 면 바입니다.

23 전개도를 접었을 때 점 ㄷ과 만나는 점은 점 ㅅ이고, 점 ㄹ과 만나는 점은 점 ㅂ이므로 선분 ㄷㄹ과 만나는 선분은 선분 ㅅㅂ입니다.

24 점 ㄴ과 점 ㄹ, 점 ㅂ이 만나 한 꼭짓점을 이룹니다.

25 <u>약점 포인트</u>   정답률 70%
전개도를 접었을 때 무늬가 그려진 세 면이 한 꼭짓점에서 만나야 합니다. 평행한 면은 서로 만나지 않으므로 무늬가 그려진 면은 평행한 면을 제외하고 생각합니다.

무늬가 그려진 면과 평행한 면에는 무늬가 없습니다. 전개도에서 무늬가 그려진 면과 평행한 면을 제외한 나머지 면 중 한 면에 무늬를 그립니다.

26 전개도를 접었을 때 평행한 면은 동시에 보일 수 없습니다.
  ㉠ ★과 ◆은 서로 평행하므로 동시에 보일 수 없습니다.
  ㉡ 전개도를 접으면 ●, ★, ■은 한 꼭짓점에서 만납니다.
  ㉢ ●와 ♠은 서로 평행하므로 동시에 보일 수 없습니다.

27 <u>약점 포인트</u>   정답률 75%
직육면체에서 서로 평행한 모서리는 길이가 같고, 길이가 같은 모서리가 4개씩 3쌍 있습니다.

직육면체는 길이가 같은 모서리가 4개씩 3쌍입니다.
□×4+4×4+3×4=60, □×4+16+12=60,
□×4=60−16−12=32, □=8

28

채점 기준	❶ 직육면체의 모든 모서리의 길이의 합 구하기	2점
	❷ 정육면체의 한 모서리의 길이 구하기	3점

29 <u>약점 포인트</u>   정답률 75%
주사위는 마주 보는 두 면이 서로 평행하므로 눈이 주어진 면과 평행한 면의 눈의 수를 먼저 구합니다.

• 눈의 수가 4인 면과 평행한 면의 눈의 수는 7−4=3입니다.
• 눈의 수가 2인 면과 평행한 면의 눈의 수는 7−2=5입니다.
따라서 가에 올 수 있는 눈의 수는 1, 6입니다.

30

채점 기준	❶ 면 ㉠의 눈의 수 구하기	2점
	❷ 면 ㉡의 눈의 수 구하기	2점
	❷ 면 ㉠과 면 ㉡의 눈의 수의 합 구하기	1점

31 <u>약점 포인트</u>   정답률 65%
한 꼭짓점에서 만나는 면은 모두 3개입니다. 먼저 전개도를 접었을 때를 생각하여 전개도에 꼭짓점의 기호를 표시해 봅니다.

전개도에 꼭짓점의 기호를 표시한 후 점 ㄴ과 점 ㅅ, 점 ㅅ과 점 ㄹ을 각각 선으로 잇습니다.

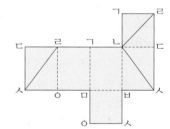

32 먼저 직육면체를 보고 전개도에 면 ㄱㄴㄷㄹ을 기준으로 다른 꼭짓점의 기호를 쓴 후 전개도에 그은 선이 어느 점과 어느 점을 이은 것인지 찾습니다. 직육면체에서 점 ㄱ과 점 ㄷ, 점 ㄷ과 점 ㅂ, 점 ㄷ과 점 ㅇ을 각각 선으로 잇습니다.

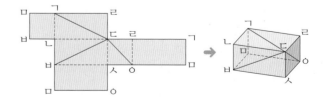

01 ❶ 4, 3, 4 ▶2점
   ❷ (6+3+10)×4=76 (cm) ▶3점 / 76 cm

02 ⑩ ❶ 직육면체의 겨냥도에서 보이지 않는 모서리는
   3개입니다. 직육면체에서 보이지 않는 모서리와 길
   이가 같은 모서리는 각각 4개씩 있습니다. ▶2점
   ❷ (모든 모서리의 길이의 합)
     =(보이지 않는 모서리의 길이의 합)×4
     =20×4=80 (cm) ▶3점 / 80 cm

03 ⑩ ❶ 정육면체의 겨냥도에서 보이지 않는 모서리는
   3개이고, 모서리는 모두 12개입니다. 정육면체는 모
   서리의 길이가 모두 같으므로 모든 모서리의 길이
   의 합은 보이지 않는 모서리의 길이의 합의 4배입니
   다. ▶2점
   ❷ (모든 모서리의 길이의 합)
     =(보이지 않는 모서리의 길이의 합)×4
     =15×4=60 (cm) ▶3점 / 60 cm

04 ❶ 2, 2, 15 ▶2점 ❷ 2, 2, 15, 97 ▶3점 / 97 cm

05 ⑩ ❶ 리본을 12 cm인 모서리는 2번, 10 cm인 모
   서리는 2번, 6 cm인 모서리는 4번 둘렀고, 매듭으
   로 사용한 리본의 길이는 30 cm입니다. ▶2점
   ❷ (사용한 리본의 전체 길이)
     =12×2+10×2+6×4+30=98 (cm) ▶3점
   / 98 cm

06 ⑩ ❶ 정육면체는 모서리의 길이가 모두 같으므로
   리본을 10 cm인 모서리에 8번 둘렀고, 매듭으로 사
   용한 리본의 길이는 20 cm입니다. ▶2점
   ❷ (사용한 리본의 전체 길이)
     =10×8+20=100 (cm) ▶3점 / 100 cm

07 ❶ ⑩ ㅋㅊ, 9, ⑩ ㄴㄷ, 8, ⑩ ㄱㄴ, 10 ▶2점
   ❷ 8+9+8+10=35 (cm) ▶3점 / 35 cm

08 ⑩ ❶ 정육면체는 모서리의 길이가 모두 같습니다.
   (한 모서리의 길이)=14÷2=7 (cm) ▶2점
   ❷ ⑩ 전개도의 둘레에는 길이가 7 cm인 선분이
   14개 있습니다.
   ➡ (전개도의 둘레)=7×14=98 (cm) ▶3점
   / 98 cm

09 ⑩ ❶ 전개도를 접었을 때 만나는 선분의 길이가 같
   으므로 각 선분의 길이는 다음과 같습니다.
   (선분 ㅁㅂ)=(선분 ㅂㅅ)=(선분 ㅈㅇ)=6 cm,
   (선분 ㄹㅁ)=(선분 ㄷㄴ)=(선분 ㅎㅍ)
     =(선분 ㅍㅌ)=11-6=5 (cm) ▶2점

   ❷ 전개도의 둘레에는 8 cm인 선분이 2개, 5 cm
   인 선분이 6개, 6 cm인 선분이 6개 있습니다.
   ➡ (전개도의 둘레)=8×2+5×6+6×6
             =82 (cm) ▶3점 / 82 cm

10 ❶ 1, 2, 4, 6, 3 ▶2점 ❷ 4, 6 ▶3점 /

11 ⑩ ❶ 첫 번째와 세 번째 그림에서 F가 쓰인 면과 수
   직인 면에 쓰인 알파벳은 A, B, C, E입니다. ▶2점
   ❷ F가 쓰인 면과 평행한 면에 쓰인 알파벳은 A,
   B, C, E를 제외한 D이므로 D가 쓰인 면과 평행
   한 면에 쓰인 알파벳은 F입니다. ▶3점 / F

12 ⑩ ❶ 첫 번째와 두 번째 그림에서 라가 쓰인 면과
   수직인 면에 쓰인 글자는 가, 나, 다, 바입니다. ▶2점
   ❷ 라가 쓰인 면과 평행한 면에 쓰인 글자는 가, 나,
   다, 바를 제외한 마이므로 마가 쓰인 면과 평행한
   면에 쓰인 글자는 라입니다. ▶3점 / 라

01	채점 기준	❶ 길이가 같은 모서리가 몇 개씩 있는지 구하기	2점
		❷ 모든 모서리의 길이의 합 구하기	3점
02	채점 기준	❶ 길이가 같은 모서리가 몇 개씩 있는지 구하기	2점
		❷ 모든 모서리의 길이의 합 구하기	3점
03	채점 기준	❶ 모든 모서리의 길이의 합은 보이지 않는 모서리의 길이의 합의 몇 배인지 구하기	2점
		❷ 모든 모서리의 길이의 합 구하기	3점
04	채점 기준	❶ 세로와 높이에 둘러싼 끈의 횟수와 매듭으로 사용한 끈의 길이 구하기	2점
		❷ 사용한 끈의 전체 길이 구하기	3점
05	채점 기준	❶ 가로, 세로, 높이에 둘러싼 리본의 횟수와 매듭으로 사용한 리본의 길이 구하기	2점
		❷ 사용한 리본의 전체 길이 구하기	3점
06	채점 기준	❶ 10 cm인 모서리를 둘러싼 리본의 횟수와 매듭으로 사용한 리본의 길이 구하기	2점
		❷ 사용한 리본의 전체 길이 구하기	3점
07	채점 기준	❶ 각 선분의 길이 구하기	2점
		❷ 선분 ㄴㅇ의 길이 구하기	3점
08	채점 기준	❶ 한 모서리의 길이 구하기	2점
		❷ 전개도의 둘레 구하기	3점
09	채점 기준	❶ 각 선분의 길이 구하기	2점
		❷ 전개도의 둘레 구하기	3점

진도북
5
단원

| 10 | 채점
기준 | ❶ 5가 쓰인 면과 평행한 면에 쓰인 숫자 구하기 | 2점 |
| | | ❷ 2가 쓰인 면과 평행한 면에 쓰인 숫자를 구하
여 전개도의 빈 곳에 알맞은 숫자 구하기 | 3점 |

| 11 | 채점
기준 | ❶ F가 쓰인 면과 수직인 면에 쓰인 알파벳 구하기 | 2점 |
| | | ❷ D가 쓰인 면과 평행한 면에 쓰인 알파벳 구하기 | 3점 |

| 12 | 채점
기준 | ❶ 라가 쓰인 면과 수직인 면에 쓰인 글자 구하기 | 2점 |
| | | ❷ 마가 쓰인 면과 평행한 면에 쓰인 글자 구하기 | 3점 |

단원 마무리

134~136쪽

01 나, 다, 마   **02** 나

03

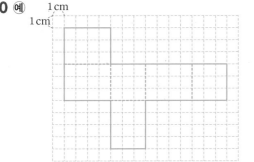

04 (위에서부터) 9, 6, 7

05 ④

06 ①, ⑤

07 ㉢   **08** 면 마   **09** ㉠, ㉢, ㉡

10 예)

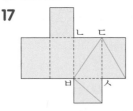

11 57 cm   **12** 점 ㅂ, 점 ㅎ   **13** 선분 ㅈㅇ

14 11 cm   **15** 95 cm

16

17

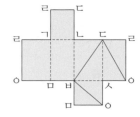

18 ❶ 예) 면, 모서리, 꼭짓점의 수가 각각 같습니다. ▶2점
    ❷ 예) 면의 모양이 직육면체는 직사각형, 정육면체는
    정사각형입니다. ▶3점

19 예) 직육면체의 전개도는 모양과 크기가 같은 면이
    2개씩 3쌍이어야 하는데 주어진 전개도는 모양과
    크기가 같은 면이 3개씩 2쌍 있습니다. ▶5점

20 예) ❶ (직육면체의 모든 모서리의 길이의 합)
          $=(7+11+9)×4=108$ (cm) ▶2점
    ❷ 정육면체의 한 모서리의 길이를 □ cm라 하면
    □×12=108, □=108÷12=9이므로 정육면체
    의 한 모서리의 길이는 9 cm입니다. ▶3점 / 9 cm

---

05 직육면체에서 수직인 면은 서로 만나고, 마주 보는
    면은 서로 평행하고 만나지 않습니다.
    ④ 면 ㄴㅂㅁㄱ과 면 ㄷㅅㅇㄹ은 서로 평행합니다.

06 전개도를 접었을 때 겹치는 면이 없어야 합니다.

07 ㉢ 직육면체의 면은 직사각형으로 정사각형이 아닌 경
    우가 있습니다.
    중요 ㉢ 정육면체의 면은 정사각형이고, 정사각형은 직사각형이라
    고 할 수 있으므로 정육면체는 직육면체라고 할 수 있습니다.

08 전개도를 접었을 때 면 다와 마주 보는 면은 면 마입
    니다.

09 ㉠ 9 ㉡ 3 ㉢ 7 ➡ ㉠>㉢>㉡

11 보이는 모서리는 8 cm인 모서리가 6개, 3 cm인 모
    서리가 3개입니다.
    ➡ (보이는 모서리의 길이의 합)
        $=8×6+3×3=57$ (cm)

12 점 ㄹ과 점 ㅂ, 점 ㅎ이 만나 한 꼭짓점을 이룹니다.

13 전개도를 접었을 때 점 ㅋ과 점 ㅈ, 점 ㅌ과 점 ㅇ이 만
    나므로 선분 ㅋㅌ과 만나는 선분은 선분 ㅈㅇ입니다.

14 (한 모서리의 길이)$=132÷12=11$ (cm)

15 리본을 9 cm인 모서리는 2번, 8 cm인 모서리는 4번,
    10 cm인 모서리는 2번 둘렀고, 매듭으로 사용한 리
    본의 길이는 25 cm입니다.
    ➡ (사용한 리본의 전체 길이)
        $=9×2+8×4+10×2+25=95$ (cm)

16 주사위의 전개도에서 서로 평행한 면을 찾아 눈을 그
    립니다.
    ➡ 주사위의 마주 보는 면의 눈의 수의 합은 7이므로
       1과 6, 2와 5, 3과 4가 마주 보도록 그립니다.

17 전개도에 꼭짓점의 기호를
    표시한 후 점 ㅂ과 점 ㄷ, 점
    ㄷ과 점 ㅇ, 점 ㅇ과 점 ㅂ을
    각각 선으로 잇습니다.

| 18 | 채점
기준 | ❶ 공통점 쓰기 | 2점 |
| | | ❷ 차이점 쓰기 | 3점 |

| 19 | 채점
기준 | 잘못된 이유 쓰기 | 5점 |

| 20 | 채점
기준 | ❶ 직육면체의 모든 모서리의 길이의 합 구하기 | 2점 |
| | | ❷ 정육면체의 한 모서리의 길이 구하기 | 3점 |

6. 평균과 가능성

STEP 1 개념 완성하기   142~143쪽

1 예 4개 / 예

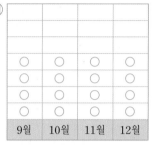

○	○	○	○
○	○	○	○
○	○	○	○
○	○	○	○
9월	10월	11월	12월

2 4개   **3** (1) 215 (2) 5 (3) 43

4 45, 55, 3 / 150, 3 / 50   **5** 348, 87

6 12, 3 / 10, 2   **7** 지효네 모둠   **8** 89회

3 (3) $215 \div 5 = 43$ (kg)

6 (지효네 모둠의 방과 후 학교 신청 과목 수의 평균)

$= \dfrac{3+4+3+2}{4} = \dfrac{12}{4} = 3$(개)

(정모네 모둠의 방과 후 학교 신청 과목 수의 평균)

$= \dfrac{4+0+3+1+2}{5} = \dfrac{10}{5} = 2$(개)

8 (민호의 줄넘기 기록의 평균)

$= \dfrac{78+101+83+94}{4} = \dfrac{356}{4} = 89$(회)

STEP 1 개념 완성하기   144~145쪽

1 5개   **2** 6개   **3** 민아

4 116000원   **5** 29명   **6** 4000원

7 61, 305   **8** 45분   **9** 355, 76

4 (한 반당 모든 평균 성금) $= \dfrac{696000}{6} = 116000$(원)

5 (한 반당 평균 학생 수) $= \dfrac{174}{6} = 29$(명)

6 (한 명당 낸 평균 성금) $= \dfrac{116000}{29} = 4000$(원)

7 (자료 값의 합) $=$ (평균) $\times$ (자료의 수)

  ➡ (하루 휴대 전화 사용 시간의 평균) $\times$ (학생 수)
$= 61 \times 5 = 305$(분)

8 $305 - (50+30+110+70) = 45$(분)

9 (5일 동안 입장한 사람 수) $= 71 \times 5 = 355$(명)
(목요일에 입장한 사람 수) $= 355 - 279 = 76$(명)

STEP 1 개념 완성하기   146~147쪽

1

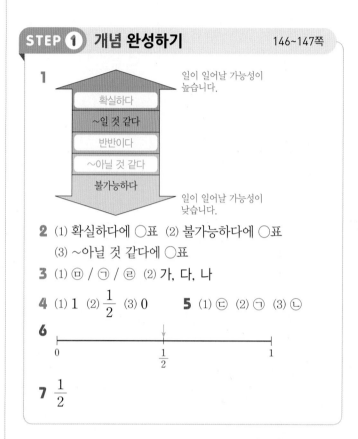

일이 일어날 가능성이 높습니다.

확실하다
~일 것 같다
반반이다
~아닐 것 같다
불가능하다

일이 일어날 가능성이 낮습니다.

2 (1) 확실하다에 ○표   (2) 불가능하다에 ○표
(3) ~아닐 것 같다에 ○표

3 (1) ⓜ / ㉠ / ㉣   (2) 가, 다, 나

4 (1) 1   (2) $\dfrac{1}{2}$ (3) 0   **5** (1) ㉢ (2) ㉠ (3) ㉡

6

0              $\dfrac{1}{2}$ 1

7 $\dfrac{1}{2}$

3 (1) 가: 전체가 초록색인 회전판을 돌릴 때 화살이 초록색에 멈출 가능성은 '확실하다'입니다. ➡ ⓜ

나: 전체가 빨간색인 회전판을 돌릴 때 화살이 초록색에 멈출 가능성은 '불가능하다'입니다.
➡ ㉠

다: 초록색이 $\dfrac{3}{4}$인 회전판을 돌릴 때 화살이 초록색에 멈출 가능성은 '~일 것 같다'입니다. ➡ ㉣

5 (1) 여름 방학 때 폭설이 올 가능성은 '불가능하다'입니다.

(2) 해가 동쪽에서 뜰 가능성은 '확실하다'입니다.

(3) 주사위 눈의 수가 홀수 1, 3, 5가 나올 가능성은 '반반이다'입니다.

6 제비 1개를 뽑을 때 당첨 제비를 뽑을 가능성은 '반반이다'입니다.

7 동전은 그림 면과 숫자 면이 있으므로 신우가 먼저 공격을 하게 될 가능성은 '반반이다'입니다. ➡ $\dfrac{1}{2}$

진도북

6 단원

진도북 정답 및 풀이

STEP 2 실력 다지기

148~153쪽

01 150 cm   **02** 24 ℃

03 (예) **방법 1** 평균을 26쪽으로 예상한 후 26, (38, 14), (29, 23), (12, 40)으로 수를 짝 지어 자료의 값을 고르게 하여 구한 하루 독서량의 평균은 26쪽입니다.

방법 2 $\dfrac{26+38+14+29+23+12+40}{7}$

$=\dfrac{182}{7}=26(쪽)$

04 690   **05** 96000원

06 (예) ❶ 11월 1일부터 12월 31일까지는
30+31=61(일)입니다. ▸2점
❷ (만들 수 있는 미니카의 수)
$=320\times61=19520(개)$ ▸3점
/ 19520개

07 빠른 편에 ◯표   **08** 호찬, 상진, 경수

09 화요일, 금요일   **10** 수호네 모둠

11 ㉯ 모둠, 2회 **12** 누리   **13** 1920 kcal

14 (예) ❶ (타자 수의 합)$=312\times6=1872$(타)
(4회의 타자 수)$=1872-1557=315$(타) ▸3점
❷ 따라서 타자 수의 기록이 가장 좋은 때는 3회입니다. ▸2점 / 3회

15 16개   **16** 372점   **17** 23개

18 26살   **19** (1) ㉣ (2) ㉠ (3) ㉢ (4) ㉤

20 ㉢   **21** 1   **22** 0

23 (예) ❶ 구슬 8개가 들어 있는 상자에서 구슬을 꺼낼 때 나올 수 있는 구슬의 개수는 1개, 2개, 3개, 4개, 5개, 6개, 7개, 8개로 8가지 경우입니다. ▸2점
❷ 꺼낸 구슬의 개수가 홀수인 경우는 1개, 3개, 5개, 7개로 4가지이므로 가능성을 수로 표현하면 $\dfrac{1}{2}$입니다. ▸3점 / $\dfrac{1}{2}$

24

25 (예)

26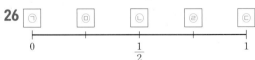

27 ㉡, ㉠, ㉢   **28** ㉣, ㉮, ㉯, ㉰

29 310 mL

30 (예) ❶ (남학생 5명의 몸무게의 합)
$=42.2\times5=211$ (kg)
(여학생 7명의 몸무게의 합)
$=43\times7=301$ (kg) ▸2점
❷ (윤희네 모둠의 몸무게의 평균)
$=\dfrac{211+301}{12}=42\dfrac{8}{12}=42\dfrac{2}{3}$ (kg) ▸3점
/ $42\dfrac{2}{3}$ kg

31 12회   **32** 105분

01 (키의 평균)$=\dfrac{600}{4}=150$ (cm)

02 (기온의 평균)$=\dfrac{120}{5}=24$ (℃)

04 (30일 동안 한 윗몸 말아 올리기 횟수)
$=$(하루 평균 횟수)$\times$(날수)$=23\times30=690$(회)

05 (1년 동안 받은 용돈)$=8000\times12=96000$(원)

06

채점 기준		
❶ 만드는 날수 구하기		2점
❷ 해당 기간 동안 만들 수 있는 미니카의 수 구하기		3점

07 (평균)$=\dfrac{84}{4}=21$(초)
➡ 20<21이므로 3회 기록은 평균에 비해 빠른 편입니다.

08 (한 학기 동안 읽은 책 수의 평균)$=\dfrac{120}{5}=24$(권)
➡ 평균보다 많이 읽은 사람: 호찬, 상진, 경수

09 (방문자 수의 평균)
$=\dfrac{123+162+99+131+145}{5}=\dfrac{660}{5}=132$(명)
방문자 수가 지난 5일 동안 방문자 수의 평균인 132명보다 많은 요일인 화요일, 금요일에 숲 해설가를 추가로 배정하면 됩니다.

10 (영주네 모둠의 기록의 평균)$=\dfrac{345}{5}=69$(번)
(수호네 모둠의 기록의 평균)$=\dfrac{370}{5}=74$(번)

11 (㉮ 모둠의 기록의 평균)$=\dfrac{116}{4}=29$(회)
(㉯ 모둠의 기록의 평균)$=\dfrac{124}{4}=31$(회)
➡ ㉯ 모둠의 평균이 31-29=2(회) 더 많습니다.

12 (승진이의 점수의 평균)$=\dfrac{368}{4}=92$(점)

(누리의 점수의 평균)$=\dfrac{372}{4}=93$(점)

(세연이의 점수의 평균)$=\dfrac{364}{4}=91$(점)

➡ 평균이 가장 높은 누리가 참가권을 받습니다.

13 (5일 동안 섭취한 열량의 합)

$=2000\times5=10000$ (kcal)

(목요일에 섭취한 열량)

$=10000-(1870+2250+1920+2040)$

$=1920$ (kcal)

14

채점 기준	❶ 4회의 타자 수 구하기	3점
	❷ 타자 수의 기록이 가장 좋은 때 구하기	2점

15 $35+40+27+32+\square=134+\square$

$134+\square$가 30×5와 같거나 많아야 합니다.

$134+\square=150$, $\square=16$이므로 마지막에 16개와 같거나 더 많이 차야 합니다.

16 (이번 단원 평가 점수의 평균)$=\dfrac{364}{4}=91$(점)

(다음 단원 평가 점수의 평균)$=91+2=93$(점)

(다음 단원 평가 점수의 합)$=93\times4=372$(점)

17 (네 경기 동안 받은 반칙 수의 평균)$=\dfrac{96}{4}=24$(개)

반칙 수의 평균이 낮아졌으므로 다섯 번째 경기에서 받은 반칙 수는 많아야 23개입니다.

18 (새로운 회원이 더 들어오기 전의 나이의 평균)

$=\dfrac{100}{5}=20$(살)

(새로운 회원이 더 들어온 후 전체 회원의 나이의 합)

$=21\times6=126$(살)

(새로운 회원의 나이)$=126-100=26$(살)

20 ㉠ 서울의 12월 평균 기온이 $40℃$일 가능성은 '불가능하다'입니다.

㉡ 번호표의 번호는 홀수 또는 짝수이므로 번호가 홀수일 가능성은 '반반이다'입니다.

㉢ 4일 다음이 5일일 가능성은 '확실하다'입니다.

21 500원짜리 동전만 있으므로 동전을 꺼낼 때 500원짜리 동전이 나올 가능성은 '확실하다'입니다. ➡ 1

22 카드 중에서 ★의 카드는 없습니다. '불가능하다'인 경우를 수로 표현하면 0입니다.

23

채점 기준	❶ 나올 수 있는 구슬의 개수의 경우 구하기	2점
	❷ 꺼낸 구슬의 개수가 홀수일 가능성 수로 표현하기	3점

25 회전판에서 빨간색은 전체의 $\dfrac{1}{4}$이므로 화살이 빨간색에 멈출 가능성은 '~아닐 것 같다'입니다. ➡ 0과 $\dfrac{1}{2}$ 사이에 표시합니다.

27 ㉠ 회전판에서 노란색, 초록색, 파란색은 각각 전체의 $\dfrac{1}{3}$이므로 노랑 16회, 초록 16회, 파랑 16회인 표입니다.

㉡ 회전판에서 노란색, 파란색은 각각 전체의 $\dfrac{1}{4}$이고, 초록색은 전체의 $\dfrac{1}{2}$이므로 노랑 12회, 초록 24회, 파랑 12회인 표입니다.

㉢ 회전판에서 노란색, 파란색은 각각 전체의 $\dfrac{1}{8}$이고, 초록색은 전체의 $\dfrac{3}{4}$이므로 노랑 6회, 초록 36회, 파랑 6회인 표입니다.

28 ㉮ 5의 배수: 5 ➡ ~아닐 것 같다

㉯ 6의 약수: 1, 2, 3, 6 ➡ ~일 것 같다

㉰ 1, 2, 3, 4, 5, 6 ➡ 확실하다

㉱ 불가능하다

29 약점 포인트   정답률 75%

① 세 사람이 마신 주스의 양의 평균을 이용하여 세 사람이 마신 주스의 양의 합을 구합니다.

② ①을 이용하여 네 사람이 마신 주스의 양의 합을 구합니다.

③ 네 사람이 마신 주스의 양의 평균을 구합니다.

(세 사람이 마신 주스의 양)$=320\times3=960$ (mL)

➡ (네 사람이 마신 주스의 양의 평균)

$=\dfrac{960+280}{4}=\dfrac{1240}{4}=310$ (mL)

30

채점 기준	❶ 남학생 5명의 몸무게의 합과 여학생 7명의 몸무게의 합 각각 구하기	2점
	❷ 윤희네 모둠의 몸무게의 평균 구하기	3점

31 약점 포인트   정답률 70%

두 자료의 평균이 같으므로 항목이 모두 주어진 자료의 평균을 이용하여 모르는 항목의 값을 구합니다.

진도북

6 단원

(민수의 팔 굽혀 펴기 기록의 평균)$=\dfrac{36}{3}=12$(회)

(준하의 팔 굽혀 펴기 기록의 합)$=12\times4=48$(회)

➡ (준하의 3회 기록)$=48-(15+13+8)=12$(회)

32 (시후의 공부 시간의 평균)$=\dfrac{270}{3}=90$(분)

(진서의 공부 시간의 합)$=90\times5=450$(분)

➡ (진서가 목요일에 공부한 시간)

$=450-(70+120+100+55)=105$(분)

STEP ❸ 서술형 **해결하기**   154~155쪽

01 ❶ $65\times12=780$ (t), $68\times9=612$ (t) ▸2점

❷ $780-612=168$ (t), $168\div3=56$ (t) ▸3점

/ 56 t

02 예 ❶ (전체 귤 상자의 무게의 합)

$=17.5\times150=2625$ (kg)

(노란색 상자의 무게의 합)

$=20\times75=1500$ (kg) ▸2점

❷ 예 (초록색 상자의 무게의 합)

$=2625-1500=1125$ (kg)

(초록색 상자의 무게의 평균)

$=1125\div(150-75)=1125\div75=15$ (kg) ▸3점

/ 15 kg

03 예 ❶ (시원이네 모둠의 키의 합)

$=145.2\times15=2178$ (cm)

(남학생의 키의 합)$=144.5\times8=1156$ (cm) ▸2점

❷ (여학생의 키의 합)$=2178-1156=1022$ (cm)

(여학생의 키의 평균)

$=1022\div(15-8)=1022\div7=146$ (cm) ▸3점

/ 146 cm

04 ❶ $58\times4=232$(군데) ▸2점

❷ 57, ■$+57+27+$■$+54=232$,

■$\times2+138=232$, ■$\times2=94$, ■$=47$, 47 ▸3점

/ 47군데

05 예 ❶ (다섯 마을의 쌀 생산량의 합)

$=64\times5=320$ (t) ▸2점

❷ A 마을의 쌀 생산량을 □t이라 하면

D 마을의 쌀 생산량은 (□$\times3$) t입니다.

(다섯 마을의 쌀 생산량의 합)

$=$□$+74+62+$□$\times3+64=320$,

□$\times4+200=320$, □$\times4=120$, □$=30$

(D 마을의 쌀 생산량)$=30\times3=90$ (t) ▸3점 / 90 t

---

06 예 ❶ (다섯 출판사의 책 판매량의 합)

$=162\times5=810$(권) ▸2점

❷ 다 출판사의 책 판매량을 □권이라 하면

나 출판사의 책 판매량은 (□$\times2$)권입니다.

(다섯 출판사의 책 판매량의 합)

$=130+$□$\times2+$□$+174+167=810$,

□$\times3+471=810$, □$\times3=339$, □$=113$

(나 출판사의 책 판매량)$=113\times2=226$(권) ▸3점

/ 226권

01	채점 기준	❶ 전체 과수원의 사과 생산량의 합과 동쪽에 있는 과수원의 사과 생산량의 합 각각 구하기	2점
		❷ 서쪽에 있는 과수원의 사과 생산량의 평균 구하기	3점

02	채점 기준	❶ 전체 귤 상자의 무게의 합과 노란색 상자의 무게의 합 각각 구하기	2점
		❷ 초록색 상자의 무게의 평균 구하기	3점

03	채점 기준	❶ 시원이네 모둠의 키의 합과 남학생의 키의 합 각각 구하기	2점
		❷ 여학생의 키의 평균 구하기	3점

04	채점 기준	❶ 네 지역의 공공도서관 수의 합 구하기	2점
		❷ 다 지역의 공공도서관 수 구하기	3점

05	채점 기준	❶ 다섯 마을의 쌀 생산량의 합 구하기	2점
		❷ D 마을의 쌀 생산량 구하기	3점

06	채점 기준	❶ 다섯 출판사의 책 판매량의 합 구하기	2점
		❷ 나 출판사의 책 판매량 구하기	3점

단원 **마무리**   156~158쪽

01 680권   **02** 170권

03 (1) ㉡ (2) ㉢ (3) ㉠   **04** 744000

05 예

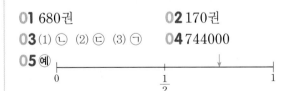

06 ②

07 예 방법 **1** 평균을 331 L로 예상한 후 (384, 278), (286, 376)으로 수를 짝 지어 자료의 값을 고르게 하여 구한 하루 동안 사용한 물의 양의 평균은 331 L입니다.

방법 **2** $\dfrac{384+278+286+376}{4}=\dfrac{1324}{4}$

$=331$ (L)

08 75만 명   **09** 24만 명   **10** 민호, 소진
11 나 밭, 300포기   **12** ㉠, ㉢, ㉡
13 85점   **14** 40분   **15** 9초
16 5 kg   **17** 56 t
18 ❶ 12권 ▸2점
　　❷ ⑩ 월별 읽은 책 수의 평균이 12권인데 6월에
16권을 읽었으므로 평균보다 많이 읽었습니다. ▸3점
19 ⑩ ❶ 검은색 바둑돌만 들어 있는 주머니에서 흰색
바둑돌을 꺼내는 것은 '불가능하다'이므로 가능성은
0입니다. ▸2점
　　❷ 검은색 바둑돌을 꺼낼 가능성은 '확실하다'이므로
가능성은 1입니다. ▸3점 / 0, 1
20 ⑩ ❶ (가 모둠의 기록의 평균)$=\dfrac{84}{4}=21$(회)
　　　(나 모둠의 기록의 평균)$=\dfrac{100}{5}=20$(회) ▸3점
　　❷ 가 모둠의 평균이 1회 더 많습니다. ▸2점
　　/ 가 모둠, 1회

---

03 ⑵ 우리나라는 위치상 북반구에 속하므로 새해는 겨
울입니다. 따라서 우리나라에서 여름에 새해를 맞
이할 가능성은 '불가능하다'입니다.

04 (12월에 대중교통을 이용한 사람 수)
　 =(하루 이용자 수의 평균)×(날수)
　 $=24000×31=744000$(명)

05 회전판에서 초록색은 전체의 $\dfrac{3}{4}$이므로 화살이 초록색
에 멈출 가능성은 '~일 것 같다'입니다. ➡ $\dfrac{1}{2}$과 1 사
이에 표시합니다.

06 ② 개구리는 알을 낳는 동물이므로 암컷 개구리가 알
을 낳을 가능성은 '확실하다'입니다.

09 75만−(17만+9만+11만+14만)=24만 (명)

10 (줄넘기 기록의 평균)
　 $=\dfrac{29+40+32+23}{4}=\dfrac{124}{4}=31$(회)
　 ➡ 평균보다 많이 한 사람: 민호, 소진

11 (가 밭의 배추 수확량의 평균)$=\dfrac{9000}{6}=1500$(포기)
　 (나 밭의 배추 수확량의 평균)$=\dfrac{7200}{4}=1800$(포기)
　 ➡ 1시간 동안 배추 수확량의 평균은 나 밭이 300포
기 더 많습니다.

12 ㉠ 검은색 구슬 4개 중 구슬을 1개 꺼낼 때 검은색일
가능성 ➡ 확실하다
　㉡ 흰색 구슬 4개 중 구슬을 1개 꺼낼 때 검은색일
가능성 ➡ 불가능하다
　㉢ 구슬 4개 중 검은색 구슬이 3개이므로 구슬을 1개
꺼낼 때 검은색일 가능성 ➡ ~일 것 같다
　➡ ㉠ > ㉢ > ㉡

13 (다음 시험에서 올려야 할 점수의 합)$=5×3=15$(점)
　 ➡ (다음 시험에서 받아야 할 과학 점수)
　　 $=70+15=85$(점)

14 (남학생 18명의 하루 컴퓨터 이용 시간의 합)=792분
　 (여학생 12명의 하루 컴퓨터 이용 시간의 합)=408분
　 ➡ (하루 컴퓨터 이용 시간의 평균)
　　 $=\dfrac{792+408}{30}=\dfrac{1200}{30}=40$(분)

15 (정은이의 달리기 기록의 평균)$=\dfrac{44}{4}=11$(초)
　 (예희의 달리기 기록의 평균)=11초
　 (예희의 달리기 기록의 합)$=11×3=33$(초)
　 ➡ (예희의 2회 기록)$=33-(10+14)=9$(초)

16 (전체 닭의 무게의 합)$=5.3×50=265$ (kg)
　 (수탉의 무게의 합)$=6×15=90$ (kg)
　 (암탉의 무게의 합)$=265-90=175$ (kg)
　 (암탉의 무게의 평균)$=\dfrac{175}{35}=5$ (kg)

17 (네 지역의 배 생산량의 합)$=47.5×4=190$ (t)
　 B 지역의 배 생산량을 □t이라 하면
　 D 지역의 배 생산량은 (□×2) t입니다.
　 (네 지역의 배 생산량의 합)
　 $=44+□+62+□×2=190$,
　 $□×3+106=190$, $□×3=84$, $□=28$입니다.
　 (D 지역의 배 생산량)$=28×2=56$ (t)

18

채점 기준		
❶ 월별 읽은 책 수의 평균 구하기	2점
❷ 6월에 읽은 책 수를 평균과 비교하여 설명하기	3점

19

채점 기준		
❶ 꺼낸 바둑돌이 흰색일 가능성을 수로 표현하기	2점
❷ 꺼낸 바둑돌이 검은색일 가능성을 수로 표현하기	3점

20

채점 기준		
❶ 각 모둠의 기록의 평균 구하기	3점
❷ 어느 모둠의 평균이 몇 회 더 많은지 구하기	2점

진도북
6
단원

1. 수의 범위와 어림하기

1 5개   **2** ㉢
3 (1) 행복 마을, 푸른 마을 (2) 사랑 마을, 보람 마을
4 ㉡   **5** 소장급
6

4
㉠ 84 포함되지 않음.
㉡ 84 포함.
㉢ 84 포함되지 않음.

01 4개   **02** 12개   **03** 10개
04 17, 20.8, $12\frac{7}{9}$, 21.6에 ○표
05 예 ❶ 10 이상 93 이하인 수는 10과 같거나 크고 93과 같거나 작은 수입니다. ▶3점
❷ 가장 큰 수는 93이고, 가장 작은 수는 10입니다.
➡ 93+10=103 ▶2점 / 103
06 78   **07** 45
08 ㉡   **09** 이상, 이하
10 예 ❶ ㉠ 이상인 수는 ㉠을 포함하고 ㉡ 미만인 수는 ㉡을 포함하지 않습니다. ▶2점
❷ 수의 범위에 포함되는 수가 43, 44, 45, 46, 47 이므로 43 이상 48 미만인 자연수입니다. 따라서 ㉠=43, ㉡=48입니다. ▶3점 / 43, 48
11 54, 66 / 초과, 이하   **12** 70, 83
13 전남, 경남   **14** 상민, 영재   **15** 독일, 미국
16 7500원   **17** 20 이상 27 미만인 자연수
18 35   **19** 201명 이상 240명 이하
20 예 ❶ 자연수 부분이 될 수 있는 수는 6 이상 7 이하 인 수이므로 6, 7입니다. ▶2점
❷ 소수 첫째 자리 숫자가 될 수 있는 수는 3 이상 5 이하인 수이므로 3, 4, 5입니다. ▶2점
❸ 만들 수 있는 소수 한 자리 수는 6.3, 6.4, 6.5, 7.3, 7.4, 7.5로 모두 6개입니다. ▶1점 / 6개

03 15 초과 25 이하인 자연수
➡ 15보다 크고 25와 같거나 작은 자연수
➡ 16, 17, 18, 19, 20, 21, 22, 23, 24, 25(10개)
04 22 이하인 수 ➡ 22와 같거나 작은 수
➡ 17, 20.8, $12\frac{7}{9}$, 21.6

05
채점 기준	❶ 수의 범위 구하기	3점
	❷ 가장 큰 수와 가장 작은 수의 합 구하기	2점

06 주어진 수를 작은 순서대로 쓰면 71, 72, 73, 76, 78이므로 78과 같거나 작은 수입니다. □ 안에는 78, 79, 80……이 들어갈 수 있으므로 가장 작은 자연수는 78입니다.

08 ㉠ 4 초과 9 미만인 자연수: 5, 6, 7, 8
➡ (수의 합)=5+6+7+8=26
㉡ 7 이하인 자연수: 1, 2, 3, 4, 5, 6, 7
➡ (수의 합)=1+2+3+4+5+6+7=28

10
채점 기준	❶ 이상, 미만의 범위 알기	2점
	❷ ㉠, ㉡에 알맞은 수 각각 구하기	3점

11 ·54는 포함되고 66은 포함되지 않으므로 54 이상 66 미만인 자연수입니다.
·수의 범위에 알맞은 자연수는 54, 55……64, 65이 므로 53 초과 65 이하인 자연수로 나타낼 수도 있 습니다.

12 71 이상 84 미만인 자연수: 71, 72……82, 83
➡ 70 초과 83 이하인 자연수

13 보통: 2 초과 9 이하인 지역
➡ 일산화탄소 농도가 2보다 높고 9와 같거나 낮은 지 역: 전남(2.4), 경남(2.5)

15 메달이 15개보다 많은 나라: 독일(31개), 미국(23개)

16 (물건과 상자의 무게의 합)=9.3+0.7=10 (kg)
10 kg은 5 kg 초과 10 kg 이하인 수의 범위에 속 하므로 택배 요금은 7500원입니다.

17 ㉠ 16 초과 26 이하인 자연수: 17, 18, 19, 20…… 25, 26
㉡ 20 이상 33 미만인 자연수: 20, 21……31, 32
두 조건을 모두 만족하는 자연수는 20, 21, 22, 23, 24, 25, 26 ➡ 20 이상 27 미만인 자연수

18 수직선에 나타낸 수의 범위는 ㉮ 이상 48 미만인 수입니다.

48 미만인 수에는 48이 포함되지 않으므로 47부터 거꾸로 세어 수를 13개 씁니다.

➡ 47, 46, 45, 44, 43, 42, 41, 40, 39, 38, 37, 36, 35

㉮는 수의 범위에 포함되므로 ㉮에 알맞은 자연수는 35입니다.

19 • 학생 수가 가장 적은 경우: 버스 5대에 40명씩 모두 타고, 학생이 1명 더 있는 경우
  ➡ (전체 학생 수)=40×5+1=201(명)
• 학생 수가 가장 많은 경우: 버스 6대에 40명씩 모두 탄 경우
  ➡ (전체 학생 수)=40×6=240(명)

따라서 승희네 학교 5학년 학생은 201명 이상 240명 이하입니다.

20

채점 기준		
❶ 자연수 부분이 될 수 있는 수 구하기	2점
❷ 소수 첫째 자리 숫자가 될 수 있는 수 구하기	2점
❸ 만들 수 있는 소수 한 자리 수는 모두 몇 개인지 구하기	1점

STEP 1 한번더 **개념 완성하기** 05쪽

1 준영
2 1700, 1690, >
3 5000, 5300, <
4 40, 35, 38
5 (1) 올림 (2) 4000원
6 (1) 버림 (2) 9개

1 준영: 2357 → 2400

4 반올림하여 일의 자리까지 나타내야 하므로 소수 첫째 자리에서 반올림합니다.
민석: 40.3 → 40   연아: 34.8 → 35
채아: 37.5 → 38

5 1000원짜리 지폐로 음료수값을 내야 합니다.
➡ 버림 또는 반올림하여 3000원을 내면 모자라므로 올림하여 최소 4000원을 내야 합니다.

6 10 cm씩 9개를 만들고 남은 2 cm로는 별 모양을 만들 수 없으므로 버림합니다. ➡ 9개

STEP 2 한번더 **실력 다지기** 06~08쪽

01 ②   **02** 7000   **03** 3200, 3101
04 9개   **05** ㉢   **06** ④
07 예 ❶ 버림하여 천의 자리까지 나타내면 5000이 되는 자연수는 5000부터 5999까지입니다. ▶3점
  ❷ 따라서 가장 큰 수는 5999입니다. ▶2점 / 5999
08 8   **09** 29000, 13000, 30000, 21000
10 ②
11 예 ❶ 672□5를 반올림하여 백의 자리까지 나타낸 수는 67200으로 백의 자리 숫자가 2로 같으므로 십의 자리에서 버림한 것입니다. ▶3점
  ❷ 따라서 □ 안에 들어갈 수 있는 수는 0, 1, 2, 3, 4입니다. ▶2점 / 0, 1, 2, 3, 4
12 (수직선) 330 340 350 , 335, 345
13 ①, ③   **14** 4개   **15** 3150원
16 32장   **17** 276000원   **18** 42만 명
19 20 km   **20** 올림, 반올림, 버림
21 예 ❶ 10개씩 넣을 때 팔 수 있는 사탕은 5720개이므로 572상자이고, 판 금액은
  8500×572=4862000(원)입니다. ▶2점
  ❷ 100개씩 넣을 때 팔 수 있는 사탕은 5700개이므로 57상자이고, 판 금액은
  70000×57=3990000(원)입니다. ▶2점
  ❸ 따라서 사탕을 한 상자에 10개씩 넣을 때와 100개씩 넣을 때 판 금액의 차는
  4862000−3990000=872000(원)입니다. ▶1점
  / 872000원

01 5.134를 올림하여 소수 둘째 자리까지 나타내려면 소수 둘째 자리 아래 수인 0.004를 0.01로 보고 올림합니다. ➡ 5.134 → 5.14

02 • 62705를 올림하여 만의 자리까지 나타내면
  62705 → 70000입니다.
• 62705를 올림하여 천의 자리까지 나타내면
  62705 → 63000입니다.
  ➡ (어림한 두 수의 차)=70000−63000=7000

03 올림하여 백의 자리까지 나타내면 3200이 되는 자연수는 3101부터 3200까지입니다.
➡ 가장 큰 수: 3200, 가장 작은 수: 3101

04 주어진 수를 올림하여 천의 자리까지 나타내면
7☐00 → 8000인데 십의 자리 숫자와 일의 자리 숫
자가 각각 0이므로 ☐ 안에는 1부터 9까지의 수가
들어갈 수 있습니다. → 9개

05 ㉠ 42800 → 42800   ㉡ 42812 → 42800
㉢ 42900 → 42900   ㉣ 42899 → 42800

06 ① 3379 → 3370   ② 3450 → 3450
③ 3508 → 3500   ④ 3512 → 3510
⑤ 3473 → 3470

07
채점 기준	❶ 버림하여 천의 자리까지 나타내면 5000이 되는 자연수의 범위 구하기	3점
	❷ 가장 큰 수 구하기	2점

08 ① 버림하기 전의 자연수의 범위
→ 버림하여 십의 자리까지 나타내면 70이 되므로
70부터 79까지의 수
② 9를 곱한 수
→ 70부터 79까지의 수 중에서 9의 배수: 72
③ 처음에 생각한 자연수 → 72÷9=8

09 반올림하여 천의 자리까지 나타내므로 백의 자리에서
올림하거나 버림합니다.
부산: 28500 → 29000   광주: 12500 → 13000
잠실: 30306 → 30000   수원: 20800 → 21000

10 반올림은 구하려는 자리 바로 아래 자리의 숫자가 0,
1, 2, 3, 4이면 버리고 5, 6, 7, 8, 9이면 올립니다.
① 500000   ② 550000   ③ 549000
④ 549100   ⑤ 549080

11
채점 기준	❶ ☐ 안에 들어갈 수 있는 수의 범위 구하기	3점
	❷ ☐ 안에 들어갈 수 있는 수 모두 구하기	2점

12 어떤 수를 반올림하여 십의 자리까지 나타낸 수 340
은 일의 자리에서 올림하거나 버림하여 만들 수 있습
니다.
① 일의 자리에서 올림한 경우의 수의 범위: 335 이상
② 일의 자리에서 버림한 경우의 수의 범위: 345 미만
→ ①과 ②를 동시에 만족하는 수의 범위:
335 이상 345 미만

13 ① 버림: 84000, 반올림: 84000
② 버림: 80000, 반올림: 81000
③ 버림: 83000, 반올림: 83000
④ 버림: 82000, 반올림: 83000
⑤ 버림: 86000, 반올림: 87000

14 • 올림하여 십의 자리까지 나타내면 450이 되는 자연
수: 441, 442, 443……448, 449, 450
• 반올림하여 십의 자리까지 나타내면 440이 되는 자
연수: 435, 436, 437……442, 443, 444
→ 두 범위에 공통인 수: 441, 442, 443, 444(4개)

15 387 cm는 60 cm씩 6묶음과 27 cm가 더 필요합니
다. 리본을 6묶음만 사면 27 cm가 모자라므로 올림
하여 7묶음을 사야 합니다.
→ (필요한 돈)=450×7=3150(원)

16 100원짜리 281개 → 28100원
 50원짜리　72개 →　3600원
 10원짜리　36개 →　　360원
　　　　　　　　　　32060원
32060원을 1000원짜리 지폐로 바꿀 때 1000원이 안
되는 금액은 바꿀 수 없으므로 버림해야 합니다.
따라서 32000원만 바꿀 수 있으므로 1000원짜리 지
폐로 최대 32장까지 바꿀 수 있습니다.

17 당근 354 kg을 한 상자에 15 kg씩 담으면 23상자
에 담고 9 kg이 남습니다. 남은 9 kg은 팔 수 없으
므로 버림하면 판 당근은 23상자입니다.
→ (당근을 판 돈)=12000×23=276000(원)

18 (서울의 초등학생 수)
=219464+204336=423800(명)
반올림하여 만의 자리까지 나타내려면 천의 자리에서
반올림합니다. 423800 → 420000이므로 서울의 초등
학생 수를 반올림하여 만의 자리까지 나타내면 42만
명입니다.

19 (공원에서 우체국까지의 거리)
+(우체국에서 병원까지의 거리)
=7.3+11.5=18.8 (km)
18.8을 반올림하여 십의 자리까지 나타내면
18.8 → 20입니다.
따라서 공원에서 우체국을 지나 병원까지의 거리를 반
올림하여 십의 자리까지 나타내면 20 km입니다.

20 • 현우: 올림하여 천의 자리까지 나타내는 방법
• 민정: 반올림하여 천의 자리까지 나타내는 방법
• 소연: 버림하여 천의 자리까지 나타내는 방법

21
채점 기준	❶ 10개씩 넣어서 판 금액 구하기	2점
	❷ 100개씩 넣어서 판 금액 구하기	2점
	❸ 두 경우의 판 금액의 차 구하기	1점

01 예 ❶ 1시간 초과 시 10분마다 추가 요금을 내므로 92분＝60분＋32분에서 32를 올림하여 십의 자리까지 나타내면 40입니다. 따라서 기본 1시간 요금에 40분의 추가 요금을 내야 합니다. ▶3점

❷ (주차 요금)＝(기본요금)＋(추가 요금)
$$＝2000＋500×4$$
$$＝2000＋2000＝4000(원) ▶2점$$

/ 4000원

02 예 ❶ 1시간 초과 시 10분마다 추가 요금을 내므로 115분＝60분＋55분에서 55를 올림하여 십의 자리까지 나타내면 60입니다. 따라서 기본 1시간 요금에 60분의 추가 요금을 내야 합니다. ▶3점

❷ (이용 요금)＝(기본요금)＋(추가 요금)
$$＝5000＋600×6$$
$$＝5000＋3600＝8600(원) ▶2점$$

/ 8600원

03 예 ❶ 15살인 형은 영화를 볼 수 있고, 14살인 태우는 영화를 볼 수 없으므로 이 영화는 15살부터 볼 수 있습니다. ▶3점

❷ 따라서 15세 미만은 영화를 볼 수 없습니다. ▶2점

/ 15

04 예 ❶ 입장료를 내지 않는 사람의 나이의 범위: 13세와 같거나 적고 65세와 같거나 많은 나이 ▶2점

❷ 입장료를 내야 하는 사람의 나이의 범위: 13세보다 많고 65세보다 적은 나이

➡ 13세 초과 65세 미만 ▶3점

/ 13세 초과 65세 미만

05 예 ❶ 반올림하여 십의 자리까지 나타내면 520이 되는 수의 범위는 515 이상 524 이하인 수이므로 학생 수는 515명부터 524명까지입니다. ▶3점

❷ 도화지가 모자라지 않으려면 학생 수가 가장 많을 때를 생각해야 하므로 도화지를 최소 524장 준비해야 합니다. ▶2점

/ 524장

06 예 ❶ 버림하여 백의 자리까지 나타내면 1300이 되는 수의 범위는 1300 이상 1399 이하인 수이므로 학생 수는 1300명부터 1399명까지입니다. ▶3점

❷ 학생들에게 공책을 3권씩 나누어 줄 때 공책이 모자라지 않으려면 학생 수가 가장 많을 때를 생각해야 하므로 공책을 최소 $3×1399＝4197$(권) 준비해야 합니다. ▶2점 / 4197권

07 예 ❶ 수의 크기를 비교하면 $9>8>6>5$이므로 만들 수 있는 가장 큰 네 자리 수는 9865입니다. ▶1점

❷ 만든 수를 반올림하여 십의 자리까지 나타내면 9870이고, 버림하여 십의 자리까지 나타내면 9860입니다. 따라서 어림한 두 수의 차는 $9870－9860＝10$입니다. ▶4점 / 10

08 예 ❶ 수의 크기를 비교하면 $0<3<4<7$이므로 만들 수 있는 가장 작은 소수 세 자리 수는 0.347입니다. ▶1점

❷ 0.347을 버림하여 소수 첫째 자리까지 나타내면 0.3이고, 올림하여 소수 둘째 자리까지 나타내면 0.35입니다. 따라서 어림한 두 수의 차는 $0.35－0.3＝0.05$입니다. ▶4점 / 0.05

| 01 | 채점 기준 | ❶ 기본요금과 추가 요금을 내야 하는 시간 각각 구하기 | 3점 |
| | | ❷ 내야 할 주차 요금 구하기 | 2점 |

| 02 | 채점 기준 | ❶ 기본요금과 추가 요금을 내야 하는 시간 각각 구하기 | 3점 |
| | | ❷ 내야 할 이용 요금 구하기 | 2점 |

| 03 | 채점 기준 | ❶ 영화를 볼 수 있는 사람의 나이의 범위 구하기 | 3점 |
| | | ❷ □ 안에 알맞은 수 구하기 | 2점 |

| 04 | 채점 기준 | ❶ 입장료를 내지 않는 사람의 나이의 범위 구하기 | 2점 |
| | | ❷ 입장료를 내야 하는 사람의 나이의 범위를 초과와 미만으로 나타내기 | 3점 |

| 05 | 채점 기준 | ❶ 그림 그리기 대회에 참가한 학생 수의 범위 구하기 | 3점 |
| | | ❷ 준비해야 하는 도화지의 수 구하기 | 2점 |

| 06 | 채점 기준 | ❶ 연정이네 학교 학생 수의 범위 구하기 | 3점 |
| | | ❷ 준비해야 하는 공책의 수 구하기 | 2점 |

| 07 | 채점 기준 | ❶ 만들 수 있는 가장 큰 네 자리 수 구하기 | 1점 |
| | | ❷ 반올림하여 십의 자리까지 나타낸 수와 버림하여 십의 자리까지 나타낸 수의 차 구하기 | 4점 |

| 08 | 채점 기준 | ❶ 만들 수 있는 가장 작은 소수 세 자리 수 구하기 | 1점 |
| | | ❷ 버림하여 소수 첫째 자리까지 나타낸 수와 올림하여 소수 둘째 자리까지 나타낸 수의 차 구하기 | 4점 |

2. 분수의 곱셈

STEP 1 한번더 개념 완성하기 11쪽

1 (1) ⓒ (2) ⓑ (3) ⓐ
2 ( ) (○)

3 $\dfrac{4}{5}$, $4\dfrac{4}{5}$
4 (1) > (2) <

5 민지
6 4, 7

---

5 동원: $1\dfrac{3}{8} \times 6 = \dfrac{11}{8} \times \overset{3}{6} = \dfrac{33}{4} = 8\dfrac{1}{4}$ (×)

민지: $9 \times 2\dfrac{1}{3} = \overset{3}{9} \times \dfrac{7}{\underset{1}{3}} = 21$ (○)

STEP 2 한번더 실력 다지기 12~13쪽

01 $12\dfrac{1}{2}$
02 $20\dfrac{1}{5}$

03 ❶ 예 대분수를 가분수로 바꾸지 않고 약분하여 계산했습니다. ▶3점

❷ 예 $3\dfrac{3}{10} \times 4 = \dfrac{33}{\underset{5}{10}} \times \overset{2}{4} = \dfrac{66}{5} = 13\dfrac{1}{5}$ ▶2점

04 ⓓ, ⓐ, ⓒ, ⓑ

05 $6\dfrac{4}{9} \times 30 = 193\dfrac{1}{3}$, $193\dfrac{1}{3}$ km

06 ❶ 예 (은희가 달린 거리) $= 1\dfrac{1}{2} \times 3 = \dfrac{3}{2} \times 3$

$= \dfrac{9}{2} = 4\dfrac{1}{2}$ (km)

(건우가 달린 거리) $= \dfrac{5}{8} \times 5 = \dfrac{25}{8} = 3\dfrac{1}{8}$ (km) ▶4점

❷ (은희와 건우가 달린 거리의 합)

$= 4\dfrac{1}{2} + 3\dfrac{1}{8} = 7\dfrac{5}{8}$ (km) ▶1점 / $7\dfrac{5}{8}$ km

07 9 cm, 6 cm

08 예 ❶ 전체 거리의 $\dfrac{5}{7}$ 는 지하철을 타고 갔으므로 자전거를 탄 거리는 전체의 $1 - \dfrac{5}{7} = \dfrac{2}{7}$ 입니다. ▶2점

❷ (자전거를 탄 거리) $= 6 \times \dfrac{2}{7} = \dfrac{12}{7}$

$= 1\dfrac{5}{7}$ (km) ▶3점 / $1\dfrac{5}{7}$ km

---

09 $50\dfrac{2}{3}$ cm²
10 수아네 텃밭, $26\dfrac{1}{6}$ m²

11 207 L

12 예 ❶ $\dfrac{5}{\underset{2}{8}} \times \overset{3}{12} = \dfrac{15}{2} = 7\dfrac{1}{2}$

$3\dfrac{1}{6} \times 4 = \dfrac{19}{\underset{3}{6}} \times \overset{2}{4} = \dfrac{38}{3} = 12\dfrac{2}{3}$ ▶3점

❷ $7\dfrac{1}{2} < \square < 12\dfrac{2}{3}$ 이므로 $\square$ 안에 들어갈 수 있는 자연수는 8, 9, 10, 11, 12로 모두 5개입니다. ▶2점 / 5개

01 가장 큰 수: 8, 가장 작은 수: $1\dfrac{9}{16}$

➡ $8 \times 1\dfrac{9}{16} = \overset{1}{8} \times \dfrac{25}{\underset{2}{16}} = \dfrac{25}{2} = 12\dfrac{1}{2}$

02 ⓐ 24 ⓑ $3\dfrac{4}{5}$ ➡ $24 - 3\dfrac{4}{5} = 20\dfrac{1}{5}$

03
채점 기준	❶ 잘못된 이유 쓰기	3점
	❷ 옳게 계산하기	2점

04 ⓓ $6 <$ ⓐ $6\dfrac{1}{4} <$ ⓒ $6\dfrac{3}{4} <$ ⓑ 7

06
채점 기준	❶ 은희가 달린 거리와 건우가 달린 거리 각각 구하기	4점
	❷ 은희와 건우가 달린 거리의 합 구하기	1점

07 (지름) $=$ (가로) $\times \dfrac{1}{3} = \overset{18}{54} \times \dfrac{1}{\underset{1}{3}} = 18$ (cm)

㉮ $=$ (지름) $\times \dfrac{1}{2} = \overset{9}{18} \times \dfrac{1}{\underset{1}{2}} = 9$ (cm)

㉯ $=$ (지름) $\times \dfrac{1}{3} = \overset{6}{18} \times \dfrac{1}{\underset{1}{3}} = 6$ (cm)

08
채점 기준	❶ 자전거를 탄 거리는 전체의 몇 분의 몇인지 구하기	2점
	❷ 자전거를 탄 거리 구하기	3점

09 (평행사변형의 넓이)

$= 12 \times 4\dfrac{2}{9} = \overset{4}{12} \times \dfrac{38}{\underset{3}{9}} = \dfrac{152}{3} = 50\dfrac{2}{3}$ (cm²)

10 (수아네 텃밭의 넓이)

$$=5\frac{3}{4}\times 6=\frac{23}{4}\times \overset{3}{6}=\frac{69}{2}=34\frac{1}{2}\ (\text{m}^2)$$

(형호네 텃밭의 넓이)$=\overset{5}{10}\times \frac{5}{6}=\frac{25}{3}=8\frac{1}{3}\ (\text{m}^2)$

➜ 수아네 텃밭이 $34\frac{1}{2}-8\frac{1}{3}=26\frac{1}{6}\ (\text{m}^2)$ 더 넓습니다.

11 2시간 15분$=2\frac{15}{60}$시간$=2\frac{1}{4}$시간

➜ (2시간 15분 동안 나오는 물의 양)

$$=92\times 2\frac{1}{4}=\overset{23}{92}\times \frac{9}{4}=207\ (\text{L})$$

12

채점 기준	❶ 왼쪽 식과 오른쪽 식 각각 계산하기	3점
	❷ □ 안에 들어갈 수 있는 자연수는 모두 몇 개 인지 구하기	2점

STEP1 〔한번더〕 **개념 완성하기** 14쪽

1 현민 **2** ㉠, ㉢, ㉡ **3** $\frac{2}{9}$, $\frac{2}{15}$

4 < **5** $2\frac{10}{27}$ **6** $2\frac{2}{5}$, 8

2 ㉠ $\frac{1}{42}$ ㉡ $\frac{1}{16}$ ㉢ $\frac{1}{25}$ ➜ $\frac{1}{42}<\frac{1}{25}<\frac{1}{16}$

5 $2\frac{2}{7}\times 2\frac{1}{3}\times \frac{4}{9}=\frac{16}{7}\times \frac{\overset{1}{7}}{3}\times \frac{4}{9}=\frac{64}{27}=2\frac{10}{27}$

STEP2 〔한번더〕 **실력 다지기** 15~17쪽

01 $3\frac{3}{16}$

02 ❶ 〔예〕 대분수를 가분수로 바꾸지 않고 약분하여 계산 했습니다. ▶3점

❷ 〔예〕 $1\frac{7}{8}\times 2\frac{2}{3}=\frac{\overset{5}{15}}{8}\times \frac{\overset{1}{8}}{3}=5$ ▶2점

03 혜정, 6 **04** ① **05** $1\frac{4}{7}$ kg

---

06 〔예〕 ❶ 현서네 집에 간장이 $2\frac{1}{6}$ L 있습니다. 식초는 간 장의 $2\frac{4}{13}$배만큼 있다면 식초는 몇 L 있나요? ▶2점

❷ $2\frac{1}{6}\times 2\frac{4}{13}=\frac{\overset{1}{13}}{6}\times \frac{\overset{5}{30}}{13}=5\ (\text{L})$ ▶3점

/ 5 L

07 ❶ 〔예〕 왼쪽 식을 먼저 계산합니다.

$2\frac{1}{4}\times 1\frac{3}{5}=\frac{9}{4}\times \frac{\overset{2}{8}}{5}=\frac{18}{5}=3\frac{3}{5}$ ▶3점

❷ $3\frac{3}{5}>\square \frac{2}{5}$이므로 □ 안에 들어갈 수 있는 자연 수는 1, 2, 3입니다. ▶2점 / 1, 2, 3

08 5개 **09** $1\frac{5}{6}$ m^2 **10** $1\frac{40}{81}$ cm^2

11 88 kg **12** 36쪽

13 60 cm^2 **14** $\frac{1}{30}$

15 ❶ 〔예〕 어떤 수를 □라 하면 잘못 계산한 식은

$\square +\frac{6}{7}=1\frac{3}{14}$이므로

$\square =1\frac{3}{14}-\frac{6}{7}=\frac{17}{14}-\frac{12}{14}=\frac{5}{14}$입니다. ▶2점

❷ 따라서 바르게 계산하면

$\frac{5}{14}\times \frac{\overset{3}{6}}{7}=\frac{15}{49}$입니다. ▶3점 / $\frac{15}{49}$

16 $33\frac{1}{4}$ cm^2 **17** $\frac{35}{76}$

02

채점 기준	❶ 잘못된 이유 쓰기	3점
	❷ 옳게 계산하기	2점

04 ① $8>$ ④ $6\frac{2}{7}>$ ③ $5\frac{2}{3}>$ ② $\frac{3}{8}>$ ⑤ $\frac{1}{48}$

05 (찰흙을 더 넣은 후 봉지에 들어 있는 찰흙의 양)

$$=1\frac{2}{7}+2\frac{1}{4}=1\frac{8}{28}+2\frac{7}{28}=3\frac{15}{28}\ (\text{kg})$$

➜ (사용한 찰흙의 양)

$$=3\frac{15}{28}\times \frac{4}{9}=\frac{\overset{11}{99}}{28}\times \frac{\overset{1}{4}}{9}=\frac{11}{7}=1\frac{4}{7}\ (\text{kg})$$

06

채점 기준	❶ 곱셈식에 알맞은 문제 만들기	2점
	❷ 만든 문제의 풀이 과정을 쓰고, 답 구하기	3점

매칭북 한번더

07

채점 기준	❶ 주어진 식 계산하기	3점
	❷ □ 안에 들어갈 수 있는 수 모두 구하기	2점

08 $2\dfrac{4}{5}\times1\dfrac{1}{4}=3\dfrac{1}{2}$, $3\dfrac{3}{7}\times2\dfrac{3}{8}=8\dfrac{1}{7}$

→ $3\dfrac{1}{2}<\square<8\dfrac{1}{7}$ 이므로 □ 안에 들어갈 수 있는 자연수는 4, 5, 6, 7, 8로 모두 5개입니다.

09 (가의 넓이) $=\dfrac{7}{9}\times2\dfrac{1}{7}=\dfrac{\overset{1}{7}}{\underset{3}{9}}\times\dfrac{\overset{5}{15}}{\underset{1}{7}}=\dfrac{5}{3}=1\dfrac{2}{3}$ (m²)

(나의 넓이) $=3\times1\dfrac{1}{6}=\overset{1}{3}\times\dfrac{7}{\underset{2}{6}}=\dfrac{7}{2}=3\dfrac{1}{2}$ (m²)

→ 나는 가보다 $3\dfrac{1}{2}-1\dfrac{2}{3}=1\dfrac{5}{6}$ (m²) 더 넓습니다.

10 (가장 큰 정사각형의 넓이) $=2\dfrac{4}{9}\times2\dfrac{4}{9}=5\dfrac{79}{81}$ (cm²)

색칠한 부분의 넓이는 가장 큰 정사각형의 넓이의 $\dfrac{1}{2}\times\dfrac{1}{2}=\dfrac{1}{4}$ 입니다.

→ (색칠한 부분의 넓이) $=5\dfrac{79}{81}\times\dfrac{1}{4}=1\dfrac{40}{81}$ (cm²)

11 (아버지의 몸무게)

$=$ (도혜의 몸무게) $\times2\dfrac{2}{5}$

$=$ (어머니의 몸무게) $\times\dfrac{5}{7}\times2\dfrac{2}{5}$

$=51\dfrac{1}{3}\times\dfrac{5}{7}\times2\dfrac{2}{5}=\dfrac{\overset{22}{154}}{\underset{1}{3}}\times\dfrac{5}{\underset{1}{7}}\times\dfrac{\overset{4}{12}}{\underset{1}{5}}=88$ (kg)

12 (3일 동안 읽고 남은 쪽수)

$=\overset{18}{\underset{}{360}}\times\dfrac{\overset{1}{3}}{\underset{1}{5}}\times\dfrac{1}{\underset{1}{4}}\times\dfrac{2}{\underset{1}{3}}=36$ (쪽)

13 (전체 직사각형 모양의 종이의 넓이)

$=20\times10=200$ (cm²)

→ (색칠하지 않은 부분의 넓이)

$=\overset{20}{\underset{40}{200}}\times\dfrac{\overset{}{4}}{\underset{1}{5}}\times\dfrac{3}{\underset{1}{4}}\times\dfrac{1}{\underset{1}{2}}=60$ (cm²)

14 분모에 큰 수부터 3개를, 분자에 작은 수부터 3개를 놓으면 곱이 가장 작게 됩니다. → $\dfrac{1\times\overset{1}{2}\times\overset{1}{4}}{\underset{2}{8}\times\underset{3}{6}\times5}=\dfrac{1}{30}$

15

채점 기준	❶ 잘못 계산한 식을 세워 어떤 수 구하기	2점
	❷ 바르게 계산한 값 구하기	3점

16 (직사각형의 가로)

$=6\dfrac{1}{2}\times\dfrac{7}{13}=\dfrac{13}{2}\times\dfrac{7}{\underset{1}{13}}=\dfrac{7}{2}=3\dfrac{1}{2}$ (cm)

(직사각형의 둘레) $=$ (정사각형의 둘레)

$=6\dfrac{1}{2}\times4=\dfrac{13}{\underset{1}{2}}\times\overset{2}{4}=26$ (cm)

(가로) $+$ (세로) $=$ (둘레) $\div2$

→ (세로) $=$ (둘레) $\div2-$ (가로)

$=26\div2-3\dfrac{1}{2}=13-3\dfrac{1}{2}=9\dfrac{1}{2}$ (cm)

→ (직사각형의 넓이) $=3\dfrac{1}{2}\times9\dfrac{1}{2}=33\dfrac{1}{4}$ (cm²)

17 찢어진 부분의 기약분수를 □라 하면

$\square\times2\dfrac{5}{7}\times\dfrac{4}{5}=\square\times\dfrac{19}{7}\times\dfrac{4}{5}=1$ 이므로 세 분수를 곱하는 과정에서 분모와 분자가 모두 약분되어 각각 1이 되어야 합니다. → $\square=\dfrac{7\times5}{19\times4}=\dfrac{35}{76}$

STEP3 한번더 서술형 **해결하기** 18~19쪽

01 예 ❶ (성인 13명의 할인하기 전 전체 입장료)

$=4000\times13=52000$ (원) ▶1점

❷ (내야 하는 입장료)

$=\overset{6500}{52000}\times\dfrac{7}{\underset{1}{8}}=45500$ (원) ▶4점 / 45500원

02 예 ❶ (소인 2명의 자전거 대여료)

$=3500\times2=7000$ (원) ▶2점

❷ (대인 2명의 자전거 대여료)

$=7000\times1\dfrac{2}{5}=\overset{1400}{7000}\times\dfrac{7}{\underset{1}{5}}=9800$ (원) ▶2점

❸ (대인 2명과 소인 2명의 자전거 대여료의 합)

$=9800+7000=16800$ (원) ▶1점 / 16800원

03 예 ❶ (28일 동안 느려지는 시간)

$=$ (하루에 느려지는 시간) $\times$ (날수)

$=\dfrac{5}{\underset{1}{14}}\times\overset{2}{28}=10$ (분) ▶3점

❷ 따라서 28일 후 오후 3시에 이 시계가 가리키는 시각은 오후 2시 50분입니다. ▶2점 / 오후 2시 50분

04 ⑩ ❶ (7일 동안 빨라지는 시간)

$$=1\frac{5}{6}\times7=\frac{11}{6}\times7=\frac{77}{6}=12\frac{5}{6}\text{(분)}$$

$12\frac{5}{6}$분$=12\frac{50}{60}$분 ➡ 12분 50초 ▸3점

❷ 따라서 7일 후 오전 10시에 이 시계가 가리키는 시각은 오전 10시 12분 50초입니다. ▸2점
/ 오전 10시 12분 50초

05 ⑩ ❶ (색칠한 부분의 세로)

$$=4\frac{1}{2}-3\frac{1}{4}=4\frac{2}{4}-3\frac{1}{4}=1\frac{1}{4}\text{(cm)}\;\text{▸1점}$$

❷ (색칠한 부분의 넓이)

$$=8\frac{2}{3}\times1\frac{1}{4}=\frac{\overset{13}{\cancel{26}}}{3}\times\frac{5}{\underset{2}{\cancel{4}}}=\frac{65}{6}$$

$$=10\frac{5}{6}\text{(cm}^2)\;\text{▸4점}\;/\;10\frac{5}{6}\text{ cm}^2$$

06 ⑩ ❶ (직사각형 가의 넓이)

$$=(21-6)\times\left(6\frac{2}{3}-4\frac{10}{21}\right)=15\times2\frac{4}{21}$$

$$=\overset{5}{\cancel{15}}\times\frac{46}{\underset{7}{\cancel{21}}}=\frac{230}{7}=32\frac{6}{7}\text{(cm}^2)\;\text{▸2점}$$

❷ (직사각형 나의 넓이)

$$=21\times4\frac{10}{21}=\overset{1}{\cancel{21}}\times\frac{94}{\underset{1}{\cancel{21}}}=94\text{(cm}^2)\;\text{▸2점}$$

❸ (도형의 넓이)$=32\frac{6}{7}+94=126\frac{6}{7}\text{(cm}^2)\;\text{▸1점}$

$/\;126\frac{6}{7}\text{ cm}^2$ 풀이 컷 참고

07 ⑩ ❶ 6분 15초를 분 단위로 나타내면

6분 15초$=6\frac{15}{60}$분$=6\frac{1}{4}$분입니다. ▸2점

❷ (6분 15초 동안 빠져나간 물의 양)

$$=4\frac{4}{5}\times6\frac{1}{4}=\frac{\overset{6}{\cancel{24}}}{\underset{1}{\cancel{5}}}\times\frac{\overset{5}{\cancel{25}}}{\underset{1}{\cancel{4}}}=30\text{(L)}$$

따라서 처음 물통에 들어 있던 물은 30 L입니다. ▸3점
/ 30 L

08 ⑩ ❶ 3분 20초를 분 단위로 나타내면

3분 20초$=3\frac{20}{60}$분$=3\frac{1}{3}$분입니다. ▸1점

❷ (태희가 간 거리)

$$=\frac{9}{14}\times3\frac{1}{3}=\frac{\overset{3}{\cancel{9}}}{14}\times\frac{\overset{5}{\cancel{10}}}{\underset{1}{\cancel{3}}}=\frac{15}{7}=2\frac{1}{7}\text{(km)}$$

(영진이가 간 거리)

$$=\frac{3}{8}\times3\frac{1}{3}=\frac{3}{\underset{4}{\cancel{8}}}\times\frac{\overset{5}{\cancel{10}}}{\underset{1}{\cancel{3}}}=\frac{5}{4}=1\frac{1}{4}\text{(km)}\;\text{▸3점}$$

❸ 두 사람이 한 곳에서 반대 방향으로 갔으므로
(두 사람 사이의 거리)

$$=2\frac{1}{7}+1\frac{1}{4}=3\frac{11}{28}\text{(km)}\;\text{▸1점}\;/\;3\frac{11}{28}\text{ km}$$

01 채점 기준	❶ 성인 13명의 할인하기 전 전체 입장료 구하기	1점
	❷ 성인 13명이 단체로 입장하는 데 내야 하는 입장료 구하기	4점

02 채점 기준	❶ 소인 2명의 자전거 대여료 구하기	2점
	❷ 대인 2명의 자전거 대여료 구하기	2점
	❸ 대인 2명과 소인 2명의 자전거 대여료의 합 구하기	1점

03 채점 기준	❶ 28일 동안 느려지는 시간 구하기	3점
	❷ 28일 후 오후 3시에 시계가 가리키는 시각 구하기	2점

04 채점 기준	❶ 7일 동안 빨라지는 시간 구하기	3점
	❷ 7일 후 오전 10시에 시계가 가리키는 시각 구하기	2점

05 채점 기준	❶ 색칠한 부분의 세로 구하기	1점
	❷ 색칠한 부분의 넓이 구하기	4점

06

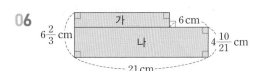

06 채점 기준	❶ 직사각형 가의 넓이 구하기	2점
	❷ 직사각형 나의 넓이 구하기	2점
	❸ 도형의 넓이 구하기	1점

07 채점 기준	❶ 6분 15초를 분 단위로 나타내기	2점
	❷ 처음 물통에 들어 있던 물의 양 구하기	3점

08 채점 기준	❶ 3분 20초를 분 단위로 나타내기	1점
	❷ 3분 20초 동안 두 사람이 간 거리 각각 구하기	3점
	❸ 3분 20초 후 두 사람 사이의 거리 구하기	1점

3. 합동과 대칭

1 ②, ⑤
2 (1) 5 cm (2) 75°
3 (위에서부터) 35, 9
4 16 cm
5 20 cm
6

5 (선분 ㄷㅇ)=(선분 ㅂㅇ)=10 cm
→ (선분 ㄷㅂ)=10+10=20 (cm)

01 예 모양은 같지만 크기가 다르므로 두 도형을 포개었을 때 완전히 겹치지 않습니다. 따라서 두 도형은 합동이 아닙니다. ▶5점

02 2 cm
03 63 cm²
04 45°
05 63°
06

07 120°
08 140°
09 9 cm, 130°
10 ②, ④
11 Z
12 55°
13 35°
14 7 cm
15 15 cm
16 9
17 예 ❶ 선대칭도형인 알파벳: **H, I, A, O** ▶2점
❷ 점대칭도형인 알파벳: **H, I, O**
따라서 선대칭도형이면서 점대칭도형인 알파벳은
H, I, O로 모두 3개입니다. ▶3점 / 3개
18 10 cm
19 40 cm

01

채점 기준	합동이 아닌 이유 설명하기	5점

02 (변 ㄱㄷ)=(변 ㄹㄷ)=6 cm
(변 ㅁㄷ)=(변 ㄴㄷ)=8 cm
→ (선분 ㄱㅁ)=8−6=2 (cm)

03 (변 ㅁㅇ)=(변 ㄱㄴ)=7 cm
(변 ㅇㅅ)=(변 ㄱㄹ)=32÷2−7=9 (cm)
→ (사각형 ㅁㅂㅅㅇ의 넓이)=7×9=63 (cm²)

05 합동인 도형에서 대응각의 크기가 서로 같습니다.
(각 ㄱㄷㄴ)=(각 ㄹㄷㅁ)=54°
삼각형 ㄱㄴㄷ은 이등변삼각형입니다.
→ (각 ㄱㄴㄷ)=(각 ㄴㄱㄷ)
=(180°−54°)÷2=63°

08 삼각형의 세 각의 크기의 합은 180°입니다.
→ ㉠=180°−(20°+20°)=140°

10

→ 점대칭도형: ②, ④

13 점대칭도형에서 대응각의 크기가 서로 같으므로
(각 ㅁㅂㄹ)=(각 ㄴㄷㄱ)=30°입니다.
→ (각 ㅁㄹㅂ)=180°−(115°+30°)=35°

14 (선분 ㄴㅇ)=(선분 ㄹㅇ)=10 cm
두 대각선의 길이의 합이 34 cm이므로
(선분 ㄱㄷ)=34−10×2=14 (cm)입니다.
→ (선분 ㄱㅇ)=(선분 ㄷㅇ)=14÷2=7 (cm)

15 (선분 ㅂㅅ)=(선분 ㄴㄷ)=4 cm
(선분 ㅅㅇ)=22÷2=11 (cm)
→ (선분 ㅂㅇ)=(선분 ㅂㅅ)+(선분 ㅅㅇ)
=4+11=15 (cm)

16 선대칭도형: **1, 3, 8** 점대칭도형: **1, 5, 8**
→ 선대칭도형도 되고 점대칭도형도 되는 숫자는 **1, 8**
이므로 합은 1+8=9입니다.

17

채점 기준	❶ 선대칭도형인 알파벳 찾기	2점
	❷ 선대칭도형이면서 점대칭도형인 알파벳은 모두 몇 개인지 구하기	3점

18 선분 ㄱㄹ은 변 ㄴㄷ을 둘로 똑같이 나누므로
(변 ㄴㄷ)=6×2=12 (cm)입니다.
삼각형 ㄱㄴㄷ의 둘레가 32 cm이므로
(변 ㄱㄴ)+(변 ㄱㄷ)=32−12=20 (cm)
→ (변 ㄱㄴ)=(변 ㄱㄷ)이므로
(변 ㄱㄷ)=20÷2=10 (cm)입니다.

19 (변 ㄹㅁ)=(변 ㄱㄴ)=7 cm
(변 ㄱㅂ)=(변 ㄹㄷ)=9 cm
(선분 ㅂㅇ)=(선분 ㄷㅇ)=4 cm이므로
(변 ㄴㄷ)=(변 ㅁㅂ)=8−4=4 (cm)입니다.
➡ (도형의 둘레)=(7+4+9)×2=40 (cm)

STEP3 한번더 **서술형 해결하기** 24~25쪽

01 예 ❶ 합동인 도형에서 대응변의 길이가 서로 같습니다. ➡ (변 ㄹㄴ)=(변 ㄱㄷ)=16 cm ▸2점
❷ 삼각형 ㄴㄷㄹ의 둘레가 35 cm이므로
(변 ㄹㄷ)=35−(16+7)=12 (cm)입니다. ▸3점
/ 12 cm

02 예 ❶ 삼각형 ㄱㄴㅁ과 삼각형 ㄷㅁㅂ이 서로 합동이므로 (변 ㄱㄴ)=(변 ㄷㅁ)=12 cm,
(변 ㄴㅁ)=(변 ㅁㅂ)=9 cm입니다. ▸2점
❷ 삼각형 ㄱㄴㅁ은 직각삼각형이므로
(삼각형 ㄱㄴㅁ의 넓이)=9×12÷2=54 (cm²)입니다. ▸3점 / 54 cm²

03 예 ❶ 삼각형 ㄱㄴㄷ과 삼각형 ㄱㅁㄷ은 서로 합동이므로 (각 ㄱㅁㄷ)=(각 ㄱㄴㄷ)=90°이고,
삼각형 ㅁㄱㄷ의 세 각의 크기의 합은 180°이므로
(각 ㄷㄱㅁ)=180°−(90°+25°)=65°입니다. ▸2점
❷ (각 ㄷㄱㄴ)=(각 ㄷㄱㅁ)=65°이므로
㉠=90°−65°=25°입니다. ▸3점 / 25°

04 예 ❶ 삼각형의 세 각의 크기의 합은 180°이므로
(각 ㄱㄴㄷ)=180°−(80°+38°)=62°입니다. ▸2점
❷ 각 ㅂㄹㄷ의 대응각은 각 ㄱㄴㄷ이므로
(각 ㅂㄹㄷ)=(각 ㄱㄴㄷ)=62°입니다.
사각형의 네 각의 크기의 합은 360°이므로
㉠=360°−(62°+80°+62°)=156°입니다. ▸3점
/ 156°

05 예 ❶ 점대칭도형에서 대응각의 크기가 서로 같으므로 (각 ㄴㄱㄹ)=(각 ㄹㄷㄴ)=115°입니다. ▸2점
❷ 삼각형 ㄱㄴㄹ의 세 각의 크기의 합은 180°이므로 (각 ㄱㄴㄹ)=180°−(115°+30°)
=35°입니다. ▸3점 / 35°

06 예 ❶ 점대칭도형에서 대응각의 크기가 서로 같으므로 (각 ㄹㅁㅂ)=(각 ㄱㄴㄷ)=150°입니다. ▸2점
❷ 사각형 ㄱㄹㅁㅂ의 네 각의 크기의 합은 360°이므로
(각 ㅂㄱㄹ)=360°−(55°+150°+120°)=35°입니다. ▸3점 / 35°

07 예 ❶ 선대칭도형은 대칭축을 중심으로 접었을 때 완전히 겹치므로 완성한 선대칭도형의 넓이는 주어진 도형의 넓이의 2배입니다.
(주어진 도형의 넓이)=(9+5)×8÷2
=56 (cm²) ▸2점
❷ (완성한 선대칭도형의 넓이)
=56×2=112 (cm²) ▸3점 / 112 cm²

08 예 ❶ 점대칭도형에서 대응변의 길이가 서로 같습니다.
(변 ㄱㄴ)=(변 ㅁㅂ)=9 cm
(변 ㄴㄷ)=(변 ㅂㅅ)=7 cm
(변 ㄷㄹ)=(변 ㅅㅈ)=3 cm
(변 ㄱㅈ)=(변 ㅁㄹ)=7 cm ▸2점
❷ (완성한 점대칭도형의 둘레)
=7+9+7+3+7+9+7+3=52 (cm) ▸3점
/ 52 cm (풀이 컷 참고)

---

01 채점 ❶ 변 ㄹㄴ의 길이 구하기 | 2점
기준 ❷ 변 ㄹㄷ의 길이 구하기 | 3점

02 채점 ❶ 변 ㄱㄴ과 변 ㄴㅁ의 길이 각각 구하기 | 2점
기준 ❷ 삼각형 ㄱㄴㅁ의 넓이 구하기 | 3점

03 채점 ❶ 각 ㄷㄱㅁ의 크기 구하기 | 2점
기준 ❷ ㉠의 크기 구하기 | 3점

04 채점 ❶ 각 ㄱㄴㄷ의 크기 구하기 | 2점
기준 ❷ ㉠의 크기 구하기 | 3점

05 채점 ❶ 각 ㄴㄱㄹ의 크기 구하기 | 2점
기준 ❷ 각 ㄱㄴㄹ의 크기 구하기 | 3점

06 채점 ❶ 각 ㄹㅁㅂ의 크기 구하기 | 2점
기준 ❷ 각 ㅂㄱㄹ의 크기 구하기 | 3점

07 채점 ❶ 주어진 도형의 넓이 구하기 | 2점
기준 ❷ 완성한 선대칭도형의 넓이 구하기 | 3점

08

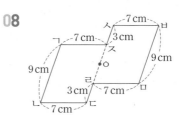

채점 ❶ 완성한 점대칭도형의 각 선분의 길이 구하기 | 2점
기준 ❷ 완성한 점대칭도형의 둘레 구하기 | 3점

4. 소수의 곱셈

1 3.5, 14.4, 12.68 **2** ( )(○)
3 7, 8.75 **4** (1) ㉠ (2) ㉢ (3) ㉡
5 ㉡ **6** 2.3, 96.6

5 ㉠ 5의 0.67은 5와 1의 곱인 5보다 작습니다.
㉡ 3×2.14는 3과 2의 곱인 6보다 큽니다.
➡ 계산 결과가 6보다 큰 것은 ㉡입니다.

01 ㉡, ㉢
02 ❶ 경희 ▶1점 ❷ 예 0.32×8은 2.4 정도가 돼. ▶4점
03 $4×0.65=4×\dfrac{65}{100}=\dfrac{4×65}{100}=\dfrac{260}{100}=2.6$
04 1, 2, 3
05 예 ❶ ㉠ 33×0.5=16.5, ㉡ 0.74×24=17.76,
㉢ 52×1.3=67.6, ㉣ 1.18×12=14.16 ▶3점
❷ 67.6>17.76>16.5>14.16이므로 큰 것부터 차
례로 기호를 쓰면 ㉢, ㉡, ㉠, ㉣입니다. ▶2점
/ ㉢, ㉡, ㉠, ㉣
06 1.5 L **07** 147360원
08 42×0.38=15.96, 약 15.96 kg
09 21 km **10** 42.08 m² **11** 84 m
12 예 ❶ ㉠ 1.3×22=28.6
㉡ 26×0.95=24.7 ▶3점
❷ ㉠과 ㉡의 계산 결과 사이에 있는 자연수를 □라
하면 24.7<□<28.6이므로 □ 안에 들어갈 수 있
는 자연수는 25, 26, 27, 28로 모두 4개입니다. ▶2점
/ 4개
13 75.6 L

02
채점기준	❶ 잘못 말한 사람의 이름 쓰기	1점
	❷ 옳게 고치기	4점

03 소수점 아래 마지막 0은 생략하여 2.6입니다.

05
채점기준	❶ 식 각각 계산하기	3점
	❷ 계산 결과를 비교하여 큰 것부터 차례로 기호 쓰기	2점

06 월요일, 수요일, 목요일에 주스가 0.5 L씩 필요합니다.
➡ 0.5×3=1.5 (L)

07 1페소가 24.56원이므로 6000페소만큼 환전하려면
24.56×6000=147360(원)을 내야 합니다.

08 (수성에서의 몸무게)=(지구에서의 몸무게)×0.38

09 1시간 30분=1.5시간
(택시가 가는 거리)=82×1.5=123 (km)
(버스가 가는 거리)=68×1.5=102 (km)
➡ 택시가 123−102=21 (km) 더 갑니다.

11 (공원의 세로)=25×0.68=17 (m)
➡ (공원의 둘레)=(25+17)×2=84 (m)

12
채점기준	❶ ㉠과 ㉡ 각각 계산하기	3점
	❷ ㉠과 ㉡의 계산 결과 사이에 있는 자연수는 모두 몇 개인지 구하기	2점

13 (1시간 동안 받은 물의 양)=0.06×60=3.6 (L)
(하루 동안 받은 물의 양)=3.6×3=10.8 (L)
(일주일 동안 받은 물의 양)=10.8×7=75.6 (L)

1 ④ **2** (1) < (2) >
3 8.6, 12.04 **4** ④
5 0.001, 100 **6** 6.25, 62.5, 625

5 • 4.9는 4900의 0.001배이므로 □ 안에 알맞은 수
는 0.001입니다.
• 49는 0.49의 100배이므로 □ 안에 알맞은 수는
100입니다.

01 19.332
02 예 ❶ ㉠ 5.47×4.3=23.521
㉡ 6.1×2.8=17.08 ▶3점
❷ ㉠−㉡=23.521−17.08=6.441 ▶2점 / 6.441
03 ① **04** ㉡, ㉠, ㉢, ㉣
05 ㉣ **06** ①, ② **07** 1.08 km

08 예 ❶ 1시간 45분=$1\frac{45}{60}$시간=$1\frac{3}{4}$시간

=1.75시간 ▶2점

❷ (여객선이 1시간 45분 동안 운항한 거리)

=105.2×1.75=184.1 (km) ▶3점

/ 184.1 km

09 39.11 m²   **10** 80.41 cm²

11 예 ❶ ㉠ 163×0.1=16.3

㉡ 84×0.01=0.84

㉢ 2570×0.01=25.7 ▶4점

❷ 따라서 □ 안에 알맞은 수가 다른 하나는 ㉠입니다. ▶1점 / ㉠

12 ⑤   **13** 12점

14 10.66 m   **15** 1.6

16 ❶ 7.98, 7.98 ▶2점

❷ 예 5.7×1.4=57×14×$\frac{1}{100}$,

57×0.14=57×14×$\frac{1}{100}$이므로 두 식 모두

57×14의 값인 798의 $\frac{1}{100}$배인 7.98로 같습니다. ▶3점

17 233 cm   **18** 248.9 cm²

19 5, 6, 7, 8   **20** 64.8

01 가장 큰 수: 35.8   가장 작은 수: 0.54

➡ 35.8×0.54=19.332

02

채점 기준		
❶ ㉠과 ㉡ 각각 계산하기		3점
❷ ㉠과 ㉡의 차 구하기		2점

03 ① 6.12＞③ 5.94＞④ 3.36＞⑤ 2.52＞② 2.08

04 ㉡ 2.733＜㉠ 6.622＜㉢ 6.78＜㉣ 10.22

05 ㉠ 2.35   ㉡ 2.35   ㉢ 2.35   ㉣ 235

06 ① 35.32   ② 7.46   ③ 24.8   ④ 0.194   ⑤ 6.7

07 (도서관에서 약국까지의 거리)

=(우체국에서 도서관까지의 거리)×0.9

=1.2×0.9=1.08 (km)

08

채점 기준	
❶ 1시간 45분을 시간 단위로 나타내기	2점
❷ 여객선이 1시간 45분 동안 운항한 거리 구하기	3점

09 (정사각형의 넓이)=3.7×3.7=13.69 (m²)

(직사각형의 넓이)=6.2×4.1=25.42 (m²)

➡ (두 도형의 넓이의 합)=13.69+25.42

=39.11 (m²)

10 (노란색 정사각형의 넓이)=9.6×9.6

=92.16 (cm²)

(빨간색 직사각형의 넓이)=4.7×2.5

=11.75 (cm²)

➡ (두 도형의 넓이의 차)=92.16−11.75

=80.41 (cm²)

11

채점 기준	
❶ ㉠, ㉡, ㉢의 □ 안에 알맞은 수 각각 구하기	4점
❷ □ 안에 알맞은 수가 다른 하나 구하기	1점

12 ① 0.1   ② 10   ③ 0.01   ④ 1000   ⑤ 0.001

13 (이번에 적립한 포인트)=12000×0.001=12(점)

14 (하늘색 리본 10장의 길이)=32.6×10

=326 (cm)

(분홍색 리본 100장의 길이)=7.4×100

=740 (cm)

(하늘색 리본과 분홍색 리본의 길이의 합)

=326+740=1066 (cm) ➡ 10.66 m

15 3.75는 375의 0.01배인데 6은 6000의 0.001배이므로 □ 안에 알맞은 수는 16의 0.1배인 1.6입니다.

16

채점 기준	
❶ 각각 계산하기	2점
❷ 구한 값 비교하기	3점

17 (종이 25장의 길이의 합)=9.8×25

=245 (cm)

(겹쳐진 부분의 길이의 합)=0.5×24=12 (cm)

➡ (이어 붙인 종이의 전체 길이)

=245−12=233 (cm)

18 색칠한 부분을 마주 보는 변끼리 이어 붙이면 색칠한 부분의 넓이는 가로가 29−2.8=26.2 (cm), 세로가 12−2.5=9.5 (cm)인 직사각형의 넓이와 같습니다.

(색칠한 부분의 넓이)=26.2×9.5=248.9 (cm²)

19 ㉠ 3.2×1.6×0.85=4.352

㉡ 4.7×0.5×3.6=8.46

➡ 4.352＜□＜8.46이므로 4.352보다 크고 8.46보다 작은 자연수는 5, 6, 7, 8입니다.

20 민우가 만든 가장 큰 대분수: $7\frac{1}{2}$=7.5

정아가 만든 가장 큰 소수 두 자리 수: 8.64

➡ 두 수의 곱: 7.5×8.64=64.8

01 예 ❶ (이모의 몸무게)=(주희의 몸무게)×1.3
$=38.4×1.3$
$=49.92 (kg)$ ▸2점

❷ (어머니의 몸무게)
=(이모의 몸무게)×1.1
$=49.92×1.1=54.912 (kg)$ ▸3점
/ 54.912 kg

02 예 ❶ (양의 무게)
=(사슴의 무게)×0.6+13
$=96.5×0.6+13=70.9 (kg)$ ▸2점

❷ (말의 무게)=(사슴의 무게)×4.2
$=96.5×4.2=405.3 (kg)$ ▸2점

❸ (양의 무게)+(말의 무게)
$=70.9+405.3=476.2 (kg)$ ▸1점 / 476.2 kg

03 예 ❶ 어떤 수를 □라 하면 428.6×□=0.4286에서 곱의 소수점 위치가 428.6에서 왼쪽으로 세 칸 옮겨졌으므로 □=0.001입니다. ▸2점

❷ □×720=0.001×720=0.72이므로 어떤 수에 720을 곱한 값은 0.72입니다. ▸3점 / 0.72

04 예 ❶ 어떤 수를 □라 하면 잘못 계산한 식은
□÷2.8=7.25이므로 □=7.25×2.8=20.3입니다. ▸2점

❷ 따라서 바르게 계산하면 20.3×8.2=166.46입니다. ▸3점 / 166.46

05 예 ❶ (정사각형의 한 변의 길이)
$=76÷4=19 (cm)$
(새로 만든 직사각형의 가로)=19×0.7
$=13.3 (cm)$
(새로 만든 직사각형의 세로)=19×1.34
$=25.46 (cm)$ ▸3점

❷ (새로 만든 직사각형의 넓이)
$=13.3×25.46=338.618 (cm^2)$ ▸2점
/ 338.618 cm²

06 예 ❶ (새로 만든 직사각형의 가로)
$=16+16×1.3=36.8 (cm)$
(새로 만든 직사각형의 세로)
$=28+28×1.3=64.4 (cm)$
(새로 만든 직사각형의 넓이)
$=36.8×64.4=2369.92 (cm^2)$ ▸2점

❷ (처음 직사각형의 넓이)=16×28=448 (cm²)
▸2점

❸ (늘어난 부분의 넓이)
$=2369.92-448=1921.92 (cm^2)$ ▸1점
/ 1921.92 cm²

07 예 ❶ 2시간 30분
$=2\frac{30}{60}$시간$=2\frac{1}{2}$시간$=2.5$시간
(자동차가 2시간 30분 동안 갈 수 있는 거리)
$=82×2.5=205 (km)$ ▸3점

❷ (필요한 휘발유의 양)
$=0.06×205=12.3 (L)$ ▸2점 / 12.3 L

08 예 ❶ 4분 30초$=4\frac{30}{60}$분$=4\frac{1}{2}$분$=4.5$분
(기차가 4분 30초 동안 간 거리)
$=0.72×4.5=3.24 (km)$ ▸3점

❷ (기차의 길이)=165 m=0.165 km
(터널의 길이)=3.24-0.165=3.075 (km) ▸2점
/ 3.075 km

| 01 | 채점 기준 | ❶ 이모의 몸무게 구하기 | 2점 |
| | | ❷ 어머니의 몸무게 구하기 | 3점 |

02	채점 기준	❶ 양의 무게 구하기	2점
		❷ 말의 무게 구하기	2점
		❸ 양의 무게와 말의 무게의 합 구하기	1점

| 03 | 채점 기준 | ❶ 어떤 수 구하기 | 2점 |
| | | ❷ 어떤 수에 720을 곱한 값 구하기 | 3점 |

| 04 | 채점 기준 | ❶ 잘못 계산한 식을 세워 어떤 수 구하기 | 2점 |
| | | ❷ 바르게 계산한 값 구하기 | 3점 |

| 05 | 채점 기준 | ❶ 정사각형의 한 변의 길이를 구하여 새로 만든 직사각형의 가로, 세로 각각 구하기 | 3점 |
| | | ❷ 새로 만든 직사각형의 넓이 구하기 | 2점 |

06	채점 기준	❶ 새로 만든 직사각형의 넓이 구하기	2점
		❷ 처음 직사각형의 넓이 구하기	2점
		❸ 늘어난 부분의 넓이 구하기	1점

| 07 | 채점 기준 | ❶ 2시간 30분을 시간 단위로 나타내어 자동차가 2시간 30분 동안 갈 수 있는 거리 구하기 | 3점 |
| | | ❷ 필요한 휘발유의 양 구하기 | 2점 |

| 08 | 채점 기준 | ❶ 4분 30초를 분 단위로 나타내어 기차가 4분 30초 동안 간 거리 구하기 | 3점 |
| | | ❷ 기차의 길이를 km 단위로 나타내어 터널의 길이 구하기 | 2점 |

5. 직육면체

1 6, 12, 8　　　　**2** (1) ○ (2) ○ (3) ×

3
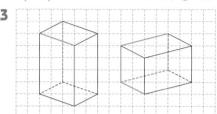

4 면 ㅁㅂㅅㅇ
／면 ㄴㅂㅁㄱ, 면 ㄴㅂㅅㄷ, 면 ㄷㅅㅇㄹ, 면 ㄱㅁㅇㄹ

5 (위에서부터) ㄹ, ㄹ, ㅇ, ㅇ

6 (왼쪽에서부터) 9, 5, 4

01 (예) 직육면체의 모서리는 12개입니다. ▶5점

02 4개

03 (예) ❶ 보이지 않는 모서리는
점선으로 그려야 하는데 실
선으로 그렸습니다. ▶3점
❷  ▶2점

04 4　　　　　　　　**05** 90 cm

06 60 cm　　　　　**07** ①, ③

08 ㄷ　　　　　　　**09** 면 ㄱㅁㅇㄹ, 면 ㄴㅂㅅㄷ

10 ❶ 서윤 ▶1점
❷ (예) 전개도를 접었을 때 만나는 모서리의 길이가 다
르므로 직육면체의 전개도를 잘못 그렸습니다. ▶4점

11 (예)
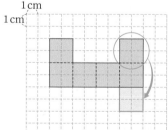

12 (예)
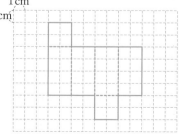

---

13 선분 ㅎㄱ　　**14** 점 ㅌ, 점 ㅊ　　**15** ㄱ

16 (예) ❶ (직육면체의 모든 모서리의 길이의 합)
＝11×4＋4×4＋6×4＝84 (cm) ▶2점
❷ 정육면체의 한 모서리의 길이를 □ cm라 하면
□×12＝84, □＝84÷12＝7이므로 정육면체의
한 모서리의 길이는 7 cm입니다. ▶3점 / 7 cm

17 5

18

01

채점기준	잘못된 이유 쓰기	5점

03

채점기준	❶ 잘못 그린 이유 쓰기	3점
	❷ 겨냥도 옳게 그리기	2점

06 (모든 모서리의 길이의 합)＝5×12＝60 (cm)

08 ㄱ, ㄴ, ㄹ: 두 면은 서로 평행합니다.
ㄷ: 두 면은 서로 수직입니다.

10

채점기준	❶ 잘못 그린 사람의 이름 쓰기	1점
	❷ 잘못 그린 이유 쓰기	4점

11 접었을 때 겹치는 면을 찾아 겹치지 않도록 위치를 옮
겨 그립니다.

13 전개도를 접었을 때 점 ㅊ과 만나는 점은 점 ㅎ이고,
점 ㅈ과 만나는 점은 점 ㄱ이므로 선분 ㅊㅈ과 만나
는 선분은 선분 ㅎㄱ입니다.

15 전개도를 접었을 때 평행한 면은 동시에 보일 수 없
습니다.
ㄴ ♥와 ♣은 서로 평행　ㄷ ♠와 ●은 서로 평행

16

채점기준	❶ 직육면체의 모든 모서리의 길이의 합 구하기	2점
	❷ 정육면체의 한 모서리의 길이 구하기	3점

17 • 면 ㉠과 평행한 면의 눈의 수는 6이므로 면 ㉠의 눈
의 수는 7－6＝1입니다.
• 면 ㉡과 평행한 면의 눈의 수는 3이므로 면 ㉡의 눈
의 수는 7－3＝4입니다.
➡ (면 ㉠과 면 ㉡의 눈의 수의 합)＝1＋4＝5

18

STEP3 한번더 서술형 **해결하기**   39~40쪽

01 예 ❶ 직육면체에는 길이가 같은 모서리가 4개씩 3쌍 있으므로 길이가 8 cm, 6 cm, 5 cm인 모서리가 각각 4개씩 있습니다. ▶2점
❷ (모든 모서리의 길이의 합)
  $=(8+6+5)\times4=76$ (cm) ▶3점 / 76 cm

02 예 ❶ 정육면체의 겨냥도에서 보이지 않는 모서리는 3개이고, 모서리는 모두 12개입니다. 정육면체는 모서리의 길이가 모두 같으므로 모든 모서리의 길이의 합은 보이지 않는 모서리의 길이의 합의 4배입니다. ▶2점
❷ (모든 모서리의 길이의 합)
  =(보이지 않는 모서리의 길이의 합)$\times4$
  $=18\times4=72$ (cm) ▶3점 / 72 cm

03 예 ❶ 상자의 세로와 높이에 끈을 22 cm인 모서리는 2번, 10 cm인 모서리는 2번 둘렀고, 매듭으로 사용한 끈의 길이는 19 cm입니다. ▶2점
❷ (상자를 묶는 데 사용한 끈의 전체 길이)
  $=22\times2+10\times2+19=44+20+19$
  $=83$ (cm) ▶3점 / 83 cm

04 예 ❶ 정육면체는 모서리의 길이가 모두 같으므로 리본을 12 cm인 모서리에 8번 둘렀고, 매듭으로 사용한 리본의 길이는 21 cm입니다. ▶2점
❷ (상자를 묶는 데 사용한 리본의 전체 길이)
  $=12\times8+21=96+21=117$ (cm) ▶3점
/ 117 cm

05 예 ❶ (선분 ㄴㄷ)=(선분 ㅊㅈ)=9 cm
(선분 ㄷㅌ)=(선분 ㅋㅊ)=11 cm
(선분 ㅌㅋ)=(선분 ㄱㄴ)=6 cm ▶2점
❷ (선분 ㄴㅊ)=(선분 ㄴㄷ)+(선분 ㄷㅌ)
    +(선분 ㅌㅋ)+(선분 ㅋㅊ)
  $=9+11+6+11=37$ (cm) ▶3점
/ 37 cm

06 예 ❶ 전개도를 접었을 때 만나는 선분의 길이가 같으므로 각 선분의 길이는 다음과 같습니다.
(선분 ㄹㅁ)=(선분 ㅍㅌ)=(선분 ㅍㅎ)=7 cm
(선분 ㄷㄹ)=(선분 ㄷㅁ)-(선분 ㄹㅁ)
     $=17-7=10$ (cm) ▶2점
❷ 전개도의 둘레에는 7 cm인 선분이 6개, 5 cm인 선분이 2개, 10 cm인 선분이 6개 있습니다.
➡ (전개도의 둘레)$=7\times6+5\times2+10\times6$
      $=112$ (cm) ▶3점 / 112 cm

07 예 ❶ 3이 쓰인 면과 수직인 면에 쓰인 숫자는 1, 2, 5, 6이므로 3이 쓰인 면과 평행한 면에 쓰인 숫자는 4입니다. ▶2점
❷ 정육면체의 전개도에서 1이 쓰인 면과 평행한 면에 쓰인 숫자가 5이므로 6이 쓰인 면과 평행한 면에 쓰인 숫자는 2입니다. ▶3점 /

			6
	3	5	4
1	2		

08 예 ❶ 첫 번째와 세 번째 정육면체에서 마가 쓰인 면과 수직인 면에 쓰인 글자는 가, 나, 다, 라입니다. ▶2점
❷ 마가 쓰인 면과 평행한 면에 쓰인 글자는 가, 나, 다, 라를 제외한 바이므로 바가 쓰인 면과 평행한 면에 쓰인 글자는 마입니다. ▶3점
/ 마

01	채점 기준	❶ 길이가 같은 모서리가 몇 개씩 있는지 구하기	2점
		❷ 모든 모서리의 길이의 합 구하기	3점

02	채점 기준	❶ 모든 모서리의 길이의 합은 보이지 않는 모서리의 길이의 합의 몇 배인지 구하기	2점
		❷ 모든 모서리의 길이의 합 구하기	3점

03	채점 기준	❶ 세로의 높이를 둘러싼 끈의 횟수와 매듭으로 사용한 끈의 길이 구하기	2점
		❷ 상자를 묶는 데 사용한 끈의 전체 길이 구하기	3점

04	채점 기준	❶ 12 cm인 모서리를 둘러싼 리본의 횟수와 매듭으로 사용한 리본의 길이 구하기	2점
		❷ 상자를 묶는 데 사용한 리본의 전체 길이 구하기	3점

05	채점 기준	❶ 각 선분의 길이 구하기	2점
		❷ 선분 ㄴㅊ의 길이 구하기	3점

06	채점 기준	❶ 각 선분의 길이 구하기	2점
		❷ 전개도의 둘레 구하기	3점

07	채점 기준	❶ 3이 쓰인 면과 평행한 면에 쓰인 숫자 구하기	2점
		❷ 평행한 면에 쓰인 숫자를 구하여 전개도에 숫자 써넣기	3점

08	채점 기준	❶ 마가 쓰인 면과 수직인 면에 쓰인 글자 구하기	2점
		❷ 바가 쓰인 면과 평행한 면에 쓰인 글자 구하기	3점

6. 평균과 가능성

STEP 1 한번더 **개념 완성하기** 41~42쪽

1 20, 5 / 15, 3   **2** 현서네 모둠

3 43회   **4** 6개   **5** 16회, 17회

6 효주네 반   **7** 35, 175   **8** 38분

9 450, 89   **10** (1) ㉡ (2) ㉠ (3) ㉢

11 예

```
├──────────┼──────────────┼──────────┤
0          1/2            ↑          1
```

12 $\dfrac{1}{2}$

7 (수학 공부를 한 시간의 평균) × (학생 수)
$= 35 \times 5 = 175$(분)

9 (5일 동안 입장한 사람 수) $= 90 \times 5 = 450$(명)
(수요일에 입장한 사람 수) $= 450 - 361 = 89$(명)

12 윷은 윗면과 아랫면이 있으므로 찬우네 반이 먼저 공격을 할 가능성은 '반반이다'입니다. → $\dfrac{1}{2}$

STEP 2 한번더 **실력 다지기** 43~45쪽

01 예 **방법 1** 평균을 34분으로 예상한 후 (31, 37), (29, 39), (38, 30), 34로 수를 짝 지어 자료의 값을 고르게 하여 구한 하루 피아노 연습 시간의 평균은 34분입니다.

방법 2 $\dfrac{31+37+29+39+38+30+34}{7}$

$= \dfrac{238}{7} = 34$(분)

02 84000원   **03** 17080개

04 수요일, 금요일   **05** 준우, 1회

06 연아   **07** 33회   **08** 15개

09 96점   **10** ㉡   **11** 1

12 예 ❶ 공깃돌 6개가 들어 있는 상자에서 공깃돌을 꺼낼 때 나올 수 있는 공깃돌의 개수는 1개, 2개, 3개, 4개, 5개, 6개로 6가지 경우입니다. ▶2점
❷ 꺼낸 공깃돌의 개수가 짝수인 경우는 2개, 4개, 6개로 3가지이므로 가능성을 수로 표현하면 $\dfrac{1}{2}$입니다. ▶3점 / $\dfrac{1}{2}$

13
```
├────────────────┼────────────────┤
0               1/2↑              1
```

14 (왼쪽부터) ㉡, ㉣, ㉠, ㉢, ㉢   **15** ㉺, ㉮, ㉯, ㉭

16 예 ❶ (남학생 3명의 몸무게의 합)
$= 42 \times 3 = 126$ (kg)
(여학생 4명의 몸무게의 합)
$= 38.5 \times 4 = 154$ (kg) ▶2점
❷ (나윤이네 모둠의 몸무게의 평균)

$= \dfrac{126+154}{7} = \dfrac{280}{7} = 40$ (kg) ▶3점 / 40 kg

17 50분

02 (1년 동안 저금한 돈) $= 7000 \times 12 = 84000$(원)

03 3월 1일부터 4월 30일까지: $31 + 30 = 61$(일)
→ (만들 수 있는 토끼 인형의 수)
$= 280 \times 61 = 17080$(개)

04 (입장한 사람 수의 평균) $= \dfrac{730}{5} = 146$(명)
입장한 사람 수가 지난 5일 동안 입장한 사람 수의 평균인 146명보다 많은 요일인 수요일, 금요일에 안전요원을 추가로 배정하면 됩니다.

05 (준우의 기록의 평균) $= \dfrac{60}{4} = 15$(회)

(승수의 기록의 평균) $= \dfrac{56}{4} = 14$(회)

→ 준우의 평균이 $15 - 14 = 1$(회) 더 많습니다.

06 (주미의 기록의 평균) $= \dfrac{824}{4} = 206$ (cm)

(찬희의 기록의 평균) $= \dfrac{820}{4} = 205$ (cm)

(연아의 기록의 평균) $= \dfrac{828}{4} = 207$ (cm)

→ 평균이 가장 좋은 연아가 참가권을 받습니다.

07 $27 + 22 + 18 + 25 + \square = 92 + \square$
$92 + \square$가 25×5와 같거나 많아야 합니다.
→ $92 + \square = 125$, $\square = 33$이므로 마지막에 33회와 같거나 더 많이 돌려야 합니다.

08 (네 경기 동안 받은 반칙 수의 평균)
$= \dfrac{15+14+18+17}{4} = \dfrac{64}{4} = 16$(개)
반칙 수의 평균이 낮아졌으므로 다섯 번째 경기에서 받은 반칙 수는 많아야 15개입니다.

09 (새로운 학생이 더 들어오기 전의 점수의 평균)

$$=\frac{450}{5}=90(점)$$

(새로운 학생이 들어온 후 모둠의 국어 점수의 합)

$$=91\times6=546(점)$$

➡ (새로운 학생의 국어 점수)$=546-450=96(점)$

10 ㉠ 내일 친구가 지각하지 않을 가능성은 알 수 없습니다.

㉡ 일요일 다음이 월요일일 가능성은 '확실하다'입니다.

㉢ 해는 서쪽에서 뜨지 않으므로 해가 서쪽에서 뜰 가능성은 '불가능하다'입니다.

11 카드는 모두 ♥의 카드입니다. '확실하다'인 경우를 수로 표현하면 1입니다.

12
채점 기준	❶ 나올 수 있는 공깃돌의 개수의 경우 구하기	2점
	❷ 꺼낸 공깃돌의 개수가 짝수일 가능성을 수로 표현하기	3점

13 회전판에서 빨간색은 전체의 $\frac{1}{2}$이므로 화살이 빨간색에 멈출 가능성은 '반반이다'입니다. ➡ $\frac{1}{2}$

15 ㉮ 홀수: 1, 3, 5 ➡ 반반이다

㉯ 5의 약수: 1, 5 ➡ ~아닐 것 같다

㉰ 7 이하인 자연수: 1, 2, 3, 4, 5, 6 ➡ 확실하다

㉱ 9의 배수 ➡ 불가능하다

16
채점 기준	❶ 남학생 3명의 몸무게의 합과 여학생 4명의 몸무게의 합 각각 구하기	2점
	❷ 나윤이네 모둠의 몸무게의 평균 구하기	3점

17 (민수의 운동 시간의 평균)

$$=\frac{40+30+40+50}{4}=\frac{160}{4}=40(분)$$

(은정이의 운동 시간의 합)$=40\times5=200(분)$

➡ (은정이가 수요일에 운동한 시간)

$$=200-(35+40+45+30)=50(분)$$

STEP3 한번더 **서술형 해결하기** *46쪽*

01 예 ❶ (전체 농장의 당근 생산량의 합)

$$=32\times14=448\,(t)$$

(아랫마을에 있는 농장의 당근 생산량의 합)

$$=36\times7=252\,(t)$$ ▶2점

❷ (윗마을에 있는 농장의 당근 생산량의 합)

$$=448-252=196\,(t)$$

(윗마을에 있는 농장의 당근 생산량의 평균)

$$=196\div7=28\,(t)$$ ▶3점 / 28 t

02 예 ❶ (정우네 모둠의 키의 합)

$$=150.5\times14=2107\,(cm)$$

(여학생의 키의 합)$=152.5\times6=915\,(cm)$ ▶2점

❷ (남학생의 키의 합)$=2107-915=1192\,(cm)$

(남학생의 키의 평균)$=1192\div(14-6)$

$$=1192\div8=149\,(cm)$$ ▶3점

/ 149 cm

03 예 ❶ (네 지역의 의료 기관 수의 합)

$$=43\times4=172(군데)$$ ▶2점

❷ 라 지역의 의료 기관 수를 □군데라 하면 나 지역의 의료 기관 수는 (□+38)군데입니다.

(네 지역의 의료 기관 수의 합)

$$=41+□+38+17+□=172,$$

$$□\times2+96=172,\ □\times2=76,\ □=38$$

따라서 라 지역의 의료 기관은 38군데입니다. ▶3점

/ 38군데

04 예 ❶ (제과점 5군데의 빵 판매량의 합)

$$=172\times5=860(개)$$ ▶2점

❷ 다 제과점의 빵 판매량을 □개라 하면 가 제과점의 빵 판매량은 (□×2)개입니다.

(제과점 5군데의 빵 판매량의 합)

$$=□\times2+158+□+163+170=860,$$

$$□\times3+491=860,\ □\times3=369,\ □=123$$

(가 제과점의 빵 판매량)$=123\times2=246(개)$ ▶3점

/ 246개

01
채점 기준	❶ 전체 농장의 당근 생산량의 합과 아랫마을에 있는 농장의 당근 생산량의 합 각각 구하기	2점
	❷ 윗마을에 있는 농장의 당근 생산량의 평균 구하기	3점

02
채점 기준	❶ 정우네 모둠의 키의 합과 여학생의 키의 합 각각 구하기	2점
	❷ 남학생의 키의 평균 구하기	3점

03
채점 기준	❶ 네 지역의 의료 기관 수의 합 구하기	2점
	❷ 라 지역의 의료 기관 수 구하기	3점

04
채점 기준	❶ 제과점 5군데의 빵 판매량의 합 구하기	2점
	❷ 가 제과점의 빵 판매량 구하기	3점

단원 평가 매칭북 47~64쪽

1. 수의 범위와 어림하기   47~49쪽

01 47, 50   **02** ㄷ   **03** ㄷ, ㄹ
04 6개   **05** ③, ④   **06** 민성
07 춘천, 제주   **08** 3.5, 3.48   **09** 530
10 13세 이상 65세 미만   **11** 9개
12 8500원   **13** 4600원
14 2349, 2250   **15** 19.52
16 91명 이상 135명 이하   **17** 7개
18 예 ❶ 반올림하여 백의 자리까지 나타내면
    6179 ➡ 6200, 6234 ➡ 6200, 6248 ➡ 6200,
    6149 ➡ 6100입니다. ▶4점
    ❷ 따라서 반올림하며 백의 자리까지 나타낸 수가
    나머지와 다른 하나는 6149입니다. ▶1점 / 6149
19 예 ❶ 41 이상 50 이하인 자연수: 41, 42, 43……
    49, 50 ▶2점
    ❷ 46 초과 57 미만인 자연수: 47, 48, 49……
    55, 56 ▶2점
    ❸ 따라서 두 조건을 모두 만족하는 자연수는 47,
    48, 49, 50으로 모두 4개입니다. ▶1점 / 4개
20 예 ❶ 142장은 10장씩 14묶음과 2장이 더 필요합
    니다. 색종이를 14묶음만 사면 2장이 모자라므로
    올림하여 15묶음을 사야 합니다. ▶3점
    ❷ 색종이를 사는 데 필요한 돈은
    500×15=7500(원)입니다. ▶2점 / 7500원

05 ① 851 → 850   ② 796 → 790   ③ 800 → 800
    ④ 804 → 800   ⑤ 901 → 900

08 • 반올림하여 소수 첫째 자리까지: 3.478 → 3.5
    • 반올림하여 소수 둘째 자리까지: 3.478 → 3.48

09

수	올림	버림	반올림
843	843 → 850	843 → 840	843 → 840
697	697 → 700	697 → 690	697 → 700
530	530 → 530	530 → 530	530 → 530

10 수직선에 나타낸 수의 범위는 13세 미만, 65세 이상
    입니다.
    ➡ 입장료를 내야 하는 나이의 범위는 13세와 같거
       나 많고 65세보다 적으므로 13세 이상 65세 미만
       입니다.

11 밀가루 980 g으로 빵을 만들면 100 g씩 9개를 만들
    고 80 g이 남습니다. 남은 밀가루 80 g으로는 빵을
    만들 수 없으므로 버림하면 빵을 9개까지 만들 수 있
    습니다.

12 • 2.4는 1 초과 3 이하인 수의 범위에 속하므로
      2.4 kg인 소포 요금은 4000원입니다.
    • 5는 3 초과 5 이하인 수의 범위에 속하므로
      5 kg인 소포 요금은 4500원입니다.
    ➡ (필요한 요금)=4000+4500=8500(원)

13 78분=60분+18분=1시간 18분에서 18을 올림하
    여 십의 자리까지 나타내면 20입니다. 따라서 기본
    1시간 요금에 20분의 추가 요금을 내야 합니다.
    ➡ (주차 요금)=3000+800×2=4600(원)

14 반올림하여 백의 자리까지 나타냈을 때 2300이 되는
    자연수는 2250부터 2349까지입니다.
    ➡ 가장 큰 수: 2349, 가장 작은 수: 2250

15 만들 수 있는 가장 큰 소수 세 자리 수는 9.721입니다.
    • 올림하여 소수 첫째 자리까지: 9.721 → 9.8
    • 버림하여 소수 둘째 자리까지: 9.721 → 9.72
    ➡ 어림한 두 수의 합은 9.8+9.72=19.52입니다.

16 • 사람 수가 가장 적은 경우: 버스 2대에 45명씩 모두
      타고 1명이 더 있는 경우
      ➡ (전체 마을 사람 수)=45×2+1=91(명)
    • 사람 수가 가장 많은 경우: 버스 3대에 45명씩 모두
      탄 경우 ➡ (전체 마을 사람 수)=45×3=135(명)
    연지네 마을 사람들은 91명 이상 135명 이하입니다.

17 (승강기에 타고 있는 사람들의 몸무게의 합)
    =80×3+65×4=240+260=500 (kg)
    ➡ 승강기에 실을 수 있는 상자의 무게의 합은
      800-500=300 (kg) 미만이어야 합니다.
    상자 7개의 무게: 40×7=280 (kg)
    상자 8개의 무게: 40×8=320 (kg)
    따라서 40 kg인 상자를 7개까지 실을 수 있습니다.

18

채점 기준		
❶ 각 수를 반올림하여 백의 자리까지 나타내기		4점
❷ 반올림하여 백의 자리까지 나타낸 수가 나머지와 다른 하나 구하기		1점

19

채점 기준		
❶ 41 이상 50 이하인 자연수 구하기		2점
❷ 46 초과 57 미만인 자연수 구하기		2점
❸ 두 조건을 모두 만족하는 자연수의 개수 구하기		1점

20

채점 기준		
❶ 필요한 색종이는 몇 묶음인지 구하기		3점
❷ 색종이를 사는 데 필요한 금액 구하기		2점

2. 분수의 곱셈　50~52쪽

01 1, 5, 5, 2, 5

02 $4 \times 2\frac{7}{8} = \overset{1}{4} \times \frac{23}{\underset{2}{8}} = \frac{23}{2} = 11\frac{1}{2}$

03 ㉢

04 (1) ㉡ (2) ㉠ (3) ㉢

05 >

06 $\frac{7}{12}$

07 $6\frac{2}{5}$

08 $\frac{8}{15} \text{ m}^2$

09 137

10 ㉠, ㉢, ㉡, ㉣

11 $3\frac{3}{20}$ L

12 가, $1\frac{15}{16} \text{ cm}^2$

13 12개

14 30000원

15 $\frac{1}{21}$

16 $2\frac{1}{14} \text{ m}^2$

17 $45\frac{6}{7}$ km

18 예 ❶ $1\frac{5}{6} \times 10 = \frac{11}{\underset{3}{6}} \times \overset{5}{10} = \frac{55}{3} = 18\frac{1}{3}$,

$4 \times 5\frac{1}{6} = \overset{2}{4} \times \frac{31}{\underset{3}{6}} = \frac{62}{3} = 20\frac{2}{3}$ ▶4점

❷ 따라서 옳게 계산한 사람은 선우입니다. ▶1점
/ 선우

19 예 ❶ 왼쪽 식을 계산하면

$2\frac{2}{5} \times 2\frac{1}{3} = \frac{\overset{4}{12}}{5} \times \frac{7}{\underset{1}{3}} = \frac{28}{5} = 5\frac{3}{5}$입니다. ▶3점

❷ $5\frac{3}{5} > \square\frac{1}{5}$이므로 □ 안에 들어갈 수 있는 자연

수는 1, 2, 3, 4, 5로 모두 5개입니다. ▶2점 / 5개

20 예 ❶ 어떤 수를 □라 하면 잘못 계산한 식은

$\square - \frac{3}{8} = 1\frac{5}{12}$이므로

$\square = 1\frac{5}{12} + \frac{3}{8} = 1\frac{10}{24} + \frac{9}{24} = 1\frac{19}{24}$입니다. ▶2점

❷ 따라서 바르게 계산하면

$1\frac{19}{24} \times \frac{3}{8} = \frac{43}{\underset{8}{24}} \times \frac{\overset{1}{3}}{8} = \frac{43}{64}$입니다. ▶3점 / $\frac{43}{64}$

10 ㉠ $7\frac{1}{2}$　㉡ $2\frac{2}{9}$　㉢ $4\frac{1}{5}$　㉣ $1\frac{7}{11}$

➡ ㉠ $7\frac{1}{2} >$ ㉢ $4\frac{1}{5} >$ ㉡ $2\frac{2}{9} >$ ㉣ $1\frac{7}{11}$

11 (승아가 하루에 마시는 물의 양)

$= \frac{9}{10} \times 2\frac{1}{2} = \frac{9}{\underset{2}{10}} \times \frac{\overset{1}{5}}{2} = \frac{9}{4} = 2\frac{1}{4}$ (L)

➡ (승아가 하루에 마시는 우유와 물의 양)

$= \frac{9}{10} + 2\frac{1}{4} = 3\frac{3}{20}$ (L)

12 • (가의 넓이)$= 2\frac{3}{4} \times 2\frac{3}{4} = \frac{11}{4} \times \frac{11}{4} = 7\frac{9}{16} \text{ (cm}^2)$

• (나의 넓이)$= 3\frac{1}{8} \times 1\frac{4}{5} = \frac{25}{8} \times \frac{\overset{5}{9}}{\underset{1}{5}} = 5\frac{5}{8} \text{ (cm}^2)$

➡ 가의 넓이가 $7\frac{9}{16} - 5\frac{5}{8} = 1\frac{15}{16} \text{ (cm}^2)$ 더 넓습니다.

13 (남은 구슬의 수)$= \overset{\overset{12}{36}}{180} \times \frac{\overset{}{4}}{\underset{1}{5}} \times \frac{1}{\underset{1}{4}} \times \frac{1}{\underset{1}{3}} = 12$(개)

15 분모에 큰 수부터 3개를, 분자에 작은 수부터 3개를 놓으면 곱이 가장 작게 됩니다.

➡ $\frac{\overset{1}{2} \times \overset{1}{3} \times \overset{1}{4}}{\underset{3}{9} \times \underset{\overset{4}{8}}{8} \times 7} = \frac{1}{21}$

16 (색칠한 부분의 가로)$= 3\frac{1}{5} - 1\frac{3}{4} = 1\frac{9}{20}$ (m)

➡ (색칠한 부분의 넓이)

$= 1\frac{9}{20} \times 1\frac{3}{7} = \frac{29}{\underset{2}{20}} \times \frac{\overset{1}{10}}{7} = \frac{29}{14} = 2\frac{1}{14} \text{ (m}^2)$

17 2시간 15분$= 2\frac{15}{60}$시간$= 2\frac{1}{4}$시간

• (희주가 간 거리)$= 10\frac{2}{3} \times 2\frac{1}{4} = 24$ (km)

• (동우가 간 거리)$= 9\frac{5}{7} \times 2\frac{1}{4} = 21\frac{6}{7}$ (km)

➡ (두 사람 사이의 거리)$= 24 + 21\frac{6}{7} = 45\frac{6}{7}$ (km)

18

채점 기준	❶ 주어진 식 계산하기	4점
	❷ 옳게 계산한 사람 찾기	1점

19

채점 기준	❶ 주어진 왼쪽 식 계산하기	3점
	❷ □ 안에 들어갈 수 있는 자연수의 개수 구하기	2점

20

채점 기준	❶ 잘못 계산한 식을 세워 어떤 수 구하기	2점
	❷ 바르게 계산한 값 구하기	3점

3. 합동과 대칭

53~55쪽

01 다   **02** 점 ㅂ   **03** 8 cm
04 25°   **05** ③, ④
06 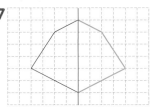 ㄹ, ㅍ에 ○표
07
08
09 12개
10 (왼쪽부터)
  11, 75, 55
11 16 cm
12 28 cm
13 14 cm   **14** 55°   **15** 130°
16 64 cm²   **17** 40 cm²
18 ❶ 선대칭도형이 아닙니다. ▶1점
  ❷ 예 한 직선을 따라 접었을 때 완전히 겹치지 않습니다. ▶4점
19 예 ❶ 두 사각형은 서로 합동이므로 대응변의 길이가 서로 같습니다.
  (변 ㅁㅇ)=(변 ㄱㄴ)=9 cm,
  (변 ㅁㅂ)=(변 ㄴㄷ)=(28÷2)-9=5 (cm) ▶3점
  ❷ (사각형 ㅁㅂㅅㅇ의 넓이)
    =9×5=45 (cm²) ▶2점
  / 45 cm²
20 예 ❶ (선분 ㄴㅇ)=(선분 ㄹㅇ)=8 cm이므로 삼각형 ㄱㄴㅇ은 이등변삼각형입니다. ▶2점
  ❷ (각 ㄴㄱㅇ)=(각 ㄱㄴㅇ)=70°이므로
  (각 ㄱㅇㄴ)=180°-(70°+70°)=40°입니다. ▶3점
  / 40°

05 한 직선을 따라 접어서 완전히 겹치는 도형은 ③, ④입니다.

06 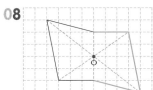 ㄱ→ㄴ   ㄷ→ㄱ   ㄹ→ㄹ
  ㅅ→ㅅ   ㅍ→ㅍ   ㅍ→ㅍ
점대칭도형인 글자: ㄹ, ㅍ

09

(대칭축의 개수의 합)=2+4+6=12(개)

11 대칭축은 대응점끼리 이은 선분을 둘로 똑같이 나누므로 각각의 대응점에서 대칭축까지의 거리가 서로 같습니다.
  (선분 ㄹㅇ)=(선분 ㄷㅇ)=8 cm
  → (선분 ㄷㄹ)=8+8=16 (cm)

12 점대칭도형에서 대응변의 길이가 서로 같습니다.
  (변 ㄴㄷ)=(변 ㅁㅂ)=5 cm
  (변 ㄷㄹ)=(변 ㅂㄱ)=3 cm
  (변 ㄹㅁ)=(변 ㄱㄴ)=6 cm
  → (도형의 둘레)=(6+3+5)×2=28 (cm)

13 합동인 도형에서 대응변의 길이가 서로 같습니다.
  (변 ㅇㅅ)=(변 ㄴㄷ)=5 cm
  (사각형 ㅁㅂㅅㅇ의 둘레)
    =(사각형 ㄱㄴㄷㄹ의 둘레)=39 cm
  → (변 ㅁㅂ)=39-(11+5+9)=14 (cm)

14 선대칭도형에서 대응각의 크기가 서로 같습니다.
  (각 ㄱㄹㄷ)=(각 ㄱㄴㄹ)=35°
  → 삼각형 ㄱㄹㄷ의 세 각의 크기의 합은 180°이므로
    (각 ㄷㄱㄹ)=180°-(90°+35°)=55°입니다.

15 삼각형 ㄹㄱㄷ의 세 각의 크기의 합이 180°이므로
  (각 ㄷㄹㄱ)=180°-(30°+20°)=130°입니다.
  점대칭도형에서 대응각의 크기가 서로 같습니다.
  → (각 ㄱㄴㄷ)=(각 ㄷㄹㄱ)=130°

16 삼각형 ㄱㄴㅁ과 삼각형 ㄷㅂㅁ이 서로 합동이므로
  (선분 ㄱㄴ)=(선분 ㄷㅂ)=8 cm,
  (선분 ㄴㅁ)=(선분 ㅂㅁ)=6 cm입니다.
  → (선분 ㄴㄷ)=(선분 ㄴㅁ)+(선분 ㅁㄷ)
        =6+10=16 (cm)
  (삼각형 ㄱㄴㄷ의 넓이)=16×8÷2=64 (cm²)

17 선대칭도형은 대칭축을 중심으로 접었을 때 완전히 겹치므로 완성한 선대칭도형의 넓이는 주어진 도형의 넓이의 2배입니다.
  (주어진 도형의 넓이)=(6+2)×5÷2=20 (cm²)
  → (완성한 선대칭도형의 넓이)=20×2=40 (cm²)

18	채점 기준	❶ 선대칭도형인지 아닌지 쓰기	1점
		❷ ❶의 이유 설명하기	4점

19	채점 기준	❶ 변 ㅁㅇ의 길이와 변 ㅁㅂ의 길이 각각 구하기	3점
		❷ 사각형 ㅁㅂㅅㅇ의 넓이 구하기	2점

20	채점 기준	❶ 삼각형 ㄱㄴㅇ이 이등변삼각형임을 알기	2점
		❷ 각 ㄱㅇㄴ의 크기 구하기	3점

4. 소수의 곱셈

01 $0.9 \times 4 = \dfrac{9}{10} \times 4 = \dfrac{9 \times 4}{10} = \dfrac{36}{10} = 3.6$

02 4.93

03 $51.6, 516, 5160$

04 (위에서부터) $57.6, 4.35, 7.2, 34.8$

05 다혜

06 19.2 cm^2

07 $0.9 \times 7 = 6.3, 6.3 \text{ L}$

08 27.937

09 ㉠, ㉢, ㉡, ㉣

10 1000배

11 72

12 29

13 185.4 cm^2

14 155.61 cm

15 97 cm

16 0.75 m

17 2.085 km

18 예 ❶ ㉠ $3.7 \times 24 = 88.8$ ㉡ $18 \times 0.65 = 11.7$ ▸4점
❷ 따라서 $88.8 > 11.7$이므로 계산 결과가 더 큰 것은 ㉠입니다. ▸1점 / ㉠

19 예 ❶ $15분 = \dfrac{15}{60}$시간 $= 0.25$시간 ▸2점
❷ (15분 동안 타는 초의 길이)
$= 0.06 \times 0.25 = 0.015 \text{ (m)}$ ▸3점 / 0.015 m

20 예 ❶ 만들 수 있는 소수 두 자리 수 중에서 가장 큰 수는 5.42, 가장 작은 수는 2.45입니다. ▸2점
❷ 따라서 가장 큰 수와 가장 작은 수의 곱은
$5.42 \times 2.45 = 13.279$입니다. ▸3점 / 13.279

---

01 소수 한 자리 수는 분모가 10인 분수로 나타내어 계산합니다.

02 $29 \times 0.17 = 4.93$

03 10, 100, 1000의 0의 수만큼 소수점이 오른쪽으로 옮겨집니다.

04 $12 \times 4.8 = 57.6$ $0.6 \times 7.25 = 4.35$
$12 \times 0.6 = 7.2$ $4.8 \times 7.25 = 34.8$

05 민재: $97 \times 0.1 = 9.7$
다혜: $0.97 \times 100 = 97$
➡ $9.7 < 97$이므로 다혜의 곱이 더 큽니다.

06 (평행사변형의 넓이) $= 6.4 \times 3 = 19.2 \text{ (cm}^2)$

07 (일주일 동안 마신 물의 양) $= 0.9 \times 7 = 6.3 \text{ (L)}$

08 $9.1 > 5.8 > 4.26 > 3.07$이므로
가장 큰 수는 9.1, 가장 작은 수는 3.07입니다.
➡ $9.1 \times 3.07 = 27.937$

09 ㉠ $1.8 \times 6 = 10.8$ ㉡ $16 \times 0.42 = 6.72$
㉢ $0.09 \times 100 = 9$ ㉣ $11.7 \times 0.5 = 5.85$
➡ ㉠ $10.8 >$ ㉢ $9 >$ ㉡ $6.72 >$ ㉣ 5.85

10 $96.14 \times 10 = 961.4$이므로 ㉠ $= 10$입니다.
$728 \times 0.01 = 7.28$이므로 ㉡ $= 0.01$입니다.
➡ 10은 0.01의 1000배이므로 ㉠은 ㉡의 1000배입니다.

11 어떤 수를 □라 하면 □ $\div 4.8 = 15$입니다.
➡ □ $= 15 \times 4.8 = 72$이므로 어떤 수는 72입니다.

12 $4.7 \times 6 = 28.2$
➡ $28.2 <$ □에서 □ 안에 들어갈 수 있는 자연수는 $29, 30, 31 \cdots$이므로 □ 안에 들어갈 수 있는 가장 작은 자연수는 29입니다.

13 (큰 직사각형의 넓이) $= 19 \times 11.4 = 216.6 \text{ (cm}^2)$
(작은 직사각형의 넓이) $= 6 \times 5.2 = 31.2 \text{ (cm}^2)$
➡ (색칠한 부분의 넓이) $= 216.6 - 31.2$
$\qquad\qquad\qquad\qquad = 185.4 \text{ (cm}^2)$

14 (새롬이의 키) $=$ (기찬이의 키) $\times 0.95$
$\qquad\qquad = 156 \times 0.95 = 148.2 \text{ (cm)}$
➡ (현민이의 키) $=$ (새롬이의 키) $\times 1.05$
$\qquad\qquad = 148.2 \times 1.05 = 155.61 \text{ (cm)}$

15 (종이테이프 8장의 길이의 합) $= 14.4 \times 8$
$\qquad\qquad\qquad\qquad\qquad = 115.2 \text{ (cm)}$
(겹치는 부분의 길이의 합) $= 2.6 \times 7 = 18.2 \text{ (cm)}$
➡ (이어 붙인 종이테이프의 전체 길이)
$\qquad = 115.2 - 18.2 = 97 \text{ (cm)}$

16 (첫 번째로 튀어 오른 높이) $= 6 \times 0.5 = 3 \text{ (m)}$
(두 번째로 튀어 오른 높이) $= 3 \times 0.5 = 1.5 \text{ (m)}$
(세 번째로 튀어 오른 높이) $= 1.5 \times 0.5 = 0.75 \text{ (m)}$

17 $2분 45초 = 2\dfrac{45}{60}$분 $= 2\dfrac{3}{4}$분 $= 2.75$분
(기차가 2분 45초 동안 간 거리) $= 0.82 \times 2.75$
$\qquad\qquad\qquad\qquad\qquad = 2.255 \text{ (km)}$
(기차의 길이) $= 170 \text{ m} = 0.17 \text{ km}$
➡ (터널의 길이)
$\quad =$ (기차가 2분 45초 동안 간 거리) $-$ (기차의 길이)
$\quad = 2.255 - 0.17 = 2.085 \text{ (km)}$

18
채점 기준		
❶ ㉠과 ㉡ 각각 계산하기		4점
❷ 계산 결과가 더 큰 것의 기호 쓰기		1점

19
채점 기준		
❶ 15분은 몇 시간인지 소수로 나타내기		2점
❷ 초가 15분 동안 타는 길이 구하기		3점

20
채점 기준		
❶ 수 카드로 만들 수 있는 가장 큰 수와 가장 작은 수 각각 구하기		2점
❷ 두 수의 곱 구하기		3점

5. 직육면체

59~61쪽

01 ①, ⑤

02 (직육면체 그림)

03 5, 5

04 (정육면체 그림)

05 ② **06** ㄹ **07** ㉡, ㉣

08 예 (전개도 그림, 1 cm 표시)

09 26개 **10** 점 ㅁ **11** 선분 ㅈㅊ

12 면 가, 면 나, 면 다, 면 마

13 23 cm **14** 10 cm **15** 5

16 7 **17** 1

18 예 직육면체는 직사각형 6개로 둘러싸인 도형인데 주어진 도형은 4개의 사다리꼴과 2개의 직사각형으로 둘러싸여 있습니다. ▶5점

19 예 ❶ 정육면체는 모서리가 12개이고, 모서리의 길이가 모두 같습니다. ▶2점
❷ (정육면체의 한 모서리의 길이)
$=108 \div 12 = 9$ (cm) ▶3점 / 9 cm

20 예 ❶ 리본으로 12 cm인 모서리 2번, 10 cm인 모서리 2번, 6 cm인 모서리를 4번 둘렀고, 매듭으로 사용한 리본의 길이는 20 cm입니다. ▶2점
❷ (사용한 리본의 전체 길이)
$=12 \times 2 + 10 \times 2 + 6 \times 4 + 20 = 88$ (cm) ▶3점
/ 88 cm

05 면 ㄴㅂㅁㄱ과 수직이 아닌 면은 면 ㄴㅂㅁㄱ과 평행한 면인 면 ㄷㅅㅇㄹ입니다.

06 ㉠, ㉡: 겹치는 면이 있습니다.
㉢: 만나는 모서리의 길이가 다릅니다.

07 ㉡ 직육면체는 길이가 같은 모서리가 4개씩 3쌍입니다.
㉣ 정육면체는 직육면체라고 할 수 있지만 직육면체는 정육면체라고 할 수 없습니다.

08 잘리지 않은 모서리는 점선으로, 잘린 모서리는 실선으로 그리고, 여섯 면의 모양과 크기를 같게 그립니다.

09 직육면체의 면은 6개, 모서리는 12개, 꼭짓점은 8개입니다. ➡ $6+12+8=26$(개)

11 점 ㄱ과 점 ㅈ, 점 ㅎ과 점 ㅊ이 만나므로 선분 ㄱㅎ과 선분 ㅈㅊ이 만납니다.

12 면 라와 마주 보는 면인 면 바를 제외한 나머지 면은 모두 면 라와 수직입니다.

13 (보이지 않는 모서리의 길이의 합)
$=8+5+10=23$ (cm)

14 (직육면체의 모든 모서리의 길이의 합)
$=(9+14+7) \times 4 = 120$ (cm)
➡ (정육면체의 한 모서리의 길이)
$=120 \div 12 = 10$ (cm)

15 직육면체에는 길이가 같은 모서리가 4개씩 3쌍 있습니다.
➡ $(11+7+\square) \times 4 = 92$, $(18+\square) \times 4 = 92$,
$18+\square = 23$, $\square = 5$

16 면 ㉡과 수직인 면: 2, ㉠, ㉣, 4
면 ㉣과 수직인 면: ㉠, ㉡, ㉢, 4
면 ㉡과 면 ㉣에 공통으로 수직인 면: ㉠, 4
➡ 면 ㉠과 눈의 수가 4인 면은 서로 평행하므로 두 면의 눈의 수의 합은 7입니다.
따라서 면 ㉡과 면 ㉣에 공통으로 수직인 면의 눈의 수의 합은 7입니다.

17 첫 번째와 두 번째 그림에서 3이 쓰인 면과 수직인 면에 쓰인 숫자는 1, 2, 5, 6이므로 3이 쓰인 면과 평행한 면에 쓰인 숫자는 4입니다.
6이 쓰인 면과 수직인 면에 쓰인 숫자는 1, 3, 4, 5이므로 6이 쓰인 면과 평행한 면에 쓰인 숫자는 2입니다.
➡ 3이 쓰인 면과 4가 쓰인 면이 평행하고, 6이 쓰인 면과 2가 쓰인 면이 평행하므로 5가 쓰인 면과 평행한 면은 1이 쓰인 면입니다.

18	채점기준	직육면체가 아닌 이유 쓰기	5점

19	채점기준	❶ 정육면체의 모서리의 수 구하기	2점
		❷ 정육면체의 한 모서리의 길이 구하기	3점

20	채점기준	❶ 가로, 세로, 높이에 둘러싼 리본의 횟수와 매듭의 길이 각각 구하기	2점
		❷ 상자를 묶는 데 사용한 리본의 길이 구하기	3점

6. 평균과 가능성
62~64쪽

01 100살   **02** 25살

03 (   )(○)

04 예

05 $\dfrac{1}{2}$ **06** ㉠   **07** 22000원

08 서윤, 1 m   **09** 16초   **10** 187

11 ㉢, ㉠, ㉡   **12** 4회   **13** 481

14 28살   **15** 67 km   **16** 152 cm

17 85 kg

18 예 ❶ 9월의 날수는 30일입니다. ▶2점

     ❷ (9월 한 달 동안 한 줄넘기 횟수)

       $=160 \times 30 = 4800$(회) ▶3점 / 4800회

19 예 ❶ 어떤 수에 1을 곱했을 때 어떤 수가 나오는
것은 '확실하다'이므로 가능성은 1입니다. ▶2점

     ❷ 어떤 수에 0을 곱했을 때 0이 나오는 것은 '확실
하다'이므로 가능성은 1입니다. ▶2점

     ❸ 따라서 ㉠+㉡=1+1=2입니다. ▶1점 / 2

20 예 ❶ (기말고사 과목별 점수의 합)

       $=85 \times 4 = 340$(점) ▶2점

     ❷ (수학 점수)$=340-(80+95+90)$

              $=75$(점) ▶3점 / 75점

04 빨간색 구슬을 꺼낼 가능성은 '~아닐 것 같다'입니다.

     ➡ 0과 $\dfrac{1}{2}$ 사이에 표시합니다.

06 ㉠ 회전판에서 빨간색이 전체의 $\dfrac{3}{4}$이므로 화살이 빨
간색에 멈출 가능성은 '~일 것 같다'입니다.

     ㉡ 회전판에서 빨간색이 전체의 $\dfrac{1}{4}$이므로 화살이 빨
간색에 멈출 가능성은 '~아닐 것 같다'입니다.

     ㉢ 회전판에서 빨간색이 전체의 $\dfrac{2}{4}$이므로 화살이 빨
간색에 멈출 가능성은 '반반이다'입니다.

09 (오래 매달리기 기록의 합)$=18 \times 4 = 72$(초)

     ➡ (성훈이의 오래 매달리기 기록)

        $=72-(20+15+21)=16$(초)

10 (멀리뛰기 기록의 합)

     $=209+172+183+180+191=935$ (cm)

     ➡ (멀리뛰기 기록의 평균)$=\dfrac{935}{5}=187$ (cm)

11 ㉠ ~일 것 같다   ㉡ 불가능하다   ㉢ 확실하다

12 (맥박 수의 합)$=81 \times 6 = 486$(회)

     ➡ (3회의 맥박 수)

       $=486-(75+80+85+81+82)=83$(회)

     따라서 맥박 수가 가장 빠른 때는 4회입니다.

13 만들 수 있는 세 자리 수:

247, 274, 427, 472, 724, 742

     ➡ (세 자리 수의 평균)

       $=\dfrac{247+274+427+472+724+742}{6}$

       $=\dfrac{2886}{6}=481$

14 (여행 동아리 회원의 나이의 평균)

     $=\dfrac{20+22+23+21+24}{5}=\dfrac{110}{5}=22$(살)

     (새로운 회원 한 명이 더 들어온 후 전체 나이의 합)

     $=23 \times 6 = 138$(살)

     ➡ (새로운 회원의 나이)$=138-110=28$(살)

15 (버스가 간 시간)$=3+2=5$ (시간)

     (버스가 간 거리)$=195+140=335$ (km)

     ➡ (버스가 한 시간 동안 간 거리의 평균)

       $=\dfrac{335}{5}=67$ (km)

16 (남학생 3명의 키의 합)$=154 \times 3 = 462$ (cm)

     (여학생 2명의 키의 합)$=149 \times 2 = 298$ (cm)

     ➡ (모둠의 키의 평균)

       $=\dfrac{462+298}{5}=\dfrac{760}{5}=152$ (cm)

17 (네 선수의 몸무게의 합)$=96 \times 4 = 384$ (kg)

     동수의 몸무게를 □kg이라 하면 연석이의 몸무게는
(□+35) kg이므로 □+35+90+□+89=384,

     □×2+214=384, □×2=170, □=85입니다.

     따라서 동수의 몸무게는 85 kg입니다.

18
채점 기준		
❶ 9월의 날수 구하기		2점
❷ 9월 한 달 동안 한 줄넘기 횟수 구하기		3점

19
채점 기준		
❶ ㉠을 수로 표현하기		2점
❷ ㉡을 수로 표현하기		2점
❸ ㉠과 ㉡의 합 구하기		1점

20
채점 기준		
❶ 기말고사 과목별 점수의 합 구하기		2점
❷ 수학 점수 구하기		3점

독해의 핵심은 비문학

지문 분석으로 독해를 깊이 있게!
비문학 독해 | 1~6단계

올바른 문학 독서법

문학 갈래별 작품 이해를 풍성하게!
문학 독해 | 1~6단계

결국은 어휘력

비문학 독해로 어휘 이해부터 어휘 확장까지!!
어휘 X 독해 | 1~6단계

초등 문해력의 빠른시작 빠작

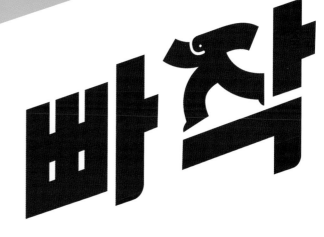

큐브수학
실력

개념부터 응용문제 학습까지 딱 1권으로 완료!

개념만 하기에는 너무 쉽거나 부족할 것 같은데 그렇다고 심화를 하기엔 두 권을 풀어 내는 게 역부족이다 싶을 때 정말 딱 괜찮은 책! 개념부터 약간의 응용까지 건드려줘서 아이도 한 권이라 부담이 덜하고 엄마 입장에서도 너무 어렵지 않은 문제를 고루 만날 수 있다는 게 가장 큰 장점이에요. 개념부터 응용까지 폭넓게 다루는 교재는 큐브수학 개념응용밖에 없어요.

닉네임
좋***

다양한 난이도 문제로 수학 자신감 UP!

세분화된 개념으로 개념을 꽉 잡을 수 있고, 문제는 간단한 기본문제부터 응용문제까지 난이도와 유형이 다양하게 구성되어 있어 단조롭지 않더라고요. 서술형 문제도 꼼꼼히 살펴보았는데 역시 짧은 서술형 문제부터 좀 더 사고를 요하는 긴 문장의 문제까지 갖춰져 있어서 지루하지 않았어요. **제대로 개념을 이해하면서, 시간이 걸리더라도 다양한 문제를 마주하고 익힐 수 있는 책이에요.**

닉네임
유*

서술형 문제 집중 훈련이 필요할 땐! 큐브수학 실력

서술형 코너는 연습→단계→실전의 3단계 학습으로 구성되어 있어요. 저는 이 부분이 가장 좋았어요. '연습'은 풀이 과정을 자연스럽게 익히면서 스스로 풀 수 있을만큼 쉽게 느껴졌고, '단계'는 연습의 복습, '실전'은 혼자 푸는 건데도 두 번의 연습으로 완벽하게 풀 수 있어 **서술형 문제를 내 것으로 만든다는 느낌이 강하게 들었습니다.** 답안 쓰기 훈련을 완벽하게 할 수 있어요.

닉네임
삼**

반복 학습으로 모든 유형을 제대로 익히기!

다양한 유형 문제가 있고, **문제마다 유형-확인-강화 순으로 반복 학습이 가능해요.** 유사 유형의 문제를 반복적으로 풀어 볼 수 있으니 실력 향상에 도움이 많이 됩니다. 또 서술형도 3단계 학습으로 답안 쓰기 훈련이 정말 잘 됩니다. 그리고 해설지도 문제에 따라 약점 포인트, 정답률까지 나와 있어서 참고하기 너무 편하게 되어 있더라고요.

닉네임
슈****

상위권 도전 첫 교재로 강력 추천!

개념과 유형 문제집까지 다 끝냈는데 심화를 안 풀고 넘어갈 수는 없잖아요? 심화 문제집도 아이에게 맞는 난이도를 선택하는 것이 무엇보다 중요한데요. **군더더기 없고 깔끔한 문제 구성과 적절하게 나누어진 난이도 덕분에 심화 시작 교재로 강력 추천합니다.**

닉네임
블***

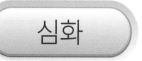

믿고 보는 동아출판 초등 교재

기초학습서부터 교과서 개념 다지기, 과목별 전문서까지!
초등학교 입학 전부터, 예비 중등까지. 초등학생에게 꼭 필요한 영역을 빠짐없이! **동아출판 초등 교재 라인업**

BEST

2022 개정 교육과정

초등 1~2학년 권장 단계
초능력

맞춤법 + 받아쓰기

쉽고 빠른 맞춤법 학습 / 받아쓰기 단계별 연습 / 국어 교과서 어휘 학습

초등 국어
1·2

초능력
비주얼씽킹 과학

초능력
비주얼씽킹 초등 한국사

초능력
수학 연산

초능력
국어 독해

초능력
급수 한자

초등 영역별 기초학습서
초능력 국어 / 수학 / 과학 / 한국사 / 한자

초고필
비문학 독해 1

5-6학년
예비 중등

초고필
지금 유리수의 사칙연산 을 해야 할 때

초고필
지금 국어 문법 을 해야 할 때

초고필
지금 국어 어휘 를 해야 할 때

처음 반편성 배치고사 +진단평가

초고필
지금 한국사 를 해야 할 때

예비 중등
초고필 국어 / 수학 / 한국사
적중 반편성 배치고사 + 진단평가